IM GEIST DER GEGENWART

Im Geist der Gegenwart

EDITED BY

DANIEL C. McCLUNEY, JR.
Stanford University

New York OXFORD UNIVERSITY PRESS 1959

© 1959 by Oxford University Press, Inc.
Library of Congress Catalogue Card Number: 59-6033

Fourth Printing, July 1961

Printed in the United States of America

PREFACE

In selecting the stories for this anthology the editor has had uppermost in his mind the reading interests of second-year college students and advanced high-school students who have mastered the basic elements of the German language and are prepared to put into practice what they have learned. Such students, although not yet ready to undertake profitably a formal study of the great masterpieces of German literature, deserve to read in the second phase of their language training challenging up-to-date material expressed in natural, contemporary German. The stories in this collection have, therefore, been chosen as timely in both style and content and representative of several trends of present-day short fiction in Germany. All, it is believed, are good stories well told, and most of them, in a diversity of style and content, reflect attitudes of post-war Germany. Among the authors whose stories are to be found on the following pages are some who are already well known to readers in this country; others, now in the ascendancy in their own country, are new to us here. Whether or not these authors of the new generation will make their mark in the literary histories of the future cannot be predicted. It can, however, be said that they speak the language of the mid-century.

During the academic year 1957–58 the editor used various stories under consideration for this volume in his second-year classes. The students read the stories in un-edited form, i.e., without the help of footnotes and an end-vocabulary. The final selection was made as the result of the helpful suggestions of these students, who also assisted in finding many of the places in the text that required footnotes. The editor is deeply indebted to his students for their criticisms and positive suggestions.

Since the editor believes that second-year college and advanced high-school students should read modern German prose in the form in which it is being presented to the mature reading public in Germany, the texts of the stories in this collection are reproduced just as they appear in the authorized German editions. Footnotes have, however, been appended to help the student over some of the more difficult and obscure grammatical constructions as well as to clarify unusual and dialect words, historical facts, and geographical place names with which he may not be readily familiar. Each story is introduced by a brief, factual biographical sketch of its author, but except for a line or two to introduce the story which follows, an interpretation of the story itself has purposely been omitted. To give a student an interpretation of a story before he reads it is to destroy most of the adventure in reading it. The questions near the end of the book will, however, give the student the opportunity to reconstruct the main line of each story and will also, it is hoped, elicit from him his personal evaluations and reactions.

For their patient and thoughtful help in the preparation of this book I am indebted not only to my students but also to several of my friends and colleagues: Professor Henry Blauth, whose wise and incisive counsel was invaluable not only in the original selection of the stories but also in their final preparation; Professor Gertrude Schuelke, who served patiently and long as adviser on many linguistic problems; Professor B. Q. Morgan, old friend and teacher, whose careful reading and criticism of the manuscript were invaluable; and Herbert F. Mann, Jr., of the Oxford University Press, whose friendly co-operation and interest have been of great assistance

PREFACE   vii

in over-all planning. Finally, I am most of all indebted to my wife, Lucy McCluney, without whose forbearance and industrious, painstaking assistance this book would never have been completed.

Daniel C. McCluney, Jr.

Stanford, California
February 1959

ACKNOWLEDGMENTS

The editor is most grateful to the following presses and individuals for their kind permission to reprint the stories in this volume.

Aichinger, Ilse; *Der Hauslehrer*, from *Der Gefesselte*, Copyright 1954 by S. Fischer Verlag, Frankfurt am Main
Bergengruen, Werner; *Pupsik*, from *Der letzte Rittmeister*, Copyright 1952 by Verlag der Arche, Zürich
Böll, Heinrich; *Der Mann mit den Messern*, from *Erzählungen*, Copyright 1958 by Verlag Friedrich Middelhauve, Opladen
Gaiser, Gerd; *Du sollst nicht stehlen*, from *Einmal und Oft*, Copyright 1956 by Carl Hanser Verlag, München
Hildesheimer, Wolfgang; *Das Gastspiel des Versicherungsagenten*, from *Lieblose Legenden*, Copyright 1952, Deutsche Verlags-Anstalt, Stuttgart
Kaschnitz, Marie Luise; *Pax*, from *Das dicke Kind und andere Erzählungen*, 1952, Scherpe-Verlag, Krefeld
Kramp, Willy; *Der Sohn*, from Furche-Bücherei-Bändchen 88, *Sieben Perlen*, 1954, Furche-Verlag, Hamburg
Lampe, Friedo; *Spanische Suite*, from *Das Gesamtwerk*, 1955, Rowohlt Verlag, Hamburg

ACKNOWLEDGMENTS

Lipinsky-Gottersdorf, Hans; *Morgen regnet es in den Bergen,* from *Gesang des Abenteuers,* 1956, Vandenhoeck & Ruprecht, Göttingen

Roth, Eugen; *Der Mitschuldige,* from *Abenteuer in Banz und andere Erzählungen,* 1952, Carl Hanser Verlag, München

Schnabel, Ernst; *Sie sehen den Marmor nicht,* from Ernst Schnabel, *Sie sehen den Marmor nicht, 13 Geschichten,* Claassen Verlag, Hamburg.

Schneider, Reinhold; *Der Edelstein,* from *Die gerettete Krone,* Copyright 1948 by Verlag Schnell & Steiner, München

Torberg, Friedrich; *Nichts leichter als das,* original appearance in *Unsere Zeit, Die schönsten deutschen Erzählungen des zwanzigsten Jahrhunderts,* herausgegeben von Hermann Kesten, 1956. This story is reprinted with the kind permission of the author.

CONTENTS

DER HAUSLEHRER   Ilse Aichinger   4

MORGEN REGNET ES IN DEN BERGEN
   Hans Lipinsky-Gottersdorf   10

DER MANN MIT DEN MESSERN   Heinrich Böll   28

SIE SEHEN DEN MARMOR NICHT   Ernst Schnabel   44

DER EDELSTEIN   Reinhold Schneider   50

SPANISCHE SUITE   Friedo Lampe   63

DER SOHN   Willy Kramp   79

PUPSIK   Werner Bergengruen   90

PAX   Marie Luise Kaschnitz   108

DU SOLLST NICHT STEHLEN   Gerd Gaiser   119

DER MITSCHULDIGE   Eugen Roth   135

DAS GASTSPIEL DES VERSICHERUNGSAGENTEN
   Wolfgang Hildesheimer   151

NICHTS LEICHTER ALS DAS   Friedrich Torberg   157

QUESTIONS   181

VOCABULARY   189

ILSE AICHINGER

Ilse Aichinger was born in Vienna in 1921. After the War she began the study of medicine but gave it up after five semesters in order to devote herself exclusively to her writing. Her first novel, *Die Größere Hoffnung,* appeared in 1948 and won not only considerable acclaim from the critics but also a high literary award. A collection of her short stories was published in Austria in 1952 under the title *Rede unter dem Galgen* and in the next year in Germany as *Der Gefesselte.* The story in the present anthology is taken from the latter volume. In 1953 Ilse Aichinger was married to Günter Eich, a well-known lyric poet. Besides her novel and short stories she has written *Hörspiele* for the German radio and been active on the staffs of several newspapers and literary journals. She is considered one of the leaders among the younger generation of writers in Germany and Austria today. The short short story, *Der Hauslehrer,* a precise sketch of a child's point of view, leaves the reader wondering about the validity of his adult world.

DER HAUSLEHRER

von Ilse Aichinger

*V*ATER und Mutter waren gegangen. Der Kleine hing über das Stiegengeländer und schaute ihnen nach. Er sah den hellen Hut seiner Mutter und den dunklen seines Vaters tief unten und noch tiefer—zuletzt sah er nichts mehr. Der Flur war grün wie die See. Man konnte denken, Vater und Mutter wären gesunken. Ihre Ermahnungen waren so eindringlich gewesen, als ließen sie ihn nicht nur für eine Stunde allein. Dem Kleinen schwirrte der Kopf: Die Kette vorlegen und niemandem öffnen, nur wenn der Hauslehrer kam . . . Er war lange krank gewesen, und da er noch schwach war, blieb er zu Hause und erhielt Unterricht. Sein Hauslehrer war ein Student, ein stiller, junger Mann, der ihn für gewöhnlich langweilte.

Der Kleine ging durch die leere Wohnung. Sie war still wie eine Muschel, die man ans Ohr hielt. Er öffnete die Tür zur Vorratskammer. Alle diese gefüllten Körbe und Gläser gehörten jetzt ihm: die Fracht eines fremden Schiffes—die weite Welt. Er nahm einen Apfel aus dem Korb, aber in diesem Augenblick läutete es. Er schlich hinaus. Vor der Tür hielt er den Atem an und zögerte. Dann legte er die Kette vor und öffnete die Tür um einen Spalt. Draußen stand der alte Bettler, den er schon kannte. „Ich habe nichts!" sagte das Kind verlegen und gab ihm den Apfel, den es in der Hand hielt. Der Bettler nahm ihn, ohne zu danken. „Auf Wiedersehen!" sagte der Kleine, aber er erhielt keine Antwort.

Er schloß die Tür und ging auf den Fußspitzen in sein Zimmer. Dort setzte er sich an den Tisch und saß ganz still. Er hatte sich darauf gefreut, allein zu sein, aber jetzt empfand er Furcht. Furcht vor dem Bettler und Furcht vor den leeren Räumen. Es erleichterte ihn, als er den Hauslehrer läuten hörte. Er lief hinaus und öffnete.

„Du solltest durch das Guckloch [1] schauen!" sagte der Hauslehrer.

„Ich erreiche es nicht!" erwiderte das Kind. Es sah an dem jungen Mann hinauf, der sich vor dem Spiegel über das Haar strich und einen Augenblick innehielt, als lauschte er.

Sie rückten den Tisch ans Fenster und begannen zu lesen. „Es—ist—Herbst—", las der Kleine stockend, „die Vögel fliegen nach dem Süden." Er hob den Kopf und sah hinaus.

„Wo fliegen sie?" fragte er.

„Lies weiter!" sagte der Hauslehrer ungeduldig. Und dann, als hätte er sich besser besonnen: „Sie sind schon über dem Meer!"

Der Kleine las weiter. Von Blättern, die fielen, und von Früchten, die in großen Gärten geerntet wurden. Von dem bunten Weinlaub und von der Sonne, die früher unterging.

„Wo?" fragte er. „Wo geht sie unter?"

„Drüben!" [2] sagte der Hauslehrer unbestimmt.

Sie lasen jetzt vom Himmel und von den weißen Wolken, die der Wind darübertreibt.

„Wo?" rief der Kleine wieder. Aber er bekam keine Antwort. Er hob den Kopf und sah, daß der Hauslehrer still saß und auf seine Knie schaute. „Wo treibt der Wind die Wolken?" rief er dringender. Der Himmel vor dem offenen Fenster war wolkenlos und fast durchscheinend. Es war kurz vor Einbruch der Dämmerung.

„Hörst du etwas?" fragte der Hauslehrer, ohne den Kopf zu heben.

[1] *Guckloch:* peep-hole
[2] *Drüben:* over there

„Hören?" sagte der Kleine. „Nein, ich höre nichts!"
„Still!" sagte der Hauslehrer. „Wenn du ganz still bist, hörst du sie!"
„Wen?" fragte das Kind.
„Horch!" rief der Hauslehrer.
„Wen soll ich hören?" fragte der Kleine noch einmal.
„Diese Stimme", sagte der junge Mann, „diese Stimme!"
Der Kleine ließ das Blättern.[3] Er senkte den Kopf und legte die Hände hinter die Ohren, aber er hörte nichts als das leichte Brausen, das von tief unten kam und die ganze Wohnung in eine Muschel verzaubert hatte.
„Rauschen?" sagte das Kind.
„Nein", antwortete der Hauslehrer. „Schreien!"
Der Kleine begann zu lachen. Er sprang auf und klatschte in die Hände.
„Ist es ein Spiel?" rief er.
„Lies weiter!" sagte der Hauslehrer.
Aber kaum hatten sie von den Nebeln und von den langen Schatten zu lesen begonnen, als er aufsprang und die Tür ins Nebenzimmer aufriss, als wollte er jemanden überraschen. Er ging von da durch den Salon in das Schlafzimmer der Eltern, durchquerte das Vorzimmer und kam wieder zurück. Der Kleine sah ihm erstaunt entgegen.
„Es ist jemand in der Wohnung!" sagte der Hauslehrer. Er erkundigte sich, ob vor ihm schon jemand hier gewesen sei.
„Ja", antwortete das Kind, „ein Bettler."
„Hast du die Kette vorgelegt?"
„Ja!"
Der Hauslehrer fiel in Schweigen.
„Soll ich weiterlesen?"
„Horch!"
„Spielen wir?" lächelte der Kleine unsicher.
Der junge Mann sah ihm nachdenklich ins Gesicht.

[3] *ließ das Blättern:* stopped turning the pages

„Ja!" sagte er nach einer Weile. „Spielen wir, es wäre jemand in der Wohnung!"

„Und wer?" rief der Kleine freudig.

„Einer", sagte der Hauslehrer, „den wir fürchten."

„Der Bettler?"

„Ja, der Bettler! Wir wollen ihn suchen gehen."

Als der Hauslehrer die Hand in die seine legte, fühlte der Kleine, daß sie kalt und feucht von Schweiß war. Sie gingen auf den Fußspitzen, öffneten leise die Türen und sahen in alle Ecken. Das Licht draußen ließ nach, und in den Zimmern begann es schon zu dunkeln. Nur noch die Rahmen der Bilder glänzten von den Wänden. Im Salon hielt der junge Mann inne, ließ die Hand des Kleinen fallen und legte den Finger an den Mund.

„Wo ist er?" rief der Kleine. Seine Wangen glühten vor Eifer.

„Hörst du ihn nicht?" flüsterte der Hauslehrer.

„Wo?"

„Nebenan!"

„Was sagt er?"

„Er droht!"

Der Kleine stürzte hinaus, riß den Mantel seines Vaters vom Kleiderständer und schrie: „Ich habe ihn, ich habe ihn!" Dann schlüpfte er in den Mantel und schleifte ihn hinter sich her.

Der Hauslehrer kam aus dem Salon. Er kam ganz langsam mit kleinen furchtsamen Schritten auf den Kleinen zu.

„Wir haben ihn!" rief der noch einmal. „Wir haben ihn!"

„Ach", sagte der Hauslehrer langsam, „du bist es!"

Sie standen vor dem grossen Spiegel, und der Kleine sah, wie das Spiegelbild des anderen die Faust gegen ihn erhob. In dem fallenden Dunkel sah er diese geballte Faust und das blasse verzerrte Gesicht. Er sprang und lachte laut. So lustig war der Hauslehrer noch nie gewesen! In diesem Augenblick hörte er die Schlüssel im Schloß gehen und erkannte die Gesichter seiner Eltern hinter sich. Und er hörte seine Mutter schreien.

Aber noch als der Hauslehrer, von drei Männern gebändigt, erschöpft, mit Schaum vor dem Mund in den Rettungswagen geladen wurde, suchte der Kleine ihnen in die Arme zu fallen.

„Aber wir wollten doch nur spielen!"

Und sooft seine Eltern später sagten: „Wenn wir damals nicht rechtzeitig gekommen wären—", fiel er ihnen zornig ins Wort: „Wir wollten doch nur spielen!"

Und er mißtraute den Erwachsenen.

HANS LIPINSKY-GOTTERSDORF

Hans Lipinsky-Gottersdorf, who most recently has been living in Cologne, is of East German origin. He was born in 1920 in Leschnitz am Annaberg in Upper Silesia and spent his boyhood in Stolp in East Pomerania, where his father was employed as a translator of Slavic languages. When Lipinsky was in his early teens, the family returned to Upper Silesia, there to resume management of the old family estate, Gottersdorf, situated very near the Polish border. Young Lipinsky began a training in agriculture with the intention of following the career of his father. He served apprenticeship on several large Silesian estates until he was called to arms when World War II broke out. During the years of his apprenticeship in agriculture the idea that some day he would become a writer seems never to have occurred to him. After his release from military service when the War was over, Lipinsky was able to make his way to Cologne, where he found work in a factory.

This author tells that he began writing in order to try to conquer, at least in himself, the inhumanity of the years "before and after 1945." His first novel, *Fremde Gräser* (1955), as well as the *Erzählung,*

Wanderung im dunklen Wind (1953), and the stories in the collection *Gesang des Abenteuers* (1956) have sprung quite naturally from his personal experiences in the years of which he writes. In simple, straightforward yet poetic language he expresses the essential dignity of mankind.

The story which follows is taken from the collection *Gesang des Abenteuers*.

MORGEN REGNET ES IN DEN BERGEN

von HANS LIPINSKY-GOTTERSDORF

*E*S WAR ein schwüler Tag. Nachmittags saß ich in meiner Stube am Fenster und betrachtete den Fluß, dessen Wasser kilometerbreit und silbergrau den Raum vor dem dunklen Waldrand im Süden füllten. Auf den weiten Wiesen zwischen Dorf und Ufer arbeiteten Frauen. Sie blieben oft stehen: ihre hellen Kopftücher leuchteten, vor ihnen lagen die schweren Schwaden [1] frischgemähten Grases unabsehbar weit stromab. Ein Mann schleppte ein Fäßchen aus den Erlenbüschen und stellte es auf ein Holzgestell, eine der Frauen nach der anderen trat heran und trank. Dann zog die Kolonne weiter; der Mann brachte das Fäßchen wieder fort, seine Füße versanken im dicken Teppich trocknender

---

[1] *Schwaden:* swaths

Gräser. Die Frauen, rote, blaue und gelbe Punkte, verschwanden endlich hinter dem Waldstück an der Biegung. Von der Insel, dem schmalen, buschbestandenen Landstreifen in der Mitte des Flusses, schallten schwere Hammerschläge herüber wie alle Tage. Der Himmel war dunstig und schwer, durchzuckt von kleinen, goldenen Flämmchen, Schwalben schossen über die Wiesen, dann stiegen sie jählings hinauf, mit kleinen hellen Schreien verschwanden sie irgendwo wie dunkle Blitze. Die Hammerschläge begleiteten mich in einen kurzen, bleiernen Schlaf und weckten mich wieder. Es war Zeit, hinunter zu gehen. Als ich noch einmal durch das Fenster sah, krochen schwere Rauchschlangen [2] aus dem Ufergebüsch der Insel und verweilten träge auf dem Wasser. Unten, in der muffigen [3] Kühle der Gaststube, fragte ich zum erstenmal nach dem sonderbaren Mann dort drüben. Die Wirtin kam an meinen Tisch; ihre Schritte knirschten auf den sandbestreuten Dielen. Sie setzte das Glas nieder und schüttelte den Kopf.

„Sie wohnen dort zu zweit",[4] sagte sie. „Er und seine Frau, seit zwei Jahren. Wir wundern uns alle darüber, daß sie noch bleiben. Eines Tages werden sie doch fortmüssen . . ." Sie wollte noch mehr erzählen, aber Antonin, der Bürgermeister, betrat den Raum und setzte sich zu mir. Er war ein mittelgroßer, schwerer Mann, mit starken Schultern unter dem dünnen Hemd.

„Ausgeschlafen?"[5] sagte er und drehte mir sein borstiges Gesicht zu. „Wie ist das, wollen Sie mir morgen im Heu helfen?"

„Gern", sagte ich, „nur ein bißchen weniger schwül müßte es sein!"

Er lachte und rief nach Bier. „Ach, ihr Städter", meinte er dann. Er roch nach Heu und Pferden; sein Gesicht und seine Hände waren rotbraun. Ich fing wieder an, von der Insel zu

---

[2] *Rauchschlangen:* snake-like wisps of smoke
[3] *muffigen:* musty
[4] *zu zweit:* the two of them
[5] *Ausgeschlafen?:* Did you get enough sleep?

reden. Antonin hörte mir zu; seine Brauen zogen sich zusammen.

„Die Insel", sagte er, „ja, die Insel! Das ist eine dumme Geschichte, aber die Gemeinde kann nichts dafür!"⁶ Er hob sein Glas und trank. Dann fuhr er mit dem Handrücken über den Mund; irgend etwas bereitete ihm Unbehagen.

„Was ist mit der Insel?" fragte ich neugierig.

Antonin biß eine Zigarre ab und spuckte. „Noch ist er ja nicht fort", sagte er, „statt dessen kauft er überall Pfähle. Na, wir geben sie ihm billig, das ist ja seine Sache. Aber ich denke mir, eines Tages wird er das Geld für die Insel zurückhaben wollen, und das geht natürlich nicht. Gekauft ist gekauft, und die Gemeinde kann nichts dafür. Die Insel hat immer dort gelegen—wer konnte wissen . . ."

Die Tür ging auf, einige Bauern kamen herein und Antonin erhob sich. „Gemeinderatssitzung",⁷ sagte er entschuldigend, „ich erzähle es Ihnen ein andermal". „Ich möchte heut⁸ rudern!" rief ich ihm nach.

„Soviel Sie wollen", brummte er zurück. „Wo das Boot liegt, wissen Sie ja."

Als die Uhr halb neun schlug, ging ich hinaus. Auf der Dorfstraße war kein Mensch zu sehen; zwischen den Steinen standen noch hier und da schwarze Pfützen vergangener Regentage. Dicht hinter dem Gasthaus führte ein Pfad zwischen Gärten in die Wiesen hinunter; dumpfer, brackiger Geruch stieg aus der feuchten Erde, und ich zündete mir die Pfeife an. Es war schon dunkel; in den Baumwipfeln der Insel flackerte düsterroter Feuerschein; der Mann dort mußte nasse Zweige genommen haben, die Mücken zu vertreiben. Der Pfeifenrauch nützte nicht viel; das heiße Sirren um meinen Kopf war fast so laut wie der Chor der Frösche. Nach

---

⁶ *kann nichts dafür:* can't help it
⁷ *Gemeinderatssitzung:* town council meeting
⁸ *heut:* heute

einer Weile schwankte der Grund unter meinen Füßen und seufzte; zu meiner Rechten gluckste das Wasser; ich hatte den toten Flußarm erreicht. Schwer und warm hing die Luft über der Niederung, meine Stirn war naß von Schweiß. Ich ging dicht am Ufer hin, zu der kleinen Bucht, in der die Boote lagen. Als ich die steile Böschung hinabkletterte, kollerten Erdschollen und Rasenteile an mir vorbei und fielen klatschend ins Wasser. Sogleich wurden die Frösche still, und ich hörte den Fluß; er nagte leise und beharrlich an unsichtbaren Sandbänken, patschte in Höhlungen und zerrte an Wurzeln und Gräsern. Die Planken knarrten, und das Boot schaukelte unter meinen Füßen. Wasser schlug gegen die Wände, ich spürte die seltsam saugende Gewalt der Strömung und empfand eine unbestimmte Furcht, vor der schwülen Stille des Abends, vor dem fremdartigen Leben, das unter den Planken pochte und der schweigsamen Dunkelheit der Wälder auf der anderen Seite. Einen Augenblick dachte ich daran, umzukehren; dann sah ich wieder den roten Feuerschein in den Inselbäumen und warf die Kette fort. Das Boot trieb rasch ab, die Schattenlinien des Ufers verschwanden, kleine Wellen hüpften neben mir, ab und zu fühlte ich einen klebrigen Tropfen auf meiner Haut. Ich senkte das Ruder und stellte den Bug schräg; die dunklen Umrisse der Insel tauchten auf und rückten rasch heran. Ich wollte um die obere Spitze herum, die andere Seite entlang flußabwärts und dann, gegen die schwache Strömung in der Nähe des Ufers, wieder zurückrudern. Aber das war schwieriger, als ich dachte. Wo sich das Wasser vor der Insel teilte, spürte ich plötzlich zwei, drei starke Stöße; dann knirschte es laut. Sand! dachte ich erschrocken und ruderte, so stark ich konnte. Mit einer langsamen Drehung glitt das Boot weiter, und ich wollte schon erleichtert aufatmen, als ich abermals einen Ruck spürte, der mich beinahe von der Bank warf. Das Holz ächzte, ich sprang auf, stieß das Ruder nach unten und drückte. Kaum vierzig Zentimeter unter der Oberfläche war fester Sand. Die Strömung glitt pfeilschnell darüber hin. Plötzlich stand ich im kalten Wasser; das Boot hatte sich geneigt. . . . „Verdammt!" sagte ich laut.

„Was ist los?" fragte eine Männerstimme irgendwo im Dunkeln.

„Ich sitze fest",⁹ sagte ich niedergeschlagen und beschämt. Das war er also. Sehen konnte ich nichts, als den dunklen Glanz der Wasserfläche und die Schatten der Büsche am Inselufer. Eine Mücke saß auf meiner Wange, und während ich mich mit allen Kräften gegen das Ruder stemmte, rieb ich das Gesicht an meiner Jacke.

„Warten Sie", sagte der Fremde, „ich komme gleich," Es plätscherte und rauschte; er kam von irgendwoher auf mich zu, aber ich sah ihn erst, als er dicht neben mir stand. „Die Bänke sind hier gewandert", sagte er, „das geschieht oft; man kann dabei zusehen." ¹⁰

Er ging um das Boot herum. „Sie haben Glück! Gestern stand es hier noch mannstief über dem Grund. Sie wären sofort versunken."

„Warum Glück?" fragte ich gereizt, „dann wäre ich nicht festgelaufen."

Ich hörte ihn lachen. „Steigen Sie aus! Wir müssen schieben, sonst kommen Sie nicht frei."

Ich sprang hinaus. Das Wasser reichte mir bis zu den Knien und drückte. Der Sand unter meinen Füßen bewegte sich wie der Rücken einer Schildkröte.

„Los", sagte er, „wir müssen es wieder in die Strömung legen, sonst schlägt es voll." ¹¹ Er atmete neben mir und keuchte vor Anstrengung. Der Strom war unheimlich stark, aber als wir den Bug erst frei hatten, half er mit. „Schnell hinein",¹² sagte der Fremde, „man weiß nie wo der Sand

---

⁹ *Ich sitze fest:* I'm stuck
¹⁰ *man kann . . . zusehen:* one can watch it happen
¹¹ *schlägt es voll:* it will swamp
¹² *Schnell hinein:* get in quickly

trägt und wo nicht. Kennen Sie Wanderdünen? [13] So ist es!"
Er nahm die Ruder. „Ich habe einmal einen Hirsch gesehen, der versank. Es dauerte fast eine halbe Stunde, und ich konnte ihm nicht helfen. Zuletzt schrie er—das war schlimm. Man muß sehr vorsichtig sein!"

Ich versuchte, sein Gesicht zu erkennen, aber es war nur ein heller Fleck. „Warum sind Sie dann gekommen?" fragte ich.

Er schwieg eine Weile und arbeitete mit den Rudern. Leicht und geschickt glitt das Boot in das ruhige Wasser hinter einer Landzunge. „Ach", sagte er, „manchmal trägt er auch. Sie sehen ja, er hat getragen."

Wir lagen inmitten von Buschwerk. Es roch nach fauligem Laub und nasser Erde. Ein paar Meter weiter zog rauschend und gurgelnd der Fluß vorbei. Klatschend schlug ich gegen meine Stirn.

„Ja, die Mücken", sagte der Fremde, „die Mücken sind schlimm!—Wir können zum Haus gehen, dort brennt das Feuer, und da gibt es nicht so viele. Haben Sie Zeit? Sie sind doch der Sommergast, nicht wahr?"

Er wartete nicht, sondern sprang ans Ufer, verschwand einen Augenblick und kam mit einem Korb zurück. „Ich hole unsere Kartoffeln. Sonst hätten Sie hier lange warten können. Vom Hause hätten wir Sie nicht gesehn." Ich sah seinen dunklen Rücken und seinen Kopf und hielt mich dicht hinter ihm. Es ging sacht bergan; nach kurzem Weg traten wir aus den Büschen auf ein kleines Plateau. Der schwüle Dunst, auch hier nur wenig erhellt vom Licht der Sterne, lag ringsumher und erschwerte die Sicht. Wir gingen ein Stück geradeaus, hundert Schritt oder zweihundert; der Feuerschein spielte links von uns in den Baumkronen. Kartoffelkraut streifte meine Füße, über meine Wangen lief der Schweiß; immerfort mußte ich nach den Mücken schlagen, die sich

---

[13] *Wanderdünen:* dunes of loose sand which drift slowly in the direction of the prevailing wind

in Scharen auf meine Haut stürzten. Mein Begleiter blieb stehen.

„Es wird viel Unsinn geredet", sagte er, „und ich denke, daß Sie schon davon gehört haben. Aber ich möchte nicht, daß Sie ihr Angst machen—meiner Frau, meine ich. Sie wissen doch, daß ich mit meiner Frau hier wohne?"

Ich sagte, daß ich das wüßte. Sonst wußte ich nichts. „Ich bin erst seit drei Tagen hier. Womit sollte ich ihr Angst machen?"

Er zögerte mit der Antwort und bewegte unruhig den Kopf. Dann faßte er mich plötzlich am Arm.

„Gut! Heute nacht können Sie nicht mehr zurück, die Strömung ist sehr stark, in den Bergen regnet es seit Tagen. Bleiben Sie also hier, dann werden Sie selbst sehen und hören. Es sieht gefährlich aus, das gebe ich zu! Aber ich werde es schaffen. Sie müssen sich ansehen, was ich getan habe, dann werden Sie dasselbe sagen. Es ist gut, daß Sie gekommen sind, für Maria wird das eine Beruhigung sein.

„Ja", sagte ich ratlos, „aber . . ."

Wir gingen schon weiter. Ich roch den Rauch; in dichten Schwaden zog er durch die Büsche. „Hier wohnen wir", sagte der Mann. Der Feuerschein fiel auf ein kleines Haus zwischen den Bäumen, schwarze Balken unter einem niedrigen Schilfdach, zwei schmale Fenster, eine niedrige Tür. Als wir näher herangingen, konnte ich zum erstenmal sein Gesicht erkennen. Es sah nicht so aus, wie ich es mir vorgestellt hatte, gar nicht! Ein Buchhalter, hätte ich gedacht, wenn ich ihn irgendwo getroffen hätte, ein Angestellter—nur, daß er der Mann war, der seit zwei Jahren mit seiner Frau auf einer Flußinsel saß, daß er dieser Mann sein könnte, dem ich seit Tagen zugehört hatte, das wäre mir niemals eingefallen. Noch jetzt, in Manchesterhosen [14] und Arbeitsjacke, sah er mehr nach einem Sommerfrischler [15] aus als ich!

---

[14] *Manchesterhosen:* corduroy pants
[15] *Sommerfrischler:* summer vacationist

Ich wunderte mich, aber mein Erstaunen wuchs, als ich die Wohnung sah—und die Frau. Draußen prasselte das Feuer und fraß an dünnen Zweigen. Auf dem Tisch brannte blakend eine Petroleumlampe. Ich saß auf einem Stuhl, es war kein selbstgezimmerter, sondern irgendein gleichgültiger, gepolsterter Wohnzimmerstuhl, schwarzlackiert, jetzt stark verschrammt und mitgenommen.[16] Die ganze Einrichtung sah so aus, das Büffet mit den Gläsern, die Kredenz [17] und die Couch. Ich blickte die Frau an, ihre helle Stirn, den dunklen Ansatz des Haares darüber; eine Verkäuferin, dachte ich, eine Stenotypistin—Gott weiß. Wie in aller Welt kamen diese beiden hierher? Die Frau lächelte mich an. „Sehen Sie, jetzt sind Sie enttäuscht! Sie haben mehr Romantik erwartet— aber es gibt nicht viel Romantik hier. Und wenn man an sie denkt, so kommen die Mücken. . . ."

Sie lächelte, aber mir war, als sähe ich Tränen in ihren Augen. Gar nichts sehe ich, dachte ich ärgerlich; ich stelle mir allerhand vor, weil ich mich darüber wundere, daß sie hier sind.—Der Mann mußte meine Gedanken erraten haben, denn er nickte und sagte: „Ja, es sieht seltsam aus, aber es ist doch eine ganz einfache Geschichte." Er schob mir seinen Tabak hin, dann bediente er sich selbst. Die Frau hantierte [18] im Nebenraum. Ich hörte leises Tellerklirren und blickte dem Rauch nach, der langsam zum Fenster zog und sich mit dem Dunst des verlöschenden Feuers mischte. Das Hemd klebte an meinem Körper. Ich wartete, aber er sprach nicht. So fing ich an, von mir zu reden. Ich erzählte von den leeren Waggons, die nach dem Urlaub auf mich warteten, und in die ich Tag für Tag Ammoniak [19] laden mußte, kristallisches, gelbliches Salz, das aus dicken Rohren vor meine Füße quillt, und ich steche die Schaufel hinein und werfe es in die Wag-

---

[16] *verschrammt und mitgenommen:* scratched up and showing signs of hard use
[17] *Kredenz:* sideboard
[18] *hantierte:* was at work
[19] *Ammoniak:* ammonia

gons, acht Stunden lang, alle Tage. Das ist kein Spaß, wahrhaftig! „Noch zehn Tage frei", sagte ich, „verstehen Sie, daß es mir hier gefällt!"

Der Mann starrte vor sich hin [20] und sagte nichts. Er sprach auch dann nicht, als die Frau zurückkam und ein zögerndes Gespräch begann. Sie fragte nach diesem und jenem in der Stadt, nach Filmen, die ich kannte, sie fragte sogar nach den Straßenbahnen und der Mode![21] Davon verstehe ich nichts; so hörte ich ihr zu und antwortete manchmal, aber zuletzt wurde ich immer unruhiger und wußte nicht, wovon. Ich blickte mich verstohlen um; es mußte noch jemand da sein, dessen Anwesenheit ich spürte, dessen Hauch meinen Nacken streifte —allein ich sah nur den Mann, der schweigend rauchte und die schmale Gestalt der Frau. Einmal spürte ich einen kühlen Schlag im Rücken und stand rasch auf. In den Wänden krachte es leise.

„Der letzte Film, den ich sah, hieß ‚Rote Rosen' ", sagte die Frau; dann schwieg sie plötzlich und schaute mich an. Draußen klatschte es zwei, dreimal hintereinander, dann rauschte es mächtig auf. Ich bin keiner von denen, die sich vor Gespenstern fürchten; man verlernt das in den Fabriken, alles ist dort tot: Steine, Salz und Metall. Dies ist ja das Schlimmste, daß wir dort beides vergessen, die Furcht und die Liebe—ich war schon nahe daran, einzuschlafen,[22] wie wir alle, aber hier auf der Insel erwachte ich wieder.

„Es zieht",[23] sagte der Mann. Er stand auf und schloß die Tür, der Riegel quietschte. „Setzen Sie sich doch", sagte er zu mir, „oder . . ."

„Es ist jemand hier", sagte ich. Ich sah, daß auch die Frau nach draußen lauschte.

„Ja", sagte der Mann, „das Wasser".

Ich verstand ihn. Vernehmlicher als unsere Stimmen, als

---

[20] *starrte vor sich hin:* stared into space
[21] *Mode:* fashions
[22] *ich war . . . einzuschlafen:* I was just about to fall asleep
[23] *Es zieht:* there's a draft

das Prasseln und Sausen des Feuers, war das Geräusch des Flusses. Er leckte an der Insel mit großer, rauher Zunge.

„Ist das hier immer so?" fragte ich, „hört man ihn immer so stark?"

„Seit dem Frühjahr", erwiderte die Frau, „seitdem das Ufer so nah ist".

Der Mann stand auf und setzte sich dicht neben sie. „Sie wundern sich, weil wir hier sind", sagte er, „aber es ist wirklich eine ganz alltägliche Geschichte. Irgendwo muß man doch leben, nicht wahr? Nun, für mich ist dies hier der letzte Ort, bei euch hatte ich keine Möglichkeiten mehr. Wahrscheinlich werden Sie das nicht verstehen. Sie sind wendig, flink im Denken und Handeln—Sie sehen so aus. Dann braucht Sie immer jemand, wenn auch nur dazu, Ammoniak in Waggons zu schippen, gleichviel. Ich wäre froh gewesen, wenn ich das hätte tun können. Aber ich bin nicht der Richtige, bei mir dauert alles doppelt so lange. ‚Es tut uns leid', sagte man zu mir. Gut, dachte ich und wartete, und sie wartete auch—wir warteten wohl noch heute, wenn sie nicht ein wenig Geld geerbt hätte. Ich habe immer gern geangelt und gegärtnert, darum, und weil das Anwesen hier billig zu haben war, sind wir hergekommen." Er sprach nun zu der Frau, nicht mehr zu mir. „Es ist doch auch gut so gewesen, nicht wahr?—Bis zum Frühjahr, aber das ist ja nun vorbei!" Die Frau antwortete; ihre Stimme war so leise, daß ich sie nicht verstand. Der Mann ging hinaus und legte frische Zweige auf die Glut. Für eine Weile übertönte das Feuer das Geräusch des Wassers; dann gewann der Fluß seine alte Übermacht zurück. Draußen murrte es dumpf, dazwischen klatschte es wieder und wieder; es klang, als würden große Steine in das Wasser geworfen. Die sonderbare Furcht, die mich vorhin ergriffen hatte, kam wieder, und sie war jetzt noch stärker. Überall in Ecken und Winkeln nistete jenes Geräusch, nichts sonst bewegte sich draußen—drückende Schwüle und der nahe, lebendige Fluß. Die Bäume vor dem Fenster standen reglos wie Masten in der Hafennacht.[24] Eine Mücke umkreiste mich; angezogen vom Schweiß, der auf meiner Stirn perlte, sang sie ihr hohes, bösartiges Lied. Ich blickte auf die Frau, die dasaß, gesenkten Kopfes,[25] die Hände im Schoß. In diesem Augenblick verstand ich alles. Mir fiel ein, daß die Leute im Dorf von der großen Überschwemmung im Frühjahr gesprochen hatten. Im Frühjahr also war hier etwas geschehen. Der Fluß hatte irgendein Hindernis beseitigt, und seitdem fraß er an der Insel. Das Geräusch da draußen—ich wußte jetzt, was das hieß, und ich wußte auch, was der Mann von mir erwartete. Er hatte es unternommen, sich mit dem Fluß zu messen, er, der überall sonst gescheitert war, wollte den großen Fluss besiegen.... Die Frau spürte meinen Blick und hob den Kopf. Ihre Augen begegneten den meinen, dann glitten sie zur Seite. Sie hat Angst hierzubleiben, dachte ich—nichts ist natürlicher! Und ich soll ihr einreden, daß er Aussicht hat, zu gewinnen—was glaubt er denn von mir! Manchmal in diesen Tagen hatte ich am Ufer gestanden und den Fluß betrachtet. Mit sanft nach unten gewölbtem Rücken glitt er an mir vorbei, dicke Strähnen[26] schwollen auf, versanken wieder und sprangen sogleich an anderer Stelle wieder hervor. Jetzt, da ich ihn draußen hörte, sah ich das alles vor meinen Augen. Dieser Mann ist verrückt, dachte ich, ganz und gar verrückt. ... Nachher, während die Frau drinnen ein Lager richtete, stand ich mit ihm am Feuer; in der Erde unter meinen Füßen spürte ich den schweren Gang des Wassers.

„Wenn es so aussieht, wie ich denke, werden Sie bald fortmüssen", sagte ich.

Er sah vor sich zu Boden und scharrte mit dem Schuh Erde auf die verlöschende Glut. „Nein! Wir werden bleiben! Sehen Sie zuerst, was ich dagegen mache."

„Schön", sagte ich, „ich werde es mir ansehen, aber ich

---

[24] *Hafennacht:* night-enshrouded harbor
[25] *gesenkten Kopfes:* with bowed head
[26] *Strähnen:* (twisting) braids

werde ehrlich sagen, was ich denke. Mehr können Sie nicht verlangen."

„Mehr will ich auch nicht", erwiderte er kühl. Die Insel brodelte; der heiße Harzgeruch der Bäume machte das Atmen schwer. Ich wischte den Schweiß von der Stirn. Als die Frau rief, gingen wir hinein. „Schlafen Sie gut", sagte sie und reichte mir ihre kleine harte Hand. Aber ich schlief schlecht. Die ganze Nacht hindurch spürte ich die Stöße des Wassers an den Ufern. Im Nebenraum sprachen sie miteinander, stundenlang. Falter flatterten durch das Zimmer; ich hörte sie nicht, aber ich spürte den leisen Luftzug von ihren Flügeln. Dann schwebten Nachtvögel geräuschlos am Fenster vorüber, große, formlose Schatten. Ich legte die Arme unter den Kopf und versuchte, nachzudenken, aber die Gedanken entglitten. Ich trieb durch diese Nacht wie durch einen dunklen Strom; flüchtige Bilder erschienen an den Ufern und versanken wieder. Nur der Fluß blieb immer gegenwärtig, der Fluß, dessen Schwere die Insel erbeben ließ und die Kieselsteine des Grundes rundschliff—die silbernen Strähnen, die herabhängende Zweige umzischten und der leere, geschmeidige Rücken, stromauf und stromab. Manchmal hörte ich draußen etwas, wie schwere Schritte; dann lag ich still, atemlos, und wagte nicht, mich zu rühren.

Gegen Morgen ließ die Mückenplage ein wenig nach, und ich schlief ein. Ein unbestimmtes Geräusch an der Inselspitze weckte mich wieder. Der Himmel über dem Wald zeigte ein fahles Weiß, und auf dem Fluß schwammen dünne Nebelfetzen. Das Feuer war gänzlich erloschen, eine schwärzliche Aschenstelle. Nicht weit davon waren Haufen dicker Reisigbündel aufgestapelt. Faschinen,[27] dachte ich und ging daran vorbei zum Ufer. Es plätscherte laut, ein paar Tropfen flogen mir ins Gesicht. Armhoch und steil ragte der Erdrand aus der Flut. Als ich dicht heranging, lösten sich schwere

---

[27] *Faschinen:* fascines, bundles of sticks used for filling ditches, strengthening earthen walls, etc.

Grasplaggen [28] und fielen hinab. Was für eine Schweinerei,[29] dachte ich erschrocken. Ich legte mich auf den Bauch und kroch nach vorn—nun konnte ich sehen. Überall waren metertiefe Löcher in den Erdrand gefressen. Das gelbbraune Wasser drängte heran, schmiegte sich in die Vertiefungen, bildete kleine Wirbel und glitt eilig davon. Blätter und Zweige hüpften hinterdrein. Ein warmer, säuerlicher Geruch nach Humus und Moos stieg aus der Erde.—Die Sicht zur Inselspitze war durch Büsche versperrt; ich wollte eben dorthin gehen, als die Frau aus dem Hause trat. Sie trug heute ein helles Sommerkleid und hatte sich in Eile ein wenig zurechtgemacht.[30] Man konnte sehen, daß sie das Kleid lange nicht mehr getragen hatte; es spannte über den Hüften und schlug kleine Falten.[31]

„Haben Sie sich alles angesehen?", fragte sie.

Ich nickte. „Es ist schlimm; dabei war ich noch nicht einmal unten!"

„Er ist schon unten", sagte sie, „er ist fast den ganzen Tag dort. Wir wollen zu ihm gehen."

Wir gingen nebeneinander am Ufer hin; das Wasser, schneller als wir, überholte uns; Blasen und Schaumflocken, kleine Holzteilchen und Grasbüschel, die sich langsam umkreisten, trieben an uns vorüber.

„Seit wann ist das hier so?" fragte ich, „und wie ist es gekommen?"

Sie blieb stehen und spielte mit einem Zweig; während sie sprach, spielte sie mit den kleinen, pelzigen Blättern. Es war so, wie ich es mir gedacht hatte. Früher hatte die Insel eine Steinnase, schwere Blöcke, hinter denen der Fluß durch Jahrhunderte Sand und Schlamm angehäuft hatte, bis die Insel entstand. Ganz plötzlich, ohne ein Vorzeichen, waren

---

[28] *Grasplaggen:* pieces of sod
[29] *Schweinerei:* nasty affair
[30] *hatte sich . . . zurechtgemacht:* had hurriedly fixed herself up a little
[31] *schlug kleine Falten:* wrinkled a little

diese Blöcke bei dem letzten Hochwasser verschwunden—
zusammengestürzt. Ich konnte mir vorstellen, wie der Fluß
es getrieben hatte, in den Jahren davor: Spalten gesprengt,
vielleicht auch den Grund fortgetragen, zäh und geduldig,
so lange, bis alles morsch war und reif zum Untergang—
seitdem nagte er an dem Rest.

„Lange wird es nicht mehr dauern", sagte ich.

„Wir müssen gehen", sagte die Frau. Dünne Linien liefen
von ihren Augenwinkeln zu den Schläfen. Fünfundzwanzig
Jahre alt mochte sie sein.[32] Dann sah ich ihren Mund und
wußte, dass sie noch nicht alles gesagt hatte, ihre Lippen
bebten. Ich wartete, aber sie schwieg. Und sie wollte doch
etwas sagen, dachte ich und bog die Büsche mit der Hand
beiseite. Da sah ich die Inselspitze, den Strom und den Mann.

Wie der Bug eines gestrandeten Schiffes ragte hier das
grüne Land in die Wassermassen, die sich an seinem Ende
mächtig vereinten und in unübersehbarer Breite zu Tal
strömten. Weiter unten quirlte weißer Schaum; mit langen
Sätzen sprang der Fluß dort über eine Untiefe. Manchmal
wurden sekundenlang die schwarzen Köpfe nasser Steine
sichtbar.

„Kommen Sie!" drängte die Frau.

Quer durch die Landzunge war ein Graben gezogen;[33] Pfahl
neben Pfahl hatte der Mann tief in die Erde geschlagen, und er
schleppte eben einen neuen heran. Als er uns sah, richtete er
sich auf.

„Nun", sagte er stolz, „ist das gar nichts? Dahinter kommen
Faschinen!" Er blickte mich gespannt an.—Der Graben war
fast mannstief. Auf seinem Boden gluckste schwarzes Wasser.
Ich zog Schuhe und Strümpfe aus und sprang hinab. Ich
faßte einen Pfahl und rüttelte; er stak fest im Grund. Dann

---

[32] *Fünfundzwanzig Jahre . . . sein:* she looked to be about twenty-five years old

[33] *war ein Graben gezogen:* a ditch was dug

betrachtete ich die Erde. Sand! nichts als Sand unter einer dünnen Humusschicht. „Nun", fragte er abermals, „was sagen Sie? Das soll wohl halten!"

Der Zorn packte und schüttelte mich. Was für ein Idiot, dachte ich, mein Gott, was für ein Mensch! Er streckte mir die Hand entgegen und zog mich hinauf. „Das . . ." sagte ich noch atemlos, „das . . ." In diesem Augenblick sah ich die Frau; sie stand hinter ihm und blickte mich an. Sie hatte ihre Hände flehend ein wenig gehoben, aber ich sah nur ihre Augen und verstand. Ich weiß nicht, ob ich recht tat, aber ich gehorchte ihr. Der Mann wartete, ich blickte auf ihn, die Frau und den Fluß. „Ja", sagte ich heiser, „Sie haben recht, das muß ja halten. Pfähle und Faschinen. Natürlich haben Sie recht!" Er drehte sich um. „Siehst du, Maria! Du brauchst keine Angst zu haben. Er sagt es auch."

Sie lächelte ihn an. Ihr Gesicht war zärtlich und weich. „Ich weiß. Ich habe auch niemals Angst gehabt, wirklich nicht!"

„Manchmal glaubte ich das aber", sagte er nachdenklich. „Du lagst in der Nacht und horchtest."

„Weil es immer so laut ist", sagte sie. „Aber Angst hatte ich nicht. Du warst doch da."

Ich blickte nach vorn; ein Rasenstück, groß wie eine Tischplatte, neigte sich, zögerte noch, dann versank es langsam. Spritzer flogen bis zu uns herüber.

„Sie müssen mich entschuldigen", sagte der Mann, „ich habe hier zu tun, aber es ist gut, daß Sie da waren."

Die Frau brachte mich zum Boot. Unterwegs hörten wir den ersten Hammerschlag, aber wir sprachen nicht darüber. Sie zeigte mir, wo die Kartoffeln, wo die Bohnen wuchsen, und ich schaute sie immerfort und heimlich an. Sie sah aus, wie viele, die ich schon gesehen hatte und die mir noch begegnen würden, aber ich hätte gern meinen Hut vor ihr abgenommen und mich verneigt, wenn ich mich nicht geschämt hätte, so etwas zu tun.—Vielleicht wäre er doch fortgegangen, wenn ich die Wahrheit gesagt hätte, dachte ich; ihretwegen wäre er vielleicht gegangen. Und dann?

Beim Boot reichte die Frau mir die Hand. „Ich will ihm jetzt helfen gehen. Gute Fahrt und schöne Tage!" Vielleicht weiß sie es besser, dachte ich und senkte das Ruder. Der Gesang des Flusses umgab mich ganz und hüllte mich ein. Während ich mühsam stromaufwärts vorankam, sah ich die zarten Linien der fernen Berge. Es regnete dort nicht mehr und mein Herz wurde leichter.

Am vorletzten Tag meines Urlaubs sprach ich noch einmal mit Antonin. Ich traf ihn wieder in der Gaststube; er saß beim Bier, sein Strohhut lag neben ihm auf dem Tisch.

„Das Heu", sagte er. „Gott sei Dank! [34] Alles drin! [35] Es sind Unwetter gemeldet,[36] in den Bergen soll es schlimm sein."

„Und die Insel?" fragte ich.

Er nahm einen Bierteller [37] und rollte ihn über den Tisch. „Wir haben im Gemeinderat darüber gesprochen. Die anderen meinen auch, er kann nichts verlangen.—Sie waren einmal bei ihm?"

„Er wird auch nichts verlangen", sagte ich. „Er wird bleiben."

Der Bauer blickte überrascht auf. „Aber beim nächsten Wasser . . ." [38]

„Ja", sagte ich scharf, „trotzdem! Sie können mir glauben."

Antonin kratzte sich am Kopf. „Hoffentlich gibt das keine Scherereien.[39] Aber die Gemeinde kann ja nichts dafür. Wir können ihn doch nicht verhaften. Schließlich ist das sein Grund und Boden . . ."

Ich bestellte mir einen Schnaps und noch einen und trank beide schnell aus. Antworten wollte ich nicht mehr.

---

[34] *Gott sei Dank:* Thank God
[35] *drin:* drinnen, inside
[36] *Es sind Unwetter gemeldet:* storms are reported
[37] *Bierteller:* cardboard coaster
[38] *Wasser:* high water
[39] *Scherereien:* bothers, troubles

An diesem Abend war ich noch einmal am Fluß. Der Mond stand über dem Waldrand auf der anderen Seite, groß und rund, hinter weißen Schleiern. Sein Hof bedeckte ein Sechstel des Firmaments. Im Westen leuchtete der Widerschein unsichtbarer Blitze, und das Wasser gurgelte zu meinen Füßen. Morgen regnet es in den Bergen, dachte ich, morgen bestimmt. Als der Feuerschein in den Inselbäumen aufglomm, drehte ich mich um und ging fort. Alles war still, ganz still, nur der Fluß grollte in der Nacht . . .

HEINRICH BÖLL

One of the most widely acclaimed of the younger generation of German authors, Heinrich Böll, who did not start his writing career until he was thirty years old, has in the past few years won several of his country's most important literary prizes. One of these awards carried the citation: „Er gehört zu den ersten, die das Kriegserlebnis gedanklich und sprachlich bewältigen, ohne in vordergründigem Realismus steckenzubleiben." Three of Böll's novels have been published in translation in this country, and one of his stort stories, *The Weighing Machine* (*Die Waage der Baleks*), was selected for inclusion in the special supplement on modern Germany published by the *Atlantic Monthly* in March 1957.

Born in Cologne in 1917, Böll grew up there, graduated from the *Gymnasium,* and then learned the book trade. He served in the German Army from 1938 to 1945, and, when the War was over, he returned to his home town where he found various minor jobs until he succeeded in establishing himself as an independent writer in 1951. At present Böll is living in Ireland.

Among this author's best-known publications are *Der Zug war pünktlich* (1949), *Wo warst du*

Adam? (1951), both of which are drawn from his war experiences, the collection of „Kurzgeschichten ohne Pointe", *Wanderer, kommst du nach Spa* (1950), a group of stories which deals primarily with the fate of the German war veteran in the years immediately following the end of hostilities (*Der Mann mit den Messern,* which follows in this anthology, made its original appearance in this volume), and *Und sagte kein einziges Wort* (1953), a novel dealing with the marriage problems of a returned soldier. Heinrich Böll has also written a number of *Hörspiele.*

DER MANN MIT DEN MESSERN

von Heinrich Böll

*J*UPP hielt das Messer vorne an der Spitze der Schneide und ließ es lässig wippen, es war ein langes, dünngeschliffenes Brotmesser, und man sah, daß es scharf war. Mit einem plötzlichen Ruck warf er das Messer hoch, es schraubte sich mit einem propellerartigen Surren hinauf, während die blanke Schneide in einem Bündel letzter Sonnenstrahlen wie ein goldener Fisch flimmerte, schlug oben an, verlor seine Schwingung und sauste scharf und gerade auf Jupps Kopf hinunter; Jupp hatte blitzschnell einen Holzklotz auf seinen Kopf gelegt; das Messer pflanzte sich mit einem

Ratsch fest und blieb dann schwankend haften. Jupp nahm den Klotz vom Kopf, löste das Messer und warf es mit einem ärgerlichen Zucken in die Tür, wo es in der Füllung nachzitterte, ehe es langsam auspendelte und zu Boden fiel . . .

„Zum Kotzen", sagte Jupp leise. „Ich bin von der einleuchtenden Voraussetzung ausgegangen, daß die Leute, wenn sie an der Kasse ihr Geld bezahlt haben, am liebsten solche Nummern sehen, wo Gesundheit oder Leben auf dem Spiel stehen—genau wie im römischen Zirkus—,[1] sie wollen wenigstens wissen, daß Blut fließen *könnte,* verstehst du?" Er hob das Messer auf und warf es mit einem knappen Schwingen des Armes in die oberste Fenstersprosse, so heftig, daß die Scheiben klirrten und aus dem bröckeligen Kitt zu fallen drohten. Dieser Wurf—sicher und herrisch—erinnerte mich an jene düsteren Stunden der Vergangenheit, wo er sein Taschenmesser die Bunkerpfosten hatte hinauf—und hinunterklettern lassen. „Ich will ja alles tun", fuhr er fort, „um den Herrschaften einen Kitzel zu verschaffen.[2] Ich will mir die Ohren abschneiden, aber es findet sich leider keiner, der sie mir wieder ankleben könnte. Komm mal mit." Er riß die Tür auf, ließ mich vorgehen, und wir traten ins Treppenhaus, wo die Tapetenfetzen nur noch an jenen Stellen hafteten, wo man sie der Stärke des Leimes wegen nicht hatte abreißen können, um den Ofen mit ihnen anzuzünden. Dann durchschritten wir ein verkommenes Badezimmer und kamen auf eine Art Terrasse, deren Beton brüchig und von Moos bewachsen war. Jupp deutete in die Luft.

„Die Sache wirkt natürlich besser, je höher das Messer fliegt. Aber ich brauche oben einen Widerstand, wo das Ding gegenschlägt und seinen Schwung verliert, damit es recht scharf und gerade heruntersaust auf meinen nutzlosen Schädel.

---

[1] *römischen Zirkus:* Roman circus. In the ancient Roman circus, men pitted their lives against each other or against wild beasts for the entertainment of the crowd.

[2] *um den . . . verschaffen:* to provide the ladies and gentlemen a titillation

Sieh mal." Er zeigte nach oben, wo das Eisenträgergerüst eines verfallenen Balkons in die Luft ragte.

„Hier habe ich trainiert. Ein ganzes Jahr. Paß auf." Er ließ das Messer hochsausen, es stieg mit einer wunderbaren Regelmäßigkeit und Stetigkeit, es schien sanft und mühelos zu klettern wie ein Vogel, schlug dann gegen einen der Träger, raste mit einer atemberaubenden Schnelligkeit herunter und schlug heftig in den Holzklotz. Der Schlag allein mußte schwer zu ertragen sein. Jupp zuckte mit keiner Wimper. Das Messer hatte sich einige Zentimeter tief ins Holz gepflanzt.

„Das ist doch prachtvoll, Mensch", rief ich, „das ist doch ganz toll,³ das müssen sie doch anerkennen, das ist doch eine Nummer!"

Jupp löste das Messer gleichgültig aus dem Holz, packte es am Griff und hieb in die Luft.

„Sie erkennen es ja an, sie geben mir zwölf Mark für den Abend, und ich darf zwischen zwei größeren Nummern ein bißchen mit dem Messer spielen. Aber die Nummer ist zu schlicht. Ein Mann, ein Messer, ein Holzklotz, verstehst du? Ich müßte ein halbnacktes Weib haben, dem ich die Messer haarscharf an der Nase vorbeiflitzen lasse. Dann würden sie jubeln. Aber such solch ein Weib!"

Er ging voran, und wir traten in sein Zimmer zurück. Er legte das Messer vorsichtig auf den Tisch, den Holzklotz daneben und rieb sich die Hände. Dann setzten wir uns auf die Kiste neben dem Ofen und schwiegen. Ich nahm mein Brot aus der Tasche und fragte: „Darf ich dich einladen?"

„O, gern, aber ich will Kaffee kochen. Dann gehst du mit und siehst dir meinen Auftritt an."

Er legte Holz auf und setzte den Topf über die offene Feuerung. „Es ist zum Verzweifeln",⁴ sagte er, „ich glaube, ich sehe zu ernst aus, vielleicht noch ein bißchen nach Feldwebel, was?" ⁵

---

³ *toll:* literally, mad; here, "out of this world, fantastic"
⁴ *Es ist zum Verzweifeln:* It's enough to drive one to despair
⁵ *was:* don't I?

„Unsinn, du bist ja nie ein Feldwebel gewesen. Lächelst du, wenn sie klatschen?"

„Klar—und ich verbeuge mich."

„Ich könnt's nicht. Ich könnt nicht auf 'nem⁶ Friedhof lächeln."

„Das ist ein großer Fehler, gerade auf 'nem Friedhof muß man lächeln."

„Ich versteh dich nicht."

„Weil sie ja nicht tot sind. Keiner ist tot, verstehst du?"

„Ich versteh schon, aber ich glaub's nicht."

„Bist eben doch noch ein bißchen Oberleutnant. Na, das dauert eben länger, ist klar. Mein Gott, ich freu mich wenn's ihnen Spaß macht. Die sind erloschen, und ich kitzele sie ein bißchen und laß mir's bezahlen. Vielleicht wird einer, ein einziger nach Hause gehen und mich nicht vergessen. ‚Der mit dem Messer, verdammt, der hatte keine Angst, und ich hab immer Angst, verdammt' wird er vielleicht sagen, denn sie haben alle immer Angst. Sie schleppen die Angst hinter sich wie einen schweren Schatten, und ich freu mich, wenn sie's vergessen und ein bißchen lachen. Ist das kein Grund zum Lächeln?"

Ich schwieg und lauerte auf das Brodeln des Wassers. Jupp goß in dem braunen Blechtopf auf, und dann tranken wir abwechselnd aus dem braunen Blechtopf und aßen mein Brot dazu. Draußen begann es leise zu dämmern, und es floß wie eine sanfte graue Milch ins Zimmer.

„Was machst du eigentlich?" fragte Jupp mich.

„Nichts . . . , ich schlage mich durch."⁷

„Ein schwerer Beruf."

„Ja—für das Brot habe ich hundert Steine suchen und klopfen müssen. Gelegenheitsarbeiter."

„Hm . . . hast du Lust, noch eins meiner Kunststücke zu sehen?" Er stand auf, da ich nickte, knipste Licht an und

---

⁶ 'nem: einem
⁷ ich schlage mich durch: I get by

ging zur Wand, wo er einen teppichartigen Behang beiseite schob; auf der rötlich getünchten Wand wurden die mit Kohle grob gezeichneten Umrisse eines Mannes sichtbar: eine sonderbare, beulenartige Erhöhung, dort wo der Schädel sein mußte, sollte wohl einen Hut darstellen. Bei näherem Zusehen sah ich, daß er auf eine geschickt getarnte Tür gezeichnet war. Ich beobachtete gespannt, wie Jupp nun unter seiner kümmerlichen Liegestatt einen hübschen braunen Koffer hervorzog, den er auf den Tisch stellte. Bevor er ihn öffnete, kam er auf mich zu und legte vier Kippen [8] vor mich hin. „Dreh zwei dünne davon",[9] sagte er.

Ich wechselte meinen Platz, so daß ich ihn sehen konnte und zugleich mehr von der milden Wärme des Ofens bestrahlt wurde. Während ich die Kippen behutsam öffnete, indem ich mein Brotpapier als Unterlage benutzte, hatte Jupp das Schloß des Koffers aufspringen lassen und ein seltsames Etui hervorgezogen; es war eins jener mit vielen Taschen benähten Stoffetuis, in denen unsere Mütter ihr Aussteuerbesteck [10] aufzubewahren pflegten. Er knüpfte flink die Schnur auf, ließ das zusammengerollte Bündel über den Tisch aufgleiten, und es zeigte sich ein Dutzend Messer mit hölzernen Griffen, die in der Zeit, wo unsere Mütter Walzer tanzten, „Jagdbesteck"[11] genannt worden waren.

Ich verteilte den gewonnenen Tabak gerecht auf zwei Blättchen und rollte die Zigaretten.

„Hier", sagte ich.

„Hier", sagte auch Jupp und: „Danke". Dann zeigte er mir das Etui ganz.

„Das ist das einzige, was ich vom Besitz meiner Eltern gerettet habe. Alles verbrannt, verschüttet, und der Rest gestohlen. Als ich elend und zerlumpt aus der Gefangenschaft

---

[8] *Kippen:* cigarette butts
[9] *Dreh zwei dünne davon:* Roll two thin ones (i.e. cigarettes) from them
[10] *Aussteuerbesteck:* flatware (i.e. knives, forks, spoons) which is part of the dowry
[11] *Jagdbesteck:* flatware with wood, bone, or horn handles

kam, besaß ich nichts—bis eines Tages eine vornehme alte Dame, Bekannte meiner Mutter, mich ausfindig gemacht hatte [12] und mir dieses hübsche kleine Köfferchen überbrachte. Wenige Tage, bevor sie von den Bomben getötet wurde, hatte meine Mutter dieses kleine Ding bei ihr sichergestellt, und es war gerettet worden. Seltsam. Nicht wahr? Aber wir wissen ja, daß die Leute, wenn sie die Angst des Untergangs ergriffen hat, die merkwürdigsten Dinge zu retten versuchen. Nie das Notwendige. Ich besaß also jetzt immerhin den Inhalt dieses kleinen Koffers: den braunen Blechtopf, zwölf Gabeln, zwölf Messer und zwölf Löffel und das große Brotmesser. Ich verkaufte Löffel und Gabeln, lebte ein Jahr davon und trainierte mit den Messern, dreizehn Messern. Paß auf . . ."

Ich reichte ihm den Fidibus,[13] an dem ich meine Zigarette entzündet hatte. Jupp klebte die Zigarette an seine Unterlippe, befestigte die Schnur des Etuis an einem Knopf seiner Jacke oben an der Schulter und ließ das Etui auf seinen Arm abrollen, den es wie ein merkwürdiger Kriegsschmuck bedeckte. Dann entnahm er mit einer unglaublichen Schnelligkeit die Messer dem Etui, und noch ehe ich mir über seine Handgriffe klargeworden war,[14] warf er sie blitzschnell alle zwölf gegen den schattenhaften Mann an der Tür, der jenen grauenhaft schwankenden Gestalten ähnelte, die uns gegen Ende des Krieges als Vorboten des Untergangs von allen Plakatsäulen, aus allen möglichen Ecken entgegenschaukelten.[15] Zwei Messer saßen im Hut des Mannes, je zwei über

[12] *mich ausfindig gemacht hatte:* had located me
[13] *Fidibus:* spill (a roll of paper or sliver of wood used in lighting lamps, cigarettes, etc.)
[14] *noch ehe . . . war:* before I had seen clearly what his manipulations were
[15] *der jenen . . . entgegenschaukelten:* which was similar to those horribly staggering figures which, toward the end of the war, pitched forward to meet us from all advertisement pillars, from all possible corners, as harbingers of destruction. (Toward the end of World War II the Nazis put up signs which admonished the people: "Victory or Bolshevist Chaos.")

jeder Schulter, und die anderen zu je dreien an den hängenden Armen entlang . . .

„Toll!" rief ich, „toll! Aber das ist doch eine Nummer, mit ein bißchen Untermalung".[16]

„Fehlt nur der Mann, besser noch das Weib. Ach", er pflückte die Messer wieder aus der Tür und steckte sie sorgsam ins Etui zurück. „Es findet sich ja niemand. Die Weiber sind zu bange, und die Männer sind zu teuer. Ich kann's ja verstehen, ist ein gefährliches Stück."

Er schleuderte nun die Messer wieder blitzschnell so, daß der ganze schwarze Mann mit einer genialen Symmetrie genau in zwei Hälften geteilt war. Das dreizehnte große Messer stak wie ein tödlicher Pfeil dort, wo das Herz des Mannes hätte sein müssen.

Jupp zog noch einmal an dem dünnen, mit Tabak gefüllten Papierröllchen und warf den spärlichen Rest hinter den Ofen.

„Komm", sagte er, „ich glaub, wir müssen gehen." Er steckte den Kopf zum Fenster raus,[17] murmelte irgend etwas von „verdammtem Regen" und sagte dann: „Es ist ein paar Minuten vor acht, um halb neun ist mein Auftritt."

Während er die Messer wieder in den kleinen Lederkoffer packte, hielt ich mein Gesicht zum Fenster hinaus. Verfallene Villen schienen im Regen leise zu wimmern, und hinter einer Wand scheinbar schwankender Pappeln hörte ich das Kreischen der Straßenbahn. Aber ich konnte nirgendwo eine Uhr entdecken.

„Woher weißt du denn die Zeit?"

„Aus dem Gefühl—das gehört mit zu meinem Training—"

Ich blickte ihn verständnislos an. Er half erst mir in den Mantel und zog dann seine Windjacke über. Meine Schulter ist ein wenig gelähmt, und über einen beschränkten Radius

---

[16] *mit ein bißchen Untermalung:* with a little bit of dressing up
[17] *raus:* heraus

hinaus kann ich die Arme nicht bewegen, es genügt gerade zum Steineklopfen. Wir setzten die Mützen auf und traten in den düsteren Flur, und ich war nun froh, irgendwo im Hause wenigstens Stimmen zu hören, Lachen und gedämpftes Gemurmel.

„Es ist so", sagte Jupp im Hinuntersteigen, „ich habe mich bemüht, gewissen kosmischen Gesetzen auf die Spur zu kommen.[18] So." Er setzte den Koffer auf einen Treppenabsatz und streckte die Arme seitlich aus, wie auf manchen antiken Bildern Ikarus [19] abgebildet ist, als er zum fliegenden Sprung ansetzt. Auf seinem nüchternen Gesicht erschien etwas seltsam Kühl-Träumerisches, etwas halb Besessenes und halb Kaltes, Magisches, das mich maßlos erschreckte. „So", sagte er leise, „ich greife einfach hinein in die Atmosphäre, und ich spüre, wie meine Hände länger und länger werden und wie sie hinaufgreifen in einen Raum, in dem andere Gesetze gültig sind, sie stoßen durch eine Decke, und dort oben liegen seltsame, bezaubernde Spannungen, die ich greife, einfach greife . . . und dann zerre ich ihre Gesetze, packe sie, halb räuberisch, halb wollüstig und nehme sie mit!" Seine Hände krampften sich, und er zog sie ganz nahe an den Leib. „Komm", sagte er, und sein Gesicht war wieder nüchtern. Ich folgte ihm benommen . . .

Es war ein leiser, stetiger und kühler Regen draußen. Wir klappten die Kragen hoch und zogen uns fröstelnd in uns selbst zurück. Der Nebel der Dämmerung strömte durch die Straßen, schon gefärbt mit der bläulichen Dunkelheit der Nacht. In manchen Kellern der zerstörten Villen brannte ein kümmerliches Licht unter dem überragenden schwarzen Gewicht einer riesigen Ruine. Unmerklich ging die Straße in einen schlammigen Feldweg über, wo links und rechts in der dichtge-

[18] *auf die Spur zu kommen:* to get the clues to
[19] *Ikarus:* In Greek mythology, Icarus, with his father Daedalus, escaped from the labyrinth in Crete on wings of wax and feathers. Icarus flew too near the sun, the wax melted, and he plunged into the sea and perished.

wordenen Dämmerung düstere Bretterbuden in den mageren
Gärten zu schwimmen schienen wie drohende Dschunken [20]
auf einem seichten Flußarm. Dann kreuzten wir die Straßenbahn, tauchten unter in den engen Schächten der Vorstadt,
wo zwischen Schutt- und Müllhalden einige Häuser im
Schmutz übrig geblieben sind, bis wir plötzlich auf eine sehr
belebte Straße stießen; ein Stück weit [21] ließen wir uns vom
Strom der Menge mittragen und bogen dann in die dunkle
Quergasse, wo die grelle Lichtreklame der „Sieben Mühlen" [22]
sich im glitzernden Asphalt spiegelte.

Das Portal zum Varieté [23] war leer. Die Vorstellung hatte
längst begonnen, und durch schäbigrote Portieren [24] hindurch
erreichte uns der summende Lärm der Menge.

Jupp zeigte lachend auf ein Photo in den Aushängekästen,
wo er in einem Cowboykostüm zwischen zwei süß lächelnden
Tänzerinnen hing, deren Brüste mit schillerndem Flitter be-
spannt waren.

„Der Mann mit den Messern", stand darunter.

„Komm", sagte Jupp wieder, und ehe ich mich besonnen
hatte, war ich in einen schlecht erkennbaren schmalen Eingang gezerrt. Wir erstiegen eine enge Wendeltreppe, die nur
spärlich beleuchtet war und wo der Geruch von Schweiß und
Schminke die Nähe der Bühne anzeigte. Jupp ging vor mir—
und plötzlich blieb er in einer Biegung der Treppe stehen,
packte mich an den Schultern, nachdem er wieder den Koffer
abgesetzt hatte, und fragte mich leise:

„Hast du Mut?"

Ich hatte diese Frage schon so lange erwartet, daß mich
ihre Plötzlichkeit nun erschreckte. Ich mag nicht sehr mutig
ausgesehen haben, als ich antwortete:

„Den Mut der Verzweiflung."

---

[20] *Dschunken:* junks
[21] *ein Stück weit:* for a stretch
[22] *Sieben Mühlen:* the name of the theater
[23] *Varieté:* vaudeville theater
[24] *Portieren:* portieres (i.e. curtains hanging across a doorway)

„Das ist der richtige", rief er mit gepreßtem Lachen. „Nun?"
Ich schwieg, und plötzlich traf uns eine Welle wilden Lachens, die aus dem engen Aufgang wie ein heftiger Strom auf uns zuschoß, so stark, daß ich erschrak und mich unwillkürlich fröstelnd schüttelte.

„Ich hab Angst", sagte ich leise.

„Hab ich auch. Hast du kein Vertrauen zu mir?"

„Doch gewiß . . . aber . . . komm", sagte ich heiser, drängte ihn nach vorne [25] und fügte hinzu: „Mir ist alles gleich."

Wir kamen auf einen schmalen Flur, von dem links und rechts eine Menge roher Sperrholzkabinen abgeteilt waren; einige bunte Gestalten huschten umher, und durch einen Spalt zwischen kümmerlich aussehenden Kulissen [26] sah ich auf der Bühne einen Clown, der sein Riesenmaul aufsperrte; wieder kam das wilde Lachen der Menge auf uns zu, aber Jupp zog mich in eine Tür und schloß hinter uns ab. Ich blickte mich um. Die Kabine war sehr eng und fast kahl. Ein Spiegel hing an der Wand, an einem einsamen Nagel war Jupps Cowboykostüm aufgehängt, und auf einem wackelig aussehenden Stuhl lag ein altes Kartenspiel. Jupp war von einer nervösen Hast; er nahm mir den nassen Mantel ab, knallte den Cowboyanzug auf den Stuhl, hing meinen Mantel auf, dann seine Windjacke. Über die Wand der Kabine hinweg sah ich an einer rotbemalten dorischen Säule [27] eine elektrische Uhr, die fünfundzwanzig Minuten nach acht zeigte.

„Fünf Minuten", murmelte Jupp, während er sein Kostüm überstreifte.

„Sollen wir eine Probe machen?"

In diesem Augenblick klopfte jemand an die Kabinentür und rief: „Fertigmachen!"

Jupp knöpfte seine Jacke zu und setzte einen Wildwesthut

---

[25] *drängte ihn nach vorne:* pushed him on ahead
[26] *Kulissen:* coulisses (i.e. side scenery on a stage)
[27] *dorischen Säule:* Doric column

auf. Ich rief mit einem krampfhaften Lachen: „Willst du den zum Tode Verurteilten erst probeweise henken?"

Jupp ergriff den Koffer und zerrte mich hinaus. Draußen stand ein Mann mit einer Glatze, der den letzten Hantierungen des Clowns auf der Bühne zusah. Jupp flüsterte ihm irgend etwas ins Ohr, was ich nicht verstand, der Mann blickte erschreckt auf, sah mich an, sah Jupp an und schüttelte heftig den Kopf. Und wieder flüsterte Jupp auf ihn ein.

Mir war alles gleichgültig.[28] Sollten sie mich lebendig aufspießen; ich hatte eine lahme Schulter, hatte eine dünne Zigarette geraucht, morgen sollte ich für fünfundsiebzig Steine dreiviertel Brot[29] bekommen. Aber morgen . . . Der Applaus schien die Kulissen umzuwehen. Der Clown torkelte mit müdem, verzerrtem Gesicht durch den Spalt zwischen den Kulissen auf uns zu, blieb einige Sekunden dort stehen mit einem griesgrämigen Gesicht und ging dann auf die Bühne zurück, wo er sich mit liebenswürdigem Lächeln verbeugte. Die Kapelle spielte einen Tusch. Jupp flüsterte immer noch auf den Mann mit der Glatze ein. Dreimal kam der Clown heraus und dreimal ging er hinaus auf die Bühne und verbeugte sich lächelnd! Dann begann die Kapelle einen Marsch zu spielen, und Jupp ging mit forschen Schritten, sein Köfferchen in der Hand, auf die Bühne. Mattes Händeklatschen begrüßte ihn. Mit müden Augen sah ich zu, wie Jupp die Karten an offenbar vorbereitete Nägel heftete und wie er dann die Karten der Reihe nach[30] mit je einem Messer aufspießte, genau in der Mitte. Der Beifall wurde lebhafter, aber nicht zündend. Dann vollführte er unter leisem Trommelwirbel das Manöver mit dem großen Brotmesser und dem Holzklotz, und durch alle Gleichgültigkeit hindurch spürte ich, daß die Sache wirklich ein bißchen mager war. Drüben auf der anderen Seite der Bühne blickten ein paar dürftig

---

[28] *Mir war alles gleichgültig:* Everything was indifferent to me
[29] *dreiviertel Brot:* three-quarters of a loaf of bread
[30] *der Reihe nach:* one after the other

bekleidete Mädchen zu ... Und dann packte mich plötzlich der Mann mit der Glatze, schleifte mich auf die Bühne, begrüßte Jupp mit einem feierlichen Armschwenken und sagte mit einer erkünstelten Polizistenstimme: „Guten Abend, Herr Borgalewski."

„Guten Abend, Herr Erdmenger", sagte Jupp, ebenfalls in diesem feierlichen Ton.

„Ich bringe Ihnen hier einen Pferdedieb, einen ausgesprochenen Lumpen, Herr Borgalewski, den Sie mit Ihren sauberen Messern erst ein bißchen kitzeln müssen, ehe er gehängt wird ... einen Lumpen ..." Ich fand seine Stimme ausgesprochen lächerlich, kümmerlich künstlich, wie Papierblumen und billigste Schminke. Ich warf einen Blick in den Zuschauerraum, und von diesem Augenblick an, vor diesem flimmernden, lüsternen, vieltausendköpfigen, gespannten Ungeheuer, das im Finstern wie zum Sprung dasaß, schaltete ich einfach ab.[31]

Mir war alles scheißegal, das grelle Licht der Scheinwerfer blendete mich, und in meinem schäbigen Anzug mit den elenden Schuhen mag ich wohl recht nach Pferdedieb ausgesehen haben.

„Oh, lassen Sie ihn mir hier, Herr Erdmenger, ich werde mit dem Kerl schon fertig."[32]

„Gut, besorgen Sie's ihm[33] und sparen Sie nicht mit den Messern."

Jupp schnappte mich am Kragen, während Herr Erdmenger mit gespreizten Beinen grinsend die Bühne verließ. Von irgendwoher wurde ein Strick auf die Bühne geworfen, und dann fesselte mich Jupp an den Fuß einer dorischen Säule, hinter der eine blau angestrichene Kulissentür lehnte. Ich fühlte etwas wie einen Rausch der Gleichgültigkeit. Rechts von mir hörte ich das unheimliche, wimmelnde Geräusch des

---

[31] *schaltete ich einfach ab:* I simply switched off
[32] *ich werde ... fertig:* I'll take care of the fellow
[33] *besorgen Sie's ihm:* take good care of him (sarcastic)

gespannten Publikums, und ich spürte, daß Jupp recht gehabt
hatte, wenn er von seiner Blutgier sprach. Seine Lust zitterte
in der süßen, fade riechenden Luft, und die Kapelle erhöhte
mit ihrem sentimentalen Spannungstrommelwirbel,[34] mit ihrer
leisen Geilheit,[35] den Eindruck einer schauerlichen Tragi-
komödie, in der richtiges Blut fließen würde, bezahltes Bühnenblut . . . Ich blickte starr geradeaus und ließ mich schlaff
nach unten sacken, da mich die feste Schnürung des Strickes
wirklich hielt. Die Kapelle wurde immer leiser, während Jupp
sachlich [36] seine Messer wieder aus den Karten zog und sie
ins Etui steckte, wobei er mich mit melodramatischen Blicken
musterte. Dann, als er alle Messer geborgen hatte, wandte er
sich zum Publikum, und auch seine Stimme war ekelhaft
geschminkt, als er nun sagt: „Ich werde Ihnen diesen Herrn
mit Messern umkränzen, meine Herrschaften, aber Sie sollen
sehen, daß ich nicht mit stumpfen Messern werfe . . ." Dann
zog er einen Bindfaden aus der Tasche, nahm mit unheim-
licher Ruhe ein Messer nach dem anderen aus dem Etui,
berührte damit den Bindfaden, den er in zwölf Stücke zer-
schnitt; jedes Messer steckte er ins Etui zurück.

Währenddessen blickte ich weit über ihn hinweg, weit über
die Kulissen, weit weg auch über die halbnackten Mädchen,
wie mir schien, in ein anderes Leben . . .

Die Spannung der Zuschauer elektrisierte die Luft. Jupp
kam auf mich zu, befestigte zum Schein den Strick noch einmal
neu und flüsterte mir mit weicher Stimme zu: „Ganz, ganz
still halten, und hab Vertrauen, mein Lieber . . ."

Seine neuerliche Verzögerung hatte die Spannung fast zur
Entladung gebracht, sie drohte ins Leere auszufließen,[37] aber er
griff plötzlich seitlich, ließ seine Hände ausschweben wie leise
schwirrende Vögel, und in sein Gesicht kam jener Ausdruck

---

[34] *Spannungstrommelwirbel:* roll of drums to increase the tension (of
the audience)
[35] *Geilheit:* sensuousness
[36] *sachlich:* matter-of-factly
[37] *ins Leere auszufließen:* to dissolve into nothingness

DER MANN MIT DEN MESSERN 41

magischer Sammlung, den ich auf der Treppe bewundert hatte. Gleichzeitig schien er mit dieser Zauberergeste auch die Zuschauer zu beschwören. Ich glaubte ein seltsam schauerliches Stöhnen zu hören, und ich begriff, daß das ein Warnsignal für mich war.

Ich holte meinen Blick aus der unendlichen Ferne zurück, blickte Jupp an, der mir jetzt so gerade gegenüberstand, daß unsere Augen in einer Linie lagen; dann hob er die Hand, griff langsam zum Etui und ich begriff wieder, daß das ein Zeichen für mich war. Ich stand still, ganz still und schloß die Augen . . .

Es war ein herrliches Gefühl; es währte vielleicht zwei Sekunden, ich weiß es nicht. Während ich das leise Zischen der Messer hörte und den kurzen heftigen Luftzug, wenn sie neben mir in die Kulissentür schlugen, glaubte ich auf einem sehr schmalen Balken über einem unendlichen Abgrund zu gehen. Ich ging ganz sicher und fühlte doch alle Schauer der Gefahr . . . ich hatte Angst und doch die volle Gewißheit, nicht zu stürzen; ich zählte nicht, und doch öffnete ich die Augen in dem Augenblick, als das letzte Messer neben meiner rechten Hand in die Tür schoß . . .

Ein stürmischer Beifall riß mich vollends hoch;[38] ich schlug die Augen ganz auf und blickte in Jupps bleiches Gesicht, der auf mich zugestürzt war und nun mit nervösen Händen meinen Strick löste. Dann schleppte er mich in die Mitte der Bühne vorn an die Rampe; er verbeugte sich, und ich verbeugte mich; er deutete in dem anschwellenden Beifall auf mich und ich auf ihn; dann lächelte er mich an, ich lächelte ihn an, und wir verbeugten uns zusammen lächelnd vor dem Publikum.

In der Kabine sprachen wir beide kein Wort. Jupp warf das durchlöcherte Kartenspiel auf den Stuhl, nahm meinen Mantel vom Nagel und half mir, ihn anzuziehen. Dann hing er sein Cowboykostüm wieder an den Nagel, zog seine Windjacke an, und wir setzten die Mützen auf. Als ich die Tür

[38] *riß mich vollends hoch:* snapped me up completely

öffnete, stürzte uns der kleine Mann mit der Glatze entgegen und rief:,,Gage erhöht auf vierzig Mark!" Er reichte Jupp ein paar Geldscheine. Da begriff ich, daß Jupp nun mein Chef [39] war, und ich lächelte, und auch er blickte mich an und lächelte.

Jupp faßte meinen Arm, und wir gingen nebeneinander die schmale, spärlich beleuchtete Treppe hinunter, auf der es nach alter Schminke roch. Als wir das Portal erreicht hatten, sagte Jupp lachend: ,,Jetzt kaufen wir Zigaretten und Brot . . ."

Ich aber begriff erst eine Stunde später, daß ich nun einen richtigen Beruf hatte, einen Beruf, wo ich mich nur hinzustellen brauchte und ein bißchen zu träumen. Zwölf oder zwanzig Sekunden lang. Ich war der Mensch, auf den man mit Messern wirft . . .

[39] *Chef:* boss

ERNST SCHNABEL

Ernst Schnabel, who was born in Zittau in 1913, broke off his studies in the *Gymnasium* at the age of seventeen and went to sea. He served for twelve years in the merchant marine and then during the war years in the German Navy. After the War he became a successful radio writer and director, whose radio scripts have been praised both in Germany and abroad. The 1947 Yearbook of the BBC calls his *Hörspiel, Der 29. Januar,* "The most imaginative feature of the year." His *Interview mit einem Stern,* a broadcast based on an around-the-world flight on Pan-American World Airways in 1951 (published in book form in the same year), is considered one of the outstanding examples of modern radio reporting.

The author is now living and writing in Hamburg. Among his literary works are two novels of the sea, *Die Reise nach Savannah* (1939) and *Nachtwind* (1941), and an essay on Thomas Wolfe (1946). A collection of short stories, the title story of which is included in the present anthology, appeared in 1949. *Sie sehen den Marmor nicht* was one of the selections of significant German writing made by the editors of the special supplement, "A Perspective of Germany," which appeared in the *Atlantic*

Monthly of March 1957. It captures, in the tradition of the modern sketch-like short story, an important aspect of the mood of the German people and the American occupation forces during the years immediately following the end of World War II.

SIE SEHEN DEN MARMOR NICHT

von Ernst Schnabel

Die Straßenjungen in Rom und Carrara [1] sehen den Marmor nicht. Es gibt dort ein helles Gestein, grau, weiß, innen mit einem gelbsamtenen Widerschein dicht unter der Haut. Es kommt aus den Bergen, und man macht Häuser und Treppen und Säulen und Menschenfiguren daraus. Das ist nicht mehr als in der Ordnung. Andernorts nimmt man Granit.

Die Jungens bei uns [2] sehen den Schutt nicht. Vordem waren die Häuser und Treppen und Säulen daraus gemacht, aus einem grauen Felsgestein. Aber seitdem die Häuser zusammengebrochen, die Treppen eingefallen und die Säulen umgestürzt sind, sieht man, daß dieses Gestein aus Ziegeln bestand. Der graue Putz ist weggeplatzt, darunter leuchtet es rot. Das ist nicht mehr als in der Ordnung. Andernorts stehen die Häuser noch aufrecht am Straßenrand.

---

[1] *Rom und Carrara:* Rome, capital of Italy; Carrara, a city north of Rome, noted for its fine marble quarries
[2] *bei uns:* in our country

SIE SEHEN DEN MARMOR NICHT

Aber sie sehen es nicht. Die Alten haben gesagt, die Luft sei voll von Sphärenmusik,³ doch man höre sie nicht, weil man sie immer hört.

Doch es gibt Tage, da sieht der Schutt aus wie Marmor, wie das geborstene Goldgeleucht vom Kapitol.⁴ Im Februar zum Beispiel. Im Sommer auch, aber im Februar vor allem. Bei großer Kälte und klarer Luft und rosavioletter Sonne am Himmel. Dann sind die Schatten blau, die Ziegelbrocken glühen, in den Fugen liegt durchsichtiger Zuckerschnee. Die ganze Stadt mit ihren geborstenen Mauern und einsam ragenden Ziegelschloten sieht aus wie die alten Städte Griechenlands, von denen man sagt, sie seien niedergesunken. Hier sagt das keiner. Und zwischen den Trümmern liegt eine der beiden Karyatiden,⁵ die einen Hauseingang flankierten. Sie liegt auf dem Rücken und hat Schnee im Mund und in den Augenhöhlen und zwischen den Brüsten. Die andere ist verschwunden. In halber Höhe ist ein Stück der inneren Hauswand, die noch steht, mit weißen Kacheln belegt. Eine Badewanne hängt schräg über dem abgebrochenen Fußboden herab, und ein Heizkörper klebt verschneit an der Mauer. Aber die bloßen Ziegel dazwischen und überall im Trümmerfeld glühen samten und weich im frostig-violetten Licht und sehen wie Marmor aus.

Er sah es nicht. Er stieg mit langen Schritten quer durch den Schutt, weil er zum Deich wollte. Seitdem die Häuser eingestürzt sind, kann man den Weg abkürzen, indem man quer durch den Schutt steigt. Die Ziegel liegen ausgesät auf dem Boden. So stieg und sprang er halb von Mauerklotz zu Mauerklotz, lief dann quer über die Straße und die Deichböschung hinauf und blieb eine Zeitlang oben stehen. In der Hand hielt

---

³ *Sphärenmusik:* music of the spheres, an ethereal music supposed by the people of ancient Greece to emanate from planetary motions
⁴ *Kapitol:* the temple of Jupiter on the Capitoline Hill in Rome. A few remains of this ancient edifice can still be seen today.
⁵ *Karyatiden:* priestesses of Diana at the temple in Caryea. Architecture: figures used to support an entablature.

er eine Fahrradpumpe. Er trug sie, wie die englischen Offiziere, die zuerst dagewesen waren, ihre Stöckchen⁶ getragen hatten: wippend in der Rechten. Als er stille stand, wippte er die Luftpumpe leicht gegen den Handteller seiner Linken. So hatte er es bei ihnen gesehen, ehe sie wieder abzogen. Dann waren die Amerikaner eingerückt.

Aber auf dem Deich war nichts zu sehen. Die Schleusen, die Weser,⁷ die Marsch auf der anderen Seite. Flußabwärts ein ankerndes Libertyschiff im Strom, nichts. Es waren auch nur wenige Menschen da. Ein Jeep unten auf der Straße, zwei Soldaten und zwei Mädchen auf dem Deich. Die Leute, die in den Trümmern gewohnt hatten, hatten sich verzogen, nach dem nördlichen Stadtrand hin, wo die Häuser stehengeblieben waren.

Es war ihm zu kalt auf dem Deich, er rannte die Böschung hinab und stieg wieder im marmorschimmernden Ziegelschutt umher, stocherte mit seiner Luftpumpe zwischen den Steinen herum, blieb dann plötzlich stehen und hob die Pumpe an den Mund. Er hatte sie im Herbst in den Trümmern gefunden. Sie war beim Brand nicht ausgeglüht, sondern hatte noch einen weichen Lederpfropfen am Kolben, den man leicht und lautlos hin- und herschieben konnte. Zischend fuhr die Luft durch das Anschlußloch. Hier allerdings fehlte die Gummidichtung. Sie war nicht mehr zu gebrauchen, die Pumpe, zum Pumpen nicht, aber Musik konnte man auf ihr machen. Der Junge spitzte seinen Mund und legte die Pumpe an, und wie er Luft über ihr Anschlußloch blies, entstand ein lauter, kräftig schwingender Pfiff. Er zog den Kolben sacht heraus, und der Pfiff wurde zu einem vollen Flötenton. So probierte er eine Weile, laute Pfiffe und leise, dunklere, weiche. Dann pfiff er ein Lied. Er hatte seit dem Herbst geübt. Er verstand sich auf eine ganze Reihe von Liedern. „Sah ein Knab"⁸ und

---

⁶ *Stöckchen:* little cane; here, "swagger stick"

⁷ *Weser:* important river in Germany. Bremen is located near its mouth.

⁸ *"Sah ein Knab":* "Sah ein Knab ein Röslein stehn", a favorite song, the words by Goethe

„Ein Schifflein sah ich fahren, Kapitän und Leutenant".[9] Auch einige Schlager [10] aus dem Kino, die pfiff er, und der laute, weiche, tremulierende Ton hallte in den Mauern wieder, brach sich an ihnen und flog weiter über das ganze Trümmerfeld.

Ein paar Soldaten trotteten eine abgelegene Straße entlang. Sie gingen mitten auf dem Fahrdamm, die Hände in den Taschen, die Schultern frierend hochgezogen, die Gesichter schwermütig und grau vor Kälte. Es waren Neger. Sie redeten nicht. Als sie die plötzliche Musik hörten, fuhren ihre Köpfe hoch. Sie blieben stehen, starrten einander eine Sekunde lang an, dann riß einer sich los und begann zu laufen. Die anderen trabten hinter ihm her. Alle hundert Meter blieben sie stehen und horchten. An einer Straßenecke änderten sie die Richtung, sie suchten, sie durchquerten ein Trümmerfeld. Der als erster lief, begann mitzusingen, laut, mit wiegendem Kopfe und klein zusammengekniffenen Augen. Schließlich fanden sie den Jungen. Sie umringten ihn und starrten ihn an.

Der Junge blies. Er stand ein wenig vorgeneigt, einen Fuß auf der Brust der gestürzten Karyatide. Die Soldaten staunten. Einer nahm ihm die Luftpumpe weg und prüfte sie genau. Dann pfiff er selbst über das Loch hin, wie er es bei dem Jungen gesehen hatte. Das gab zuerst nur ein zischendes Geräusch, dann aber plötzlich einen grellen Ton. Schnell zog er den Kolben heraus, der Ton sank in die Tiefe.[11] Ein anderer wollte ihm die Pumpe entreißen, aber der Soldat tänzelte über die Trümmer hin, blies und floh. Die anderen lachten und steckten sich Zigaretten an. Der Junge sah ihnen stumm zu. Er sah ihnen auf den Mund, auf diese frostgrauen Lippen in ihren dunklen Gesichtern, auf die schwarzen Pupillen in dem grellen Weiß ihrer Augen, und schwieg. Er verstand ihre Sprache nicht. Das einzige, was er in diesem Jahr gelernt

[9] *"Ein Schifflein . . . Leutenant"*: a popular folk-song from the eighteenth century.
[10] *Schlager*: popular songs of day (i.e. "hits")
[11] *sank in die Tiefe:* went into a lower register

hatte, war: Uncle, give me a gum. Das hatte er gelernt. Aber man konnte es nicht immer sagen. Immer hatten die Soldaten auch keinen Kaugummi bei sich, wenn er auch oft welchen [12] von ihnen bekommen hatte. Einige Male waren es auch gefüllte Schokoladestangen gewesen, die sie Candy nannten.

Sie gaben ihm seine Luftpumpe wieder, und er blies. Sie klopften ihm auf die Schulter und lachten und schlugen sich voller Bewunderung mit den flachen Händen auf die Oberschenkel. Sie vergaßen, wo sie waren, sie vergaßen den Februar, die violette Sonne, sie sangen mit. Sie hatten runde, gurgelnde, kehlige Stimmen, die dennoch seidig klangen, und lachten und stießen einander mit den Ellenbogen in die Seiten.

—Er blies.—

Sie nannten ihn Kid und Guy und steckten ihm ein Päckchen Kaugummi in die Tasche, obgleich er sie noch gar nicht darum gebeten hatte.

Er blies. Kapitän und Leutenant.

Und sie wurden nicht satt ihm zuzuhören,[13] und er blies die Schlager und „Sah ein Knab" noch einmal und auch noch einmal „Kapitän und Leutenant" und blies und schaute beim Blasen mit starren, festen Augen über ihre Köpfe hinweg auf einen Punkt in der Luft, nahe bei der Badewanne, die schräg an der Mauer hing, und hinter dem Deich war Sonnenuntergang. Das ging sehr schnell. Das rosa Licht losch zuerst aus, dann wurde auch aus dem lila Licht ein stumpfes Grau. Der Ziegelschutt verlor seinen Marmorschein, der Schnee in den Ritzen sah kälter aus.

Einen Fuß auf der Brust der Karyatide stand er und blies und starrte auf den Punkt in der Luft. Und die fremden Soldaten lachten noch immer und steckten ihm ein zweites Päckchen Kaugummi in die Jackentasche.

[12] *welchen:* some
[13] *wurden nicht . . . zuzuhören:* couldn't get enough of listening to him

REINHOLD SCHNEIDER

Reinhold Schneider, historian, critic, essayist, poet, and story-teller, was one of the most prolific writers in present-day Germany. An author whose works are based on his firm yet humble belief in the essential truths of Christian faith, he was born in Baden-Baden in 1903. During the Second World War he was forbidden to publish and was suspected of high treason, but after the war he was distinguished with awards and honorary degrees for his services to humanity during those difficult years. The citation made when he was awarded the degree of Doctor of Philosophy in 1946 reads: „Dem Helfer Ungezählter inmitten der Barbarei". Schneider was a member of several of the most significant literary and cultural organizations in Germany. From 1938 until his death in 1958 he made his home in Freiburg im Breisgau.

Although Schneider had published rather widely before the Second World War, it was not until after 1946 that he achieved the acclaim which is his today. Perhaps his most outstanding work is the poetically conceived historical study *Las Casas vor Karl V,* the account of the Dominican Father, Las Casas (1474–1566), who was the advocate of the human rights of the Central and South American Indians at the time of the Spanish *Conquistadores*. Schneider's historical studies had a strong influence on his fictional writings; many of his stories are drawn from his wide knowledge of the political and cultural history of Europe. The story, *Der Edelstein*, taken from the collection *Die gerettete Krone*, is a good example of the narrative art of the author as a writer of historical fiction as well as of his ethical and religious point of view.

DER EDELSTEIN

von Reinhold Schneider

IN DEN bewegten Tagen, da der junge König Karl II.,[1] wenige Jahre, nachdem seines Vaters Haupt vor Whitehall gefallen war,[2] von Schottland kommend,[3] in das Innere der Insel zog und der Protektor[4] ihm sein Heer entgegenwarf, weilte Izaak Walton,[5] ein Londoner Kaufmann,

---

[1] *König Karl II.:* King Charles the Second of England (1630–85)
[2] *seines Vaters . . . war:* Charles the First was executed in 1649 in front of Whitehall Palace by the anti-royalists
[3] *von Schottland kommend:* Charles II invaded England from Scotland in the summer of 1651
[4] *der Protektor:* Oliver Cromwell (1599–1658). When the government of the Commonwealth failed, Cromwell, long a leading figure among the anti-royalists, was made Lord Protector of England.
[5] *Izaak Walton:* English writer (1593–1683), author of *The Compleat Angler,* a famous treatise on sport fishing

wieder in Winchester ⁶ als Gast seines Freundes, des Bischofs. Die große Erregung des Landes, die Royalisten und Revolutionäre aufs neue stürmisch gegen einander aufwühlte, schien ihn nicht zu berühren. Wie jedes Jahr hatte er sich darauf gefreut, im Itchen, dem unter den Hügeln der ehrwürdigen Bischofsstadt hinströmenden Fluß, zu angeln; so wanderte er täglich mit seinem Angelkasten, von seinem weiten Mantel und seinem mächtigen Hut geschützt, hinaus, die Wechselfälle der Geschichte mit demselben Gleichmut hinnehmend, mit dem der gute Angler den Wechsel des Wetters erduldet. Nur das betrübte ihn, daß ihn sein geistlicher Freund dieses Mal selten begleiten konnte. Wohl pflegten sie sich kaum auf dem Wege, nie während des stillen Wartens am Fluß, zu unterhalten, aber es ist ein großer Unterschied, ob wir schweigen müssen, weil wir einsam sind, oder mit einem Gefährten freiwillig schweigen. Die beiden Freunde fühlten an dem leise hinziehenden Fluß ihr Dasein und Füreinandersein und hatten kein Verlangen nach Worten; die Freude des Gesprächs und geselliger Lieder blieb dem Abend vorbehalten, da sie sich in einem nahen Dorfgasthause mit andern Freunden trafen—und diese Freude sollte Walton auch jetzt nicht entbehren.

Dann und wann hörte der Angler auf seinem Wege aus den Gesprächen Vorübergehender von den Ereignissen der letzten Tage; der junge König hatte sein ermüdetes Heer nach Worcester ⁷ gezogen, und Cromwells Truppen scharten sich jenseits des Flusses im Angesichte der Stadt; es mußte zur Schlacht kommen. Die Schlacht sei geschlagen worden, hieß es bald darauf; der junge König habe alles verloren. Lange habe er noch auf dem Turm der Kathedrale ausgehalten, den siegreichen Angriff der Feinde überschauend; als diese in die Stadt drangen, sei er geflohen; niemand wisse, wohin. Seine besten Freunde lägen mit Todeswunden in der Stadt;

---

⁶ *Winchester:* a cathedral city on the Itchen River about sixty-five miles southwest of London
⁷ *Worcester:* cathedral city about 100 miles northwest of London

vielleicht sei er selber tot. Abends im Gasthause wollte ein Soldat wissen, daß der König ein Schiff erreicht habe und nach Frankreich geflohen sei; schließlich sickerte die Kunde durch,⁸ der König sei noch im Lande. Er habe sich verwegen durch das Heer seines Todfeindes geschlichen und sei auf dem Weg zum Kanal; ⁹ bisher habe sich kein Verräter gefunden. „Unser Gebet möge ihn schützen", sagte Walton ruhig; es war kein Geheimnis, daß er zum König stand.¹⁰

Aber am andern Morgen ging er heiter wie immer zum Fluß; es war schwül gewesen, nun sank ein sachter Regen nieder, der das Wiesenland mit seinen Hecken und üppigen Bäumen einspann; die Herden bewegten sich langsam am jenseitigen Ufer hin, und dann und wann wehte der Glockenschlag der fernen Kathedrale wie Gesang durch die Luft. Als es dämmern wollte, schritt ein Mann, der einen Angelkasten trug, flußabwärts an Walton vorüber; er setzte sich in angemessener Entfernung am Ufer nieder und warf seinen Angelhaken aus; so verging einige Zeit, bis Walton aufstand und sein Gerät sorglich verwahrte. Auch der Fremde erhob sich—und Walton sah mit einem Blick, daß der Unbekannte, obgleich er noch jung war, mit dem Angelhaken umzugehen verstand.¹¹ Der Jüngere grüßte ehrerbietig; ob er einen guten Tag gehabt habe, fragte er Walton. Ja, es sei ein guter Tag gewesen, erwiderte dieser; das Angeln könne niemals enttäuschen, denn das Beste sei die Stille und die Geduld. Nun blickte er den Fremden an; er war von hoher Gestalt, üppiges schwarzes Haar wehte über das braune, leidenschaftliche Gesicht, in dem die dunkeln Augen flackerten. „Man sollte es nicht glauben, daß du ein Angler bist", sagte Walton. Der Fremde warf den Mantel zurück, unter dem die zerrissenen Kleider eines Reitknechtes sichtbar wurden. „Ich bin es nicht.

---

⁸ *sickerte die Kunde durch:* the news trickled through
⁹ *Kanal:* channel (i.e. the English Channel)
¹⁰ *zum König stand:* was for the King
¹¹ *mit dem Angelhaken . . . verstand:* knew how to handle a fishing hook

Wäre ich's, so wäre ich ein guter Mensch. Anglern kann man vertrauen. Ich wollte dich fragen, ob ich dich begleiten darf. Vor einigen Tagen habe ich meinen Fuß verletzt; ich brauche nur eine einzige Nacht Ruhe, frisches Leinen, ein gutes Bett. Morgen wird es gut sein.[12] Ich werde schon weiter kommen." Dies letzte sagte er mit einer zuversichtlichen, fast fröhlichen Entschlossenheit. Walton sah ihn lange an, dann verneigte er sich auf eine freie, ehrfürchtige Art. „Im Dorfe", sagte er, „ist ein Gasthaus, wo ich mich abends mit meinen Freunden treffe, und wo wir übernachten, wenn es uns zu spät wird für den Heimweg in die Stadt. Es ist alles nach guter alter Sitte. Wir freuen uns, wenn du den Abend mit uns verbringen willst."

Im Gastzimmer saßen erst wenige Menschen. Als Walton den Fremden zu der gewohnten Nische führte, wo sich die Freunde trafen, bemerkte er eine Proklamation des Parlaments, die am Mittelpfosten angeschlagen war; sie setzte einen Preis auf die Festnahme eines dunkeln Mannes von sechs Fuß zwei Zoll Körpergröße und machte es allen Gutgesinnten zur Pflicht, nach ihm zu fahnden.[13] Erschrocken wandte sich Walton um; der Fremde überlas das Blatt ziemlich genau; Verachtung spielte um seine vollen Lippen. Dann ging er, leise ein Reiterlied summend, an den Tisch. Walton übergab der Wirtin seinen Angelkasten, daß sie die Tagesbeute für den Abend zurichte; indessen kamen die Freunde, gelassene Männer, die etwas Ehrwürdiges und doch Heiteres hatten. Die Unbefangenheit des Jünglings, der einen jeden mit Achtung ansprach, ließ keine Befremdung aufkommen; er lobte den Fisch und ließ sich erzählen, wie man hierzulande auf die Fischotter Jagd mache.[14] Als das Gespräch auf die letzten Ereignisse kam, beteuerten alle ihre Anhänglichkeit an den

---

[12] *Morgen wird es gut sein:* Tomorrow everything will be all right
[13] *machte es . . . fahnden:* made it the duty of all loyal people to search for him
[14] *wie man hierzulande . . . mache:* how one hunted the fish-otter in this region

König und ihre feste Hoffnung, daß er den Thron seines gemordeten Vaters dennoch besteigen werde. „Der König war nie besser beschützt als in diesem Augenblick", rief der Fremde, so daß Walton und seinen Freunden die Freude in die Wangen stieg. Der dunkle Tag wollte doch noch ein wenig Licht verschenken; hinter den hellen Gardinen leuchteten die vor dem Fenster stehenden Blumen auf, Zinn und Kupfer schimmerten an den Wänden, und der Schein des Herdfeuers in der Tiefe des Raumes vermischte sich mit der späten Sonnenglut. Reiter betraten das Zimmer, die offenbar von dem Schlachtfeld von Worcester kamen; es war eine der Streifen, die nach dem König suchten. Dann und wann trat einer der Gäste an den Pfosten und las sorgfältig die Proklamation des Parlaments. Nur wenige schienen sie zu billigen. Als einer der Soldaten, der den König am Ende der Schlacht gesehen haben mußte, ihn beschrieb—er nannte ihn Karl Stuart,[15] den Sohn des letzten Tyrannen—und auch alle die aufmerksam wurden, die bisher den Gesprächen der Reiter geflissentlich nicht zugehört hatten, ergriff Walton eines der mit Versen und Noten bedruckten Blätter, die an der Wand neben dem Tische steckten, und begann zu singen; es war ein Lied im alten Geschmack, die Klage eines Schäfers über sein Mädchen, das ihn nicht erhören wollte. Die Freunde fielen eifrig ein, und der junge Fremde beugte sich mit ihnen über das Blatt und sang mit mächtiger Stimme. Nun antwortete ein Tisch ehrsamer Landleute mit einem andern Lied; die Schenkenmädchen bekamen Arbeit. Da sich die Reiter fest in ihre Mäntel hüllten—denn dem späten Sonnenblitz war ein heftiger Regen gefolgt—und aus dem Zimmer stampften, beachtete sie fast niemand.

Walton führte den Fremden in das vorbereitete Zimmer hinauf; hier stand ein mächtiges Bett, die Decken waren zurückgeschlagen, und der Duft des Lavendels stieg aus dem

---

[15] *Stuart:* Charles was of the house of Stuart

DER EDELSTEIN

frischen, kühlen Linnen. Nun erst verriet der Gast seine furchtbare Müdigkeit: „Ich werde schlafen wie in einem Abgrund", sagte er, sich über die Stirn streichend. „Ach, all die Bilder dieser letzten Tage! Ich weiß fast nicht mehr, wo ich bin und was ich scheinen soll.[16] Ein jeder Tag bringt eine neue Rolle."—„Vergiß einmal alle Unruhe", erwiderte Walton. „Die Welt ist still; ihr Grund ist die Stille. Am Ende fügt sich die Welt doch in [17] das alte Recht und in des Stillen Hand. In diesem Hause kannst du schlafen. Es ist alles dein Eigentum. Der andere, der bei Worcester gesiegt hat, ist ohne Eigentum. Denn nur die Dinge und Waffen gehören ihm, aber nicht das Recht und nicht die Liebe. Er weiß nicht, wohin er geht. Etwas Dunkles ist in ihm; [18] er nennt das seinen Glauben. Aber wer mag sagen, was es für ein Glaube ist." Damit wünschte er dem Fremden noch einmal eine gute Nacht.

Am frühesten Morgen, ehe noch die Wirtin in die Gaststube kam, erwartete Walton schon den Fremden. Dieser trat in der unverwüstlichen Kraft seiner Jugend ein; er war wieder als Reitknecht gekleidet. „Ich muß eilig hindurch; der Mantel und der Kasten würden mich stören. Ich habe einmal geschlafen, nun ist mir wohl." Wieder näherten sich Reiter dem Hause. „Ich muß gehen, ehe sie kommen", sagte der Jüngling, sich rasch zum noch geschlossenen Tore wendend; aber plötzlich besann er sich und griff in seine Tasche: „Halt! Um den Stein wäre es doch schade, wenn sie mich fingen. Verwahre ihn für mich, bis ich wiederkomme." Damit reichte er Walton einen Edelstein von ungewöhnlicher Größe; ein tiefes, verhaltenes Leuchten ging von ihm aus. Im selben Augenblick schlugen Fäuste gegen die Tür. „He! Holla!" rief der Fremde.

[16] *was ich scheinen soll:* what I am supposed to be
[17] *Am Ende . . . in:* In the final summing up the world will accommodate itself to
[18] *Etwas Dunkles ist in ihm:* Something obscure (which he feels but cannot express) is in him.

„Wir kommen ja schon." Er stieß die mächtigen Riegel zurück und tat einen Torflügel auf: „Platz da!¹⁹ Ihr seid nicht allein auf der Welt", schrie er die hereindrängenden Knechte an. Er stieß sie mit dem Ellenbogen beiseite und war gleich darauf im Dunkel verschwunden.

Neun Jahre später ²⁰ stand Izaak Walton in dem Menschengedränge, das vor Whitehall den einziehenden König erwartete. Nur langsam bewegte sich der Zug durch die jubelnde Stadt; während die Glocken hallten, die Tücher wehten und sich die Rufe wie ein nichtendenwollendes Echo fortpflanzten, sanken immer wieder Blüten auf die glänzenden Reiter nieder. Der König, der leicht im Sattel saß, wurde nicht müde zu grüßen und zu danken. Auf seinem Gesicht war an diesem Tage kein Schatten der vergangenen Kämpfe zu sehen, und eben diese Heiterkeit und Leichtigkeit riß die Menge hin. Sie war der furchtbaren Schauspiele, aber auch des starren Ernstes überdrüssig, der dem Regimente des Protektors das Gepräge gegeben hatte. Als sich der König der Stelle näherte, wo einst sein Vater das Gerüst bestiegen und den Tod erlitten hatte, traf sein Blick auf Walton, dessen weißes Haupt mit den klaren, ebenmäßigen Zügen die Menge überragte. Karl winkte grüßend mit dem Handschuh und hielt das Pferd an. Walton ging auf den Herrn zu und grüßte ihn mit derselben Ehrfurcht, ohne Unterwürfigkeit, so wie er den jungen Angler am Itchen gegrüßt hatte; dann griff er in seine Tasche und bot dem Herrn den Edelstein, der in der hellen Sonne grüne Blitze schoß. Karl mußte sich besinnen: „Dein Gesicht habe ich sofort wiedererkannt, aber die Geschichte des Steines habe ich fast vergessen. Ein schönes Stück!" sagte er sinnend, „ich wüßte wohl, wem er stände. ²¹ Bringe ihn mir doch morgen nach Whitehall." Er grüßte; bald danach erschien er auf dem Balkon, von dem sein Vater an jenem düstern Wintertage

---

¹⁹ *Platz da:* make way there
²⁰ *Neun Jahre später:* the monarchy was restored in May 1660
²¹ *ich wüßte wohl, wem er stände:* I know whom it would suit

auf das Gerüst hinausgetreten war; auch jetzt gab er keinen Groll, keine Erschütterung zu erkennen, so daß der Jubel mächtig anschwoll und auch nicht verstummte, nachdem sich die Fenster längst geschlossen hatten und im Palast das vor langen Jahren so jäh abgerissene freudige Leben wieder begann.

„Es hat nun doch länger gedauert bis zu unserm Wiedersehen, als ich damals glaubte", sagte der König am andern Tage zu Walton in einem Privatzimmer des Palastes, wo die aus Frankreich mitgebrachten Gepäckstücke und Kunstwerke noch ungeordnet umherstanden. „Ja, aber wir wußten immer, daß du kommen wirst; es war alles für dich bereit. Ich trug den Stein all die Jahre in meiner Tasche; er war wie ein Pfand deiner Rückkehr. Die sich mitreißen ließen von dem Andern [22] spürten das nicht, bis ihnen immer banger und schwerer zumute wurde und eine Ahnung sie ergriff, die sie sich nicht erklären konnten. Ich habe viel Schweres erfahren; meine Kinder sind von mir gegangen und einige meiner Freunde. Aber es war mir doch immer leicht ums Herz. Ich habe ein kleines Buch über die Angelkunst geschrieben, damit andere Menschen dieselbe Freude erlernten wie ich. Wenn ein jeder Mann deines Landes ein vollkommener Angler würde, so würdest du ein gutes, glückliches Volk leicht regieren. Das stille Bild des Himmels erlischt ja niemals in den Flüssen und Teichen unseres Landes. Wenn nun jeder in Geduld in den Himmel sähe, so würde niemand aufstehen gegen den von Gott gesetzten Herrn, und niemand würde sich versündigen am Heiligen unserer Krone."—„Aber dann", sagte Karl lächelnd, „müßte auch der König ein Angler sein."—„Ja, er müßte es, und der beste seines Landes."—„Und der Andere, war er das nicht?"—„Herr, ich weiß nicht, was er war. Er konnte nicht schauen, nur ringen und fühlen, wollen und denken. Wenn wir aber nicht auf die Sternbilder schauen,

---

[22] *Die sich mitreißen ließen von dem Andern:* Those who let themselves be carried away be the other one (i.e. Cromwell)

wie sollen wir dann unsern Weg finden? Vielleicht wartete er immer auf eine Stimme in seinem Innern. Wissen wir aber, wer im Innern spricht? Da können viele Stimmen sprechen. Da kann auch vielerlei Licht aufgehen. Wenn wir aber hinausschauen, wenn wir in dem leben, was Gott geschaffen hat, und wenn wir daran denken, daß die Ordnung draußen nicht im Widerspruch stehen darf zur Ordnung in uns, so werden wir nicht irren. Der Name des Protektors ist ja nun verfemt; er hat Unrecht getan, und das Recht muß wieder in Kraft treten über seinem Grabe. Aber ich habe ihn nie gehaßt. Vielleicht war er ein sehr unglücklicher Mensch. Er meinte ganz erfüllt zu sein von Gott. Aber es wurde niemals still um ihn, und wohl auch in ihm ist es niemals still geworden. Auch der Sturm dient Gott; doch die große Ordnung geht nicht vom Sturm aus; sie ist ja ein Bild der Ordnung Gottes, und nur das stille Wasser fängt dieses Bild auf." Walton schwieg eine Weile; dann fuhr er zögernd fort: „Ich sage das nicht des Protektors wegen. Was wissen wir von ihm? Man hat seinen Leichnam aus dem Grabe gerissen und geschmäht. Aber er war ein Geheimnis, ein großes, furchtbares Geheimnis unseres Herrn. Ich sage es freimütig deines Landes wegen. In seinen Flüssen und Teichen spiegelt sich noch das große Bild; das muß auch in dir sein. Siehst du, der Andere ist vorübergeflogen wie der Schatten einer Wolke. Aber der König muß sein wie der stillste Teich seines Landes."—„Oh, und du meinst, dann werden ihn seine Feinde fürchten?"—„Die Ruhe ist stark. Wenn wir den Protektor—ich meine seinen Schatten —überwinden wollen, darf die große Unruhe nicht forttoben in uns." Aber der König sprang auf. „Ich weiß. Ich habe keine treueren Untertanen als die Angler. Ihr verwaltet und bewahrt. Andere müssen gewinnen." Er summte das Reiterlied wieder, das er an jenem Abend im Dorfgasthause leise gesungen hatte. Dann legte er den Stein auf die flache Hand. „Wie er brennt! Das ist wie starres Feuer. Man mag ihn kaum halten." Eine Dame betrat das Zimmer. „Siehst du", sagte der König auf französisch, „dich brennt er nicht. Ich dachte es mir, daß er dir stehen würde." Sie legte den Stein auf den Handrücken und betrachtete ihn lächelnd und vorsichtig, als sei er ein lebendes Wesen. Das grüne Licht schimmerte in ihren Augen. „Zu schön für mich. Es wäre ein Stein für eine Krone, für eine gekrönte Königin." Karl hielt ihr die Hand vor den Mund. „Still, sprich nicht von Kronen und Königinnen! Sie tragen Verhängnisse. Vor ihnen flieht das Glück. Aber ich schenke dir den Stein. Er war vergessenes Eigentum und ist für mich wie ein Geschenk. So schenke ich ihn dir." Sie dankte, den Stein noch immer auf dem Handrücken haltend, und nahm ihn behutsam mit. „Bist du betrübt", fragte der König Walton, der auf das Zeichen zu warten schien, daß er entlassen sei, „weil ich den Stein so schnell wieder verschenkt habe? Du hast mir eine große Freude gemacht. Soll ich die Freude nicht weitergeben? Auch das ist Königsamt. Darum hat das Volk mich doch erwartet und so stürmisch begrüßt, weil die Freude wieder nach England kommen soll. Der Andere hatte keine Freude und konnte keine bringen. Er hatte noch nicht einmal gelernt, daß man das Schwere und Traurige verbergen muß. Und das wenigstens hätte er lernen können von meinem Hause." Walton verneigte sich: „Du bist unser König. Du wirst alle Herzen gewinnen."—„Und darf ich dir nicht danken mit einer besondern Freude?" fragte ihn der König. Walton besann sich einen Augenblick: „Wenn du daran denken willst, daß unseres Herrn erste Jünger [23] Fischer gewesen sind, so wird es dir nicht schwer fallen,[24] die Angler durch Gesetze zu schützen, wie es deine Vorfahren auch getan haben."—„Ich will es tun", sagte der König ernst werdend; dann verabschiedete er Walton mit einem Lächeln.

Am andern Morgen ging Walton mit seinem Freunde, dem Bischof von Winchester, der zum Einzug des Königs nach London gekommen war, schon früh aus der Hauptstadt. Des

---

[23] *Jünger:* disciples
[24] *so wird . . . fallen:* it won't be hard for you

Getriebes war ihnen ein wenig zu viel geworden; sie wollten den Tag auf ihre Weise, als Angler, feiern. Unterwegs erzählte Walton die Geschichte des Steines, auch daß der König ihn sofort weitergeschenkt hatte, verschwieg er nicht. „Wir haben ja nie von jenem Abend miteinander gesprochen", sagte der Bischof, „aber wir alle wußten, daß damals der König unter uns war, und wir sandten ihm Gebete nach auf seinem schweren Weg. Nun ist er zurückgekehrt, und eine furchtbare Zeit ist zu Ende. Es ist Friede, wie es in unserm Herzen schon lange Friede war. Ehe der selige König Karl I. in die Hände seiner Feinde fiel, wußten wir uns vor Bangnis nicht zu fassen. Dann geschah es; der Protektor wurde Herr, der Frevel an unserm König geschah, und wir wurden still. Wir wußten: das Entsetzliche kommt nicht mehr: es ist da. Erst damals bin ich zu einem guten Angler geworden, und vielleicht hättest du auch dein schönes Büchlein nicht geschrieben, wenn du den Segen des Stilleseins nicht damals erfahren hättest. Du wirst dich doch nicht grämen um den Stein?"—„Nein", erwiderte Walton, „um den Stein trauere ich nicht, aber ein wenig um den König. Er wird die Zeit nicht los, in der er aufgewachsen ist."—„Lieber Freund", sagte der Bischof leise, „du hast ihm etwas viel Besseres gegeben als den Stein. Hier", fuhr er fort, an die Brust des Freundes rührend, „ruht der Edelstein, den du dem König gegeben hast."—„Das gilt für uns alle",[25] antwortete Walton, „und er wird das mit Gottes Hilfe verstehen. Aber auch wenn er es niemals verstehen sollte, bleibt er König. Die Krone verändert sich nicht. Und auch wir wollen uns nicht verändern; wir wollen stille Menschen bleiben. Das Land wird immer ihrer bedürfen, wie es der Flüsse und Teiche bedarf.—Aber ich habe auch einen Stein für dich." Damit wies er auf den Granatstein [26] seines Siegelringes; in den Stein war das Bild des an einem Anker gekreuzigten Herrn

---

[25] *Das gilt für uns alle:* That holds good for all of us
[26] *Granatstein:* garnet

DER EDELSTEIN

gegraben.²⁷ „Das ist nur ein Granat", sagte Walton, „aber er ist das Vermächtnis eines guten Freundes; und wenn ich ihn getragen haben werde bis zu meinem Tode, und das Bild, das er zeigt, wahr geworden ist in meinem Leben, wenn ich so werde gelebt haben, daß sich der Gekreuzigte als meine Hoffnung erwies—dann wird auch dieser arme Stein für einen guten Freund seinen Wert haben."

Der Bischof vermochte nichts zu erwidern. Sie hatten, nahe vor den Mauern der Stadt, einen kleinen Teich erreicht, setzten sich am Ufer nieder und warfen bedächtig die Angelhaken aus. Dann und wann schimmerte das leichte Blau des Himmels in der stillen Flut; Wolken trieben hin, und das Wasser wurde grau; endlich rührten Regentropfen an seinen Spiegel, und das Land und die Stadt im Rücken der Angler wurden von Schleiern umzogen, aber die beiden Männer harrten geduldig aus wie die Herden und Uferweiden.

[27] *war das Bild . . . gegraben:* was engraved the image of the Lord crucified on an anchor

FRIEDO LAMPE

The stories and novels of Friedo Lampe (1899–1945) have undeservedly remained relatively unknown until the last few years. His first novel, *Am Rande der Nacht* (1933), was confiscated by the Nazis, and a second one, *Septembergewitter,* was passed over by the reading public when it appeared in 1937. The publication of the slim volume, *Das Gesamtwerk,* in 1955 has drawn attention to Lampe's writing, and a reappraisal of his work is in progress.

Born and reared in Bremen, Friedo Lampe studied history of literature at several German universities and received his doctorate in 1928 after writing a dissertation on the eighteenth-century lyric poet Göckingk. He was then employed as an editor of *Schünemanns Monatshefte* in Bremen, subsequently as a librarian in Stettin and Hamburg, and then by the editorial department of the Rowohlt Verlag in Berlin. When this press was suppressed by the Nazis, Lampe began to devote more time to his own writing. Although he was constantly occupied with literary matters and was recognized as a first-rate critic and anthologizer of German literature past and present, Lampe seems to have been a slow producer of original work. His limited production is, however, well worth a reader's attention. Whether he reached the limits of his capabilities or not one cannot be sure. His untimely death (he was shot by Russian soldiers at Klein-Machnow near Berlin during the last days of the war because he could not rapidly supply proof that he was not an SS-man) put an end to what was certainly an outstanding man of letters.

The story *Spanische Suite* was first published in 1946 in the collection of short stories entitled *Von Tür zu Tür*.

SPANISCHE SUITE

von Friedo Lampe

*S*ɪᴇ können jetzt nicht reingehen",[1] sagte Frau Frese, die Garderobenfrau, „ist aber wohl bald zu Ende, das Stück." Willy Mertens stellte sich an die geschlossene Tür und horchte in den Saal. Gramvolle, wehmütige Klage, die sich wandelte in milde, männliche Resignation— Brahms, das war doch Brahms?[2] Frau Frese hatte sich schon

---

[1] *reingehen:* hereingehen (N.B. The author of this story in keeping with popular usage frequently omits the letters *he* from such words as *herunter, herüber,* and the like)
[2] *Brahms:* Johannes Brahms (1833–97), German composer

wieder hingesetzt und las schnell weiter in ihrem Roman. Sie saß hinter der Theke vor den mit Zeug vollgestopften Garderobenständern, eine kleine rundliche Frau mit schwarzem Kleid, weißer Schürze, Häubchen auf dem grauen Haar, Brille.

Es hatte für sie immer was besonders Stimmungsvolles, hier zu sitzen und zu lesen, während aus dem Saal gedämpft die Musik herüberklang. Also wie war das mit diesem gräßlichen Clown? Hier, ja: „Asta wich bis in den äußersten Winkel des kleinen Wohnwagens zurück, und ihre Augen weiteten sich angstvoll, als der Clown Alfio ihr mit verzerrtem Gesicht immer näher kam. Seine Augen schossen grelle Blitze, und seine dicke rote Clownnase wirkte besonders furchterregend. ‚So, nun glaubst du, weil du diesen Fernando hast, da könntest du mich wie einen räudigen Hund behandeln? Mir gehörst du, für immer, und ich rate dir . . .'—‚Der Direktor will doch, daß er mein Partner ist', rief Asta in höchstem Entsetzen."

Der Brahms war zu Ende. Willy Mertens schlüpfte durch die Tür in den Saal. Winter[3] verbeugte sich vorne auf dem Podium, man sah seine spiegelnde Glatze. Klatschen, Klatschen. „Da bist du ja endlich", sagte Anita, „warum kannst du nicht einmal pünktlich kommen?" „Ach, da kam im letzten Augenblick Besselmann[4] mit so einer wichtigen Sache", sagte Willy Mertens. „Der Brahms war herrlich", sagte Anita, „und denke dir, Winter hat alles auswendig dirigiert."—„Ja, Brahms ist seine Spezialität", sagte Willy Mertens, „wann kommt denn nun der junge Bulthaupt mit seinem Konzert?"—„Jetzt", sagte Anita.

„Ich bin so unruhig", sagte Heinz Stange, der Trompeter, zu seinem Nachbarn, „meine Frau liegt in der Klinik und erwartet ein Kind—ob ich wohl noch mal[5] telephonieren

---

[3] *Winter:* proper noun
[4] *Besselmann:* proper noun
[5] *noch mal:* noch einmal

kann?"—"Geh man hin",[6] sagte der Trommler, "ist wohl noch Zeit."

"Ich glaube, jetzt ist es so weit", sagte Juan Bulthaupt und stand auf. Er saß mit seinen Eltern dicht neben dem Orchester in der Loge. Winter hatte ihm zugenickt. "Nun geht's also los", sagte Teresa Bulthaupt und sah ihn ängstlich an mit ihren glänzenden Mandelaugen, "Maria und Josef." [7]—"Du bist mir die Richtige",[8] sagte Konsul Bulthaupt, "erst kannst du nicht abwarten, den Jungen da oben vorm Publikum stehen zu sehen, und nun zitterst du. Ihr habt's ja so gewollt, nun muß er sehen, wie er durchkommt."—"Hab keine Angst", sagte Juan und starrte einen Augenblick über den Saal hin, "vor denen da hab' ich keine Angst."—"Na also", sagte der Vater, "stolz will ich den Spanier. Ist doch auch nicht das erstemal für dich."—"Aber seine erste Orchester-Komposition", klagte Teresa.

"Er ist aufgestanden", flüsterte Lili Bracksieck ihrer Freundin Eva Lohmann zu. Sie saßen in der zwölften Reihe. Lili Bracksieck war siebzehn Jahre alt und wohnte in derselben Straße wie Bulthaupts, in der Mathildenstraße. "Sieht er nicht reizend aus in dem Frack? Seine Mutter ist eine Spanierin, davon sieht er so brünett aus, und von ihr hat er auch die Augen. Den ganzen Sommer ist er in Spanien gewesen, sein Vater ist ja spanischer Konsul und hat ein Geschäft, weißt du, so eine Filiale,[9] in Madrid."—"Hast du denn mal mit ihm gesprochen?" fragte Eva. "Nein, jetzt nicht, aber wir haben früher zusammen gespielt. Ach, sein Vater war ja so dagegen, daß er Musik studierte, er sollte doch eigentlich Kaufmann werden—aber nun hat er's doch erreicht."—"Na, das wird schöne Kämpfe gegeben haben", meinte Eva.

[6] *Geh man hin:* Go ahead
[7] *Maria und Josef:* The mother is nervous and invokes the help of Mary and Joseph.
[8] *Du bist mir die Richtige:* "You're a nice one"
[9] *Filiale:* branch office

Im Musikerzimmer stand Generalmusikdirektor Professor Winter mit dem Bürgermeister zusammen. „Da ist er ja, unser junger Mozart",[10] rief der Bürgermeister. „Lampenfieber?[11] Tritt sie nieder, die Bestie Publikum."[12]—„Hab' keine Angst", sagte Juan lachend und zeigte sein blendendes Gebiß. „Gott, Otto", sagte der Bürgermeister, „erinnerst du dich noch, als wir damals, so vor fünfzehn Jahren, dein erstes Werk, die ‚Frühlingssymphonie', aufführten? Na, da hast du schön gebibbert."[13]—„Komponieren Sie gar nicht mehr?" fragte Juan. „Nein", sagte Winter, „ich bin der Ansicht, daß man überhaupt nichts machen soll, wenn man nicht das ganz Vollkommene machen kann. Halbtalente haben wir genug. Da halt' ich mich lieber an die großen Meister."—„Schöne Ansicht, wo kämen wir damit hin?" sagte der Bürgermeister. „Das bedeutet Erstarrung, mein Lieber, aber wir müssen weiter, brauchen junges, neues Leben."—„Na, ich geh' nun rein", sagte Winter, „folgen Sie mir in ein paar Minuten—und alles Gute." Matt drückte er ihm die Hand und sah ihn kaum an mit seinen grauen, toten Augen. So blaß war sein Gesicht. „Verkalkt, verkalkt",[14] murmelte der Bürgermeister, „ich kann Ihnen sagen, das war nicht leicht, Ihr Opus[15] bei dem da durchzusetzen. Nun zeigen Sie ihm mal, was Sie können, bringen Sie mal etwas frischen, scharfen Wind in die alte Bude —ach, herrlich, so jung zu sein und mal ordentlich reinzuhauen . . ."[16]

„Zirkusbeginn!" las Frau Frese, die Garderobenfrau, in ihrem Roman ‚Asta, die Tochter der Luft'. „Scheinwerferlicht, Pferdegeruch, Marschmusik, die Ränge schwarz von

---

[10] *Mozart:* Wolfgang Amadeus Mozart (1756–91), Austrian composer
[11] *Lampenfieber:* stage-fright
[12] *die Bestie Publikum:* that brute, the audience
[13] *Na, da hast du schön gebibbert:* Well, you sure were shaking then
[14] *verkalkt:* calcified, senile (i.e. "set in his ways")
[15] *Opus:* work, composition
[16] *ach, herrlich . . . reinzuhauen:* oh, splendid to be so young and (to be able to) strike out so vigorously

Menschen, der Direktor zieht mit den Artisten in langem Zug in die Manege,[17] die Clowns überkugeln sich—oh, Zirkusluft!" —In der vierten Reihe saß Fräulein Brandes, die Klavierlehrerin, fünfunddreißig Jahre alt, blond und zart. Was kommt nun? Ah, das moderne Stück ‚Spanische Suite' für Geige und Orchester von Juan Bulthaupt, Uraufführung. Da steht er ja schon mit seiner Geige, Winter flüstert ihm noch was zu. So jung und darf schon in einem Konzert auftreten mit einer eigenen Komposition. Nie werde ich in einem Konzert auftreten—nie, nie, und doch ist Musik das Schönste in meinem Leben, was hab' ich sonst von meinem Leben? „Jetzt geht's los", flüsterte Lili Bracksieck und betrachtete Juan durchs Opernglas. Juan stand ruhig vorm Orchester neben dem Dirigentenpult, er hatte die Geigensaiten noch einmal geprüft, nun stand er da und sah kühl und abwartend ins Publikum, die Geige unterm Arm, ein weißes Seidentuch in den Kragen geschoben. Er verachtet sie alle, dachte Lili Bracksieck, er ist ein Prinz, ein spanischer Prinz . . . „Stange, endlich", sagte Winter und schüttelt mißbilligend den Kopf, „wie können Sie jetzt weglaufen."—„Oh, Herr Professor", sagte Heinz Stange und strahlt über sein gutes, rundes, rotes Gesicht, „entschuldigen Sie, ich habe mit der Klinik telephoniert, meine Frau hat einen Jungen geboren, jetzt gerade, nun denken Sie mal, und man hat mir gesagt . . ."—„Schon gut, Stange, gratuliere, aber nun setzen Sie sich, erzählen Sie mir das später, das geht doch jetzt nicht." —Der Bürgermeister trat in die Loge und beugte sich zu Konsul Bulthaupt runter: „Na, sind Sie nun nicht doch ein wenig stolz auf Ihren Filius?"[18]—„Abwarten, abwarten. Mir wäre lieber, er wäre ein tüchtiger Kaufmann geworden als so ein Zigeuner mit der Geige. Die schöne, alte Firma, von Generationen aufgebaut—das wird beiseitegeschoben, als wär's

---

[17] *Manege:* circus ring
[18] *Filius:* (Latin) son

gar nichts."—„Hat er nicht eine fabelhafte Haltung, der
Junge?" sagte Teresa Bulthaupt gerührt. „Er ist eben ganz die
Mutter", flüsterte ihr der Bürgermeister galant ins Ohr.
   Winter hob den Taktstock—los! Erster Satz! [19] In der
Schenke. Allegretto vivace.[20] Aufreizendes Gezupf der Geigen,
scharf und abgehackt, Klappern der Kastagnetten, dumpfes
Bum-Bum-Bum der Trommeln, Flöten schrillen dazwischen,
frech und quäkend, immer schneller, immer schärfer und
härter, aufstachelnd zum Tanz, zum Wirbel—ein Tumult,
chaotisch zerreißend und doch zusammengehalten, zusam-
mengezwungen durch diesen eckigen, brutalen Rhythmus. Sie
tanzen, sie lachen, sie trinken und schreien, in einer Schenke,
die Wilden, die Feurigen, stampfen und werfen sich nach
hinten, he, olé,[21] Tücher fliegen, Röcke schlagen flammende
Räder, [22] Messer blinken, und da, da, auf dem Höhepunkt—
da bricht es ab, Pause—und Juan hebt langsam die Geige
ans Kinn, hebt sie ganz hoch, die Hand am Geigenhals, und
stürzt sich—ruck [23]—in das neu ausbrechende Gekrache. Die
schwarzglänzenden Haare fallen ihm über die Stirn, zerstört
der spiegelnde Scheitel; er wirft sich hin und her, stampft
auf mit dem Fuß und summt durch die Nase die heiße,
trockene Melodie mit, die nun aufsteigt wie eine glutrote
Rakete und sich königlich entfaltet über all dem hämmernden
Gebrodel. Komödiant, denkt Winter, schon wieder diese
Varietémanieren.[24]—Tanzen, tanzen, denkt Lili Bracksieck, o
mit ihm in Spanien tanzen! Ich als Carmen,[25] im schwarzen
Seidenkleid mit der Mantille,[26] girrend hinterm Fächer, Rose
hinterm Ohr, Kastagnetten klappernd. Ach, ich bin keine

[19] *Satz:* movement
[20] *Allegretto vivace:* lively and with spirit
[21] *he, olé:* (Spanish) bravo
[22] *Röcke schlagen . . . Räder:* skirts swirl in flaming wheels
[23] *ruck:* with a sudden movement
[24] *Varietémanieren:* vaudeville mannerisms
[25] *Carmen:* fiery heroine of French composer Georges Bizet's opera of
the same name
[26] *Mantille:* mantilla (a kind of Spanish veil)

SPANISCHE SUITE

Carmen, und was wird er für Frauen kennengelernt haben in Spanien. Und ich muß in Herrn Baumbachs Tanzstunde tanzen.—Warum soll ich die Weser-Aktien [27] nicht nehmen, denkt Willy Mertens, warum soll ich Besselmann nicht vertrauen? Es ist nicht der erste gute Tip, den er mir gegeben hat. Ich nehme die Weser-Aktien. Und die Geigen zucken herausfordernd: nimm die Weser-Aktien, nimm die Weser-Aktien. Anita neben ihm denkt plötzlich: Himmel, hab' ich den Wasserhahn von der Badewanne abgedreht? Wenn das Wasser nun weiterläuft, ins Badezimmer, in die Stube, durch die Decke? Heinz Stange bläst mit dickgeblähten Backen die metallisch schmetternde Trompete: ein Junge, ein Junge, o Gott, ein Junge.—Und Frau Frese, die Garderobenfrau, draußen in dem Gang, liest in ihrem Roman: „ ‚Fernando', ruft Asta in wilder Verzweiflung, ‚gib heute abend auf den Clown Alfio acht, er führt was im Schilde,[28] ich fühle es.' Aber Fernando, der junge, der strahlende, lächelt nur: ‚Ach was.' " Frau Dieckmann, die mit Frau Frese an derselben Theke die Garderobe bewacht, tritt zu ihr: „Oh, ich habe heute wieder solche Ischiasschmerzen,[29] ich kann nicht stehen und nicht sitzen, weißt du denn kein Mittel?"—„Da nützt nur Wärme", sagt Frau Frese, „aber nun stör' mich doch nicht, ist gerade so spannend, die Geschichte."—„Wärme, das ist schön gesagt. Und dabei zieht es hier so scheußlich.[30] Das ist ja das reine Gift für mich."

Kurze Pause zwischen zwei Sätzen. „Sie müssen sich etwas mäßigen", sagte Winter zu Juan. „Im Gegenteil, feuriger müßte alles sein, die Tempi [31] waren zu langsam, immer noch zu langsam", sagte Juan leise und kalt. „Angsthase, kleines Dummerchen",[32] sagte Willy Mertens, „natürlich hast du den

---

[27] *Weser-Aktien:* stocks in the Weser Company
[28] *er führt was im Schilde:* he has secret designs
[29] *Ischiasschmerzen:* sciatic pains
[30] *Und dabei ... scheußlich:* And anyway, there's such a nasty draft here
[31] *Tempi:* plural of *Tempo*
[32] *Angsthase, kleines Dummerchen:* fraidy-cat, dear little ninny

Wasserhahn abgedreht, nun bilde dir doch nichts ein."—
„Meinst du?" sagte Anita und sah ihn erleichtert und dankbar
an. Wie hübsch sieht sie jetzt aus, dachte Willy Mertens, die
geröteten Backen, die strahlenden Augen, die zarte Haut, die
leichten, hellen Haare an der Schläfe, und wie süß duftet
das Veilchenparfüm, das ich ihr zu Weihnachten geschenkt
habe—ein kleines Mädchen ist sie ja noch, ein Kind, ich
müßte mich viel mehr um sie kümmern, ich bin nicht gut
genug zu ihr—dann begann der zweite Satz: Die Alhambra,[33]
Andante,[34] ernst und feierlich, voll und weich. Juan schmiegte
seinen schmalen Kopf sanft an den Geigenleib, und eine satte,
inbrünstige Melodie erklang, nachtdunkel, durchtränkt von
Wehmut und Schwärmerei.[35] „Alhambra? Was ist das noch?"
fragte Anita. „Ach, das ist so ein großes, altes maurisches
Schloß, so ein Kastell, weißt du, in der Nähe von Granada,
wo die arabischen Könige wohnten, genau kann ich's dir
auch nicht sagen", sprach Willy Mertens leise. „Danke",
hauchte Anita, „du weißt aber auch alles", zärtlich strich
sie ihm über die Hand. Da umfaßte er ihre Hand, drückte sie,
streichelte sie, und so saßen sie da, die Hände ineinander.—
Schön, dachte Fräulein Brandes, die Klavierlehrerin, und
lehnte sich in ihren Stuhl zurück, ich liebe die langsamen
Sätze, das Traurige, Ernste und Feierliche,—das Bewegte,
Heitere und Lustige ist nicht meine Sache. Das kommt wohl
daher, weil ich so einsam bin. Spanien—ja, da müßte man
hinreisen, da würde man was sehen und erleben. Aber so
allein, nein, da habe ich keinen Mut. Es ist verkehrt, daß ich
jeden Sommer in die Lüneburger Heide [36] fahre. Ach, mir
fehlen die Flügel, mir sind die Flügel beschnitten.—„Sieh
dir mal seine Hände an", sagte Lili Bracksieck zu Eva Loh-

---

[33] *Alhambra:* Moorish castle in the vicinity of the Spanish city of Granada
[34] *Andante:* moderately slow
[35] *Schwärmerei:* dreamy sentimentality
[36] *Lüneburger Heide:* Lüneburg Heath (an area near Hamburg and Bremen, popular for inexpensive vacations)

mann und gab ihr das Opernglas, „was hat er für wunderbare
Hände, so schlank und braun und nervig."—In der Ecke des
Saals saß der Musikkritiker Dr. Hellmers vom Stadtanzeiger,[37]
er hatte eine Künstlermähne und einen Zwicker auf der Nase
und machte sich fortwährend Notizen. Er ist ein Teufelskerl,
ein Wunderknabe, dieser junge Bulthaupt, ein raffinierter
Koloristiker.[38] Wie er da nun diese arabischen Klangfarben
rauskriegt,[39] famos.[40] Natürlich, man merkt die Abhängigkeit
von Richard Strauß, Debussy und Respighi,[41] das muß ich
auch betonen, aber es ist doch eine Geschlossenheit, Architektonik,[42] monumentale Struktur zu erkennen, die die neue
Generation ankündigt . . . Teresa Bulthaupt träumte vor
sich hin: die Alhambra! Maurische Bögen und Gänge, Höfe
und Moscheen [43] im warmen Mondenschein, das Gras wuchert
wild und hoch, die Springbrunnen rauschen, Liebespaare,
flüstern in den Nischen . . . Ach, war es eigentlich richtig,
daß ich von Spanien fortgegangen bin? Hier bin ich eine
Fremde und bleibe ich eine Fremde, nur Juan versteht mich.
Konsul Bulthaupt dachte: da steht er nun, der Junge, und spielt
von Spanien, von Teresas Spanien. Hat er überhaupt etwas
von mir? Kann ich ihn verstehen? Früher hätte ich ihn
vielleicht verstanden, als ich Teresa kennenlernte, jetzt bin ich
zu alt und zu kalt. Der Bürgermeister hinter ihm überlegte:
begreif' ich etwas von Musik, oder bin ich zu plump und zu
banal? Schön klingt das, so zart, so traurig, aber ich glaube, im
Grunde bin ich unmusikalisch.—Im Rang, in der ersten Reihe,
saß der junge, neue Stadtbaurat [44] Wilkens, schmales, scharfes

---

[37] *Stadtanzeiger:* the name of a newspaper
[38] *Koloristiker:* colorist
[39] *rauskriegt:* succeeds in getting out
[40] *famos:* splendid
[41] *Richard Strauß, Debussy, Respighi:* well-known modern composers. Strauss (1864–1949), German; Claude Debussy (1862–1918), French; Ottorino Respighi (1879–1936), Italian
[42] *Architektonik:* structure (tonal)
[43] *Moscheen:* mosques
[44] *Stadtbaurat:* municipal architect

Gesicht, energievolles Kinn, unruhig schweifende Augen: ich muß unbedingt noch mal nach Spanien reisen, den maurischen Einfluß auf den Baustil studieren, interessante Sache, wird ähnlich sein wie in Sizilien.[45] Heute abend gleich noch mal die Alhambra ansehen, ich hab' da doch ein Buch . . . Und Juans Geige, das ganze Orchester sang in warmen, satten Trauerklängen: Alhambra—Granada—Nacht—Mondschein —Vergänglichkeit.

Still und wie träumend saßen die Leute in der Pause. Der erste Geiger beugte sich zu Juan vor: „Merken Sie, wie das Publikum mitgeht? Sie haben gewonnen."—„Glauben Sie?" sagte Juan und lächelte schüchtern. Er sah rüber zu seiner Mutter, sie sah ihn an, traurig und glücklich, sie nickten sich zu. Kraft durchdrang ihn und Zuversicht. „Weiter", rief er Winter zu. „Immer langsam", sagte Winter. „Nein, nein, nicht langsam", sagte Juan, „jetzt aber mit Schwung!" Grau im Gesicht und schlapp stand Winter da und blickte leer und unglücklich über das Orchester. Scheußlich war das, der junge Kerl, der schaffte es nun, hatte einfach die Kraft, und ich muß ihm noch helfen bei seinem Erfolg. Übelkeit kam in ihm hoch, aber dann straffte er sich, nur nichts merken lassen, Haltung, Haltung, nur nichts vorm Orchester merken lassen, oder hatten sie es schon erkannt, sahen sie ihn nicht alle so höhnisch und schadenfroh an?

Dritter Satz: Der Ruhm des Torero,[46] beginnend mit einem blitzenden Allegro con brio.[47] Dröhnende Marschrhythmen, festlicher Jubel, Blechgeschmetter.[48] Die Sonne brannte glühend, die Arena wogte, die Kämpfer zogen auf, der Held wird gefeiert, der große Torero, der berühmteste, die Frauen jauchzen ihm zu, dicke Sträuße fliegen in die Arena, knallrot die Baldachine,[49] Tücher und Fahnen, Stiergebrüll, ein strahlender

---

[45] *Sizilien:* Sicily
[46] *Torero:* bullfighter (Spanish)
[47] *Allegro con brio:* lively and with fire
[48] *Blechgeschmetter:* crashing of brasses
[49] *Baldachine:* canopies of rich silk and gold fabrics

SPANISCHE SUITE

Tag. Juan spielt singend, scharf mit dem Fuß taktierend, das Kämpfermotiv, sein Gesicht ist blaß und starr vor Gespanntheit, mitgerissen folgt das Orchester. „Ist er nicht herrlich?" flüstert Lili Bracksieck jubelnd, „dieses Temperament, nun ist ihm alles egal." Ja, fühlt sie, ein Zigeuner ist er, er rast auf einem wilden Pferd über die Steppe [50] und singt—und dann steht er breitbeinig auf dem Tisch in dem Wirtshaus und spielt die Geige, und alle Mädchen sind ihm verfallen.— Triumphierend bläst Heinz Stange die Trompete: er ist da, er ist da, also doch ein Junge! Sophie, sagt' ich es nicht? Ja, damit wirst du dich nun abfinden müssen.[51] Und ein Trompeter wird er, das ist doch ganz klar.—Mut, mehr Mut müßte ich haben, denkt Fräulein Brandes, die Klavierlehrerin, ich müßte mich mehr unter Menschen wagen, warum bin ich diesen Winter nicht auf den Ingenieur-Ball gegangen, dann hätt' ich Herrn Bäcker wieder getroffen, so übel war er doch gar nicht, natürlich, das Ideal ist er nicht, aber ich kann doch nicht bis an mein Lebensende diese Klimperstunden [52] geben!—Ich kaufe das Haus in der Parkallee, dann hast du deinen Garten, ich hab' mich eben entschlossen", flüstert Willy Mertens Anita zu. „O Willy", ruft Anita leise. „Ja", sagt Willy Mertens, „du und Lotti, ihr braucht mehr Luft und Sonne. Dann kann Lotti doch schön im Garten spielen."—Im Garten spielen, im Garten spielen.—Stadtbaurat Wilkens wird ganz aufgeregt: der Philharmonie-Saal muß umgebaut werden, daß ich das erst jetzt sehe. Ich muß noch heute abend mit dem Bürgermeister sprechen. Völlig veraltet. Weg die Karyatiden,[53] der Stuck, die Säulen, die Deckenmalerei, die protzigen Kronleuchter—alles abgerissen—ein klarer, heller, schlichter Saal, schmucklos, mit indirekter Beleuchtung.—„In riesigen Sprüngen, wie ein Panther", las Frau Frese, die Garderobenfrau, „lief Fernando die Ränge hinauf zur Zirkuswand und

[50] *Steppe:* vast, grassy plain
[51] *damit wirst . . . müssen:* you'll have to put up with it
[52] *Klimperstunden:* jangling piano lessons
[53] *Karyatiden:* cf. note 5, page 45

riß den Clown Alfio an der Schulter herum: ‚Schuft, was arbeitest du da mit der Feile an dem Eisendraht?' Es war der Draht, der das Trapezgestänge oben festhielt. Tief erschrocken, feige und tückisch sah Alfio ihn an: ‚Ich wollt' da was in Ordnung bringen', murmelte er. ‚Scher' dich zum Teufel',[54] rief Fernando und stieß ihn die Treppe hinunter, ‚wir sprechen uns später.' "—Musikkritiker Dr. Hellmers notierte mit fiebernder Hand: „Das ist Süd-Musik, wie sie Nietzsche [55] erträumte, der Süden Mérimées,[56] Bizets und Verdis,[57] scharfes, helles Licht, trockne, heiße Luft, elementare Leidenschaft, naive Sinnenfreude, Verismus,[58] heiter noch im Tragischen. Nur einer, der diese Welt im Blute hat, kann solche Töne finden . . . Klirrend und grell schließt der Satz, Beifall bricht aus, plötzlich, Rufe: „Bravo, bravo." Winter winkt schnell ab, hebt schon wieder den Taktstock, Ruhe, Ruhe— und der letzte Satz beginnt: Südliches Meer.

Das ist nun—nach all dem Lauten und Bewegten—wie ein stilles Ausatmen, ein ruhiges, großes Sichverströmen.[59] Das helle, blaue, glitzernde Meer im Mittagsglanz, ganz durchsichtig, in zarten Dunstschleiern, weiße Segel weich sich in der Luft lösend, unbändige Sonnenfülle, vollkommener, seliger Augenblick. Über dem flimmernden Silberglanz der Geigen und Flöten und Harfen zieht Juans einsamer Gesang ganz hoch und leicht und zart, verschwebend, verhauchend im wolkenlosen, tiefen Blau. Ein weißes Licht durchflutet den Saal.—Nun weitet sich die Musik ins Kosmische, denkt Dr. Hellmers, der Musikkritiker.—Ja, ich will diesen Sommer

---

[54] *Scher' dich zum Teufel:* go to the devil
[55] *Nietzsche:* Friedrich Nietzsche (1844–1900), German philosopher and poet
[56] *Mérimées:* Prosper Mérimée (1803–1870), French author of the novel on which Bizet based his opera *Carmen*
[57] *Verdis:* Giuseppi Verdi (1813–1901), Italian opera composer
[58] *Verismus:* realism (i.e., the kind of realism in such late 19th-century operas as *La Bohème*)
[59] *Sichverströmen:* flowing out of itself in all directions

SPANISCHE SUITE 75

nach Norderney⁶⁰ fahren, entschließt sich Fräulein Brandes,
am Strande laufen, mit nackten Füßen, baden.—Und alle
anderen im Saale schwingen, klingen, singen mit: im Garten
spielen mit Lotti—ein Junge, ein Junge—er ist ein Zigeuner,
ein spanischer Prinz—der Saal muß umgebaut werden, ganz
schlicht und weiß muß er sein—das ist Süd-Musik, wie sie
Nietzsche erträumte—Spanien, o Spanien . . . Und Frau
Frese, die Garderobenfrau, liest: „Da schwebten sie nun oben
in der Kuppel des Zirkus, angestrahlt vom Scheinwerferlicht,
leicht und weiß wie Vögel, im Takt der Musik, trafen sich,
umschlangen sich, lösten sich, Asta und Fernando, die Königskinder der Luft, und die silbernen Schaukeln glänzten.
Unten aber, am Manegeneingang, stand Alfio, der Clown,
ohnmächtig bebend, und schaute haßerfüllt zu ihnen hinauf."

Da hört Frau Frese den Beifallssturm im Saal, das Konzert
ist zu Ende, die Saaltüren öffnen sich, die ersten Leute kommen
zur Garderobe, seufzend klappt Frau Frese den Roman zu
und legt ihn unter die Theke. Im Saal wildes Geklatsche, die
Leute strömen vor zum Orchester, ich muß ihn doch noch
mal sehen, bravo Bulthaupt, das war fabelhaft, bravo, bravo,
komm, klatsch doch ordentlich, das hat er verdient, mein Gott,
wie bescheiden verbeugt er sich, wie linkisch, ein sympathischer Junge, sieh mal, da schleppen sie ja Blumen heran,
Kinder, was für 'n⁶¹ großer Korb, und all die Sträuße, was
für eine Fülle. „Die Rosen da, siehst du, an denen er jetzt
riecht, die sind von mir", kichert Lili Bracksieck hochrot
Eva Lohmann zu. Als Juan aus dem Saal lief, trat ihm Heinz
Stange entgegen. „Herr Bulthaupt, ich hätte eine große Bitte.
Ich habe eben erfahren, daß meine Frau einen Jungen geboren
hat, nun wollte ich zu ihr in die Klinik und habe gar keine

---

⁶⁰ *Norderney:* an island off the north German coast, a well-known summer resort
⁶¹ *'n:* ein

Blumen."—"Da, nehmen Sie", sagte Juan und stopfte ihm Lili Bracksiecks Rosen in den Arm.

Im Musikerzimmer fiel Teresa Bulthaupt ihrem Sohn um den Hals: "Mein Juan, mein kleiner Juan, das hast du schön gemacht, o deine Mami ist ja so stolz auf dich. Du wirst noch ein ganz, ganz großer Künstler. Papa, begreifst du nun endlich, daß er ein Erz-Musiker[62] ist?" Der Bürgermeister schüttelte Juan herzhaft die Hand: "Na, wie haben wir das Kind geschaukelt? Toll,[63] mein Lieber, das hatte Schmiß mit dem Torero, Donnerwetter noch mal,[64] Bulthaupt, wenn Sie noch immer nicht einsehen, daß das mehr ist als doppelte Buchführung und Tabakimport, dann kann ich nur sagen: Sie sind ein Tyrann, ein Ignorant, ein Banause."[65] Konsul Bulthaupt lächelte etwas gequält und hilflos: "Nein, nein, ich sage nun gar nichts mehr, mach man so weiter, mein Junge, du hast schon recht."—"Mein guter, alter Papa", sagte Juan leise und strich seinem Vater über die Schulter. Winter stand abseits an einem Tisch und blätterte in einem Notenheft. "Otto", sagte der Bürgermeister zu ihm, "nun gib dir doch mal einen Ruck und sieh die Sache etwas überlegener und freier an, spiel doch nicht die gekränkte Leberwurst.[66] Was hat dir denn der Junge getan? Er kann eben was, damit mußt du doch fertig werden."[67] "Ja, ich bin ein Esel, ein blöder, kleinlicher Esel." Winter sah einen Augenblick den Bürgermeister an, und es zuckte um seinen Mund. Dann ging er auf Juan zu und streckte ihm die Hand hin: "Es ist mir nicht leicht gefallen,[68] Sie zu bewundern, Sie werden das vielleicht einmal verstehen, wenn Sie älter sind, aber ich bewundere Sie,

---

[62] *Erz-Musiker:* arch-musician
[63] *Toll:* cf. note 3, page 30
[64] *Donnerwetter noch mal:* what the devil
[65] *Banause:* commonplace, narrow-minded fellow (who is insensitive to the arts)
[66] *spiel doch . . . Leberwurst:* don't play the injured puppy
[67] *Er kann . . . werden:* He can really do something, you've got to swallow that
[68] *Es ist . . . gefallen:* It wasn't easy for me

Sie sind was, Sie können was."—"Oh, Herr Professor, daß Sie das sagen", Juan war tiefrot geworden, und seine dunklen Augen leuchteten warm, "ach, nein, nein, ich muß ja noch so viel lernen." Stadtbaurat Wilkens drängt sich an den Bürgermeister heran: "Herr Bürgermeister, darf ich Sie einen Augenblick sprechen? Mir ist heute abend etwas Wichtiges klargeworden. Der Philharmonie-Saal muß umgebaut werden, er ist ja völlig veraltet, ich hab' da ein Projekt . . ." Der Bürgermeister nahm ihn unter den Arm. "Na, denn schießen Sie mal los, Wilkens, Sie wissen ja, für Veränderungen und Umwälzungen bin ich immer zu haben."

Juan öffnete die Tür vom Musikerzimmer und trat auf den Balkon. Einen Augenblick allein sein, frei durchatmen. Dort unten lag dunkel die Stadt. Ein weicher, föhniger, feuchter Wind, man spürte schon das nahende Frühjahr. Der Schnee schmolz von den Dächern und rieselte auf die Straße. Es war ein Rumoren [69] und Ziehen und Drängen in der Luft, und Juan preßte die Fäuste an die Brust und atmete tief die Frühjahrsluft in sich ein, seine Brust dehnte sich, daß das weiße, steife Hemd knackte. Oh, es war großartig, und alles erst ein Anfang!

[69] *Rumoren:* hurly-burly

WILLY KRAMP

Born in 1909 in Mülhausen, Alsace, the son of a railway official, Willy Kramp attended the universities of Bonn, Berlin and Königsberg. After earning his doctorate, he worked in the East Prussian school system from 1936 to 1939. He was then called into the army, and before becoming a frontline soldier, he served as a psychologist and instructor in an army specialist school. He was a prisoner of war in Russia from 1945 to 1950. After his return to his homeland, he became director of the *Evangelisches Studienwerk Haus Villigst* in the Ruhr district.

Willy Kramp's first two works of fiction were published in 1933 and 1937, and his most outstanding novel to date, *Die Fischer von Lissau,* a detailed account of life in a small fishing village, appeared in 1939. A longer story, *Die Prophezeiung* (1950), and two of his recent short stories have as their background the author's experiences as a prisoner of war.

Der Sohn was first published together with the longer story *Sieben Perlen* in 1953. It reflects the pride of "old Germany" in the light of the tribulations of the post-war years.

DER SOHN

von Willy Kramp

DER Magazingehilfe[1] Friedrich von Bünsow, ehedem Herr auf Adlig-Bünsow in Ostpommern[2] und Major der Reserve, im Kriege Kommandeur einer leichten Artillerieabteilung, drängte sich mit vielen anderen Angestellten und Arbeitern durch den Ausgang des Hüttenwerkes. Er verließ seinen Arbeitsplatz zur gewohnten Stunde wie jeden Tag; aber als er einen Blick nach dem düsteren Gebirge von Schornsteinen, Hochöfen und steinernen Aufbauten zurückwarf, schien seine Miene auszudrücken: Vor allem hier heraus! Vor allem einmal so schnell wie möglich hier heraus!

Alles an ihm schien sich nach einem gierig erstrebten Ziel auszustrecken, als er nun eigentümlich beschleunigt, das versehrte linke Bein wie etwas Fremdes und Lästiges nachziehend, über das Pflaster der Vorstadtstraße stelzte. Sein in Bitterkeit und Stolz versteinertes Gesicht, von harten Furchen senkrecht durchgraben, hatte jedoch in diesem Augenblick zugleich einen Zug von Hilflosigkeit, der Mitleid erwecken konnte. In seinen angestrengt starrenden Augen war ein schwimmender Glanz, wie in den Augen eines Kindes, das geweint hat oder sogleich weinen wird.

Herr von Bünsow war kurz vor Feierabend[3] noch mit einem

---

[1] *Magazingehilfe:* helper in a warehouse
[2] *ehedem Herr . . . Ostpommern:* formerly master of the estate Adlig-Bünsow in East Pomerania
[3] *Feierabend:* closing-time

anderen Angestellten des Magazins böse zusammengeraten, wie es leider nicht selten geschah. Zornig und höhnisch hatte der Mann an seiner Seite ihm die Frage zugeschrieen, ob er eigentlich noch lange den Gutsherrn zu spielen gedenke oder ob er endlich begreifen werde, daß für das Gewesene der Wucherer nichts gebe . . .⁴

So etwas mußte man herunterwürgen, und wenn man daran erstickte. Im Grunde hatten die Leute ja leider recht. Das Vergangene zehrte sich von Tag zu Tag schneller auf. Die Gegenwart aber war für Herrn von Bünsow sinnlos und nichtig, eine Kette bedrückender Niederlagen. Was blieb, war die Zukunft, auf die er sich mit der letzten Kraft seiner tief verletzten und gleichsam erblindeten Seele warf.

Die Zukunft aber, was hatte Herr von Bünsow von der Zukunft zu erhoffen? Konnte er sich verhehlen, daß seine Kraft erschreckend abnahm, während jeden neuen Tag ein großer Tropfen Müdigkeit in sein Herz sank?

Wenn Herr von Bünsow an die Zukunft dachte, so stand ihm sein Sohn Armin vor der Seele, den er mit einer leidenschaftlichen, unsinnigen, ja zornigen, eifernden Liebe liebte. Der Junge war ein Bünsow. Und zwar kein erniedrigter, versehrter, abgewrackter Bünsow wie sein Vater, sondern ein bezaubernder, glücklicher, siegreicher. Einer, auf den die Dinge zukommen mußten,⁵ dienend und erbötig . . . Generationen hatten geduldig und meisterlich an diesem Jungen gebildet, um etwas Besonderes aus ihm zu machen.

Nur wer⁶ wußte, in welchem Maße Herr von Bünsow sein letztes, tief verborgenes Leben mit demjenigen seines Söhnchens verklammert hatte, mochte verstehen, warum der Mann gerade heute so zitternd ungeduldig seinem Hause

---

⁴ *für das Gewesene . . . gebe:* the usurer doesn't lend anything for what has been
⁵ *auf den . . . zukommen mußten:* to whose lot things had to fall
⁶ *wer:* he who

DER SOHN

zustrebte. Sein Sohn wurde an diesem Tage Gymnasiast.[7] Heute begann er den Weg, der ihn aus der stumpfsinnigen Misere [8] herausführen sollte, die seinen Vater so zu Boden drückte. Leider hatte Herr von Bünsow seinen Sohn nicht persönlich zur Aufnahmeprüfung in die Höhere Schule bringen können; aber er hatte ihm in milder Strenge anbefohlen, sein Bestes zu leisten und seinen Eltern keine Schande zu machen. Zwar schien es kaum denkbar, daß man einen Schüler wie Armin zurückweisen würde. Immerhin, er war eigenartig, ein Träumer, den man zuweilen gerade auf das Zunächstliegende hinweisen mußte.[9] Ein richtiges Kind, das stundenlang mit der Katze der Wirtsleute spielen oder bei Regen aus dem Fenster starren konnte... Nun gottlob, soviel vermochte man als Vater gerade noch, daß man seinen Jungen auf das richtige Pferd setzte. Reiten allerdings mußte er selber. Und er würde reiten, dieser Armin. Er würde nicht als Magazingehilfe sein Leben fristen.

Herr und Frau von Bünsow hatten ihre dürftige Zweizimmerwohnung in einem großen Hause, das gleich einem vom Himmel gefallenen Würfel nackt und grau aus Lauben und Buden aller Art aufragte, genau an jener häßlichen Grenze, wo sich der Unrat der Stadt mit einer angefressenen, zerstörten Landschaft mischte. Ein Bahndamm führte unweit des Hauses vorbei, und es hatte insbesondere Frau von Bünsow anfangs einiges gekostet, sich an das Getöse der vorbeifahrenden Züge zu gewöhnen. Hinter dem Bahndamm schlich in wunderlichen Krümmungen träge ein schmutziger Fluss vorbei, an dessen Ufern Schutthalden sich türmten und allerlei wildes Buschwerk wucherte. Nur langsam verlor sich all

---

[7] *Gymnasiast:* pupil in a Gymnasium (the secondary school which leads to the university; enrollment is limited: applicants must pass rigid entrance examinations; children enter the *Gymnasia* when they are about 10 or 11 years old.)
[8] *Misere:* wretchedness
[9] *den man zuweilen ... mußte:* whose attention one had sometimes to direct to what was right in front of him

dieses Ungeordnete flußabwärts in einer reineren Landschaft.

Als Herr von Bünsow an seiner Wohnungstür geklingelt hatte und statt eines freudig herzueilenden Kinderschrittes im Inneren der Wohnung den leisen, müden Schritt seiner Frau vernahm, erschrak er auf einmal sehr heftig. Er räusperte sich mehrmals, brachte jedoch kein Wort hervor, als seine Frau ihm im dunklen Flur gegenüberstand.

„Bist du da?" sagte sie leise.—„Komm bitte herein!"

Er folgte seiner Frau. Als sie sich in der Wohnstube wieder zu ihm umwandte, sah er, daß es um ihren Mund zuckte.

„Was ist?" fragte er und starrte an der Mutter seines Sohnes vorbei auf eine gerahmte Photographie, die ihn selbst als Offizier zeigte, hoch und herrisch aufgerichtet.—„Was ist? Wo steckt Armin?"

„Er hat nicht bestanden",[10] flüsterte die Frau und sah ihren Mann ratlos an.—„Ich habe ihn hingebracht, ich habe ihn ermahnt. Aber sie haben ihn nicht genommen."

„Wie bitte?[11] Was soll das heißen:[12] nicht bestanden? nicht genommen?" fragte Herr von Bünsow etwas töricht. Er hatte die ergrauten stacheligen Augenbrauen wild emporgezogen, darunter quollen dem hilflos Erregten die Augen weit aus dem Kopf. Er sah aus wie ein alter, kranker Raubvogel, den böse Kinder in seinem Käfig ärgern und quälen.

Die Frau antwortete nicht. Die Schultern ratlos hochgehoben, starrte sie ihren Mann immer noch an, als sollte ihr von ihm Hilfe und Trost kommen. Aber Herr von Bünsow war in seinem ganzen Leben bisher noch nicht so schrecklich von allem Trost und aller Hilfe verlassen gewesen wie in eben diesem Augenblick.

„Das ist doch wohl nicht möglich!" stieß er ohne Stimme hervor.—„So etwas gibt es doch gar nicht!"

Aber so etwas gab es offenbar doch. Die Frau hatte sich auf

---

[10] *Er hat nicht bestanden:* He didn't pass
[11] *Wie bitte?* What did you say?
[12] *Was soll das heißen:* What do you mean by that?

einen Stuhl sinken lassen. Ach, vor Zeiten einmal war sie schön und voller Leben gewesen, sie hatte in Adlig-Bünsow an der Treppe des Hauses gestanden, um die Gäste zu empfangen; aber jetzt, wie sie so kläglich in den Schoß blickte und an ihren Tränen schluckte, sah sie entsetzlich verlassen und erbarmungswürdig aus.

„Wo steckt der Junge?" fragte Herr von Bünsow wieder.
„Na, hörst du nicht? Wo der Junge steckt, möchte ich wissen."
„Ich weiß es nicht", gab die Frau müde zurück.—„Er ist fortgegangen, ehe du kamst. Vor einer Weile . . . "
„Und du hast ihn einfach . . . ? Was hast du ihm gesagt?"
„Gesagt? Was sollte ich ihm denn sagen?"

Immer wilder, verzweifelter blickte Herr von Bünsow in der öden Stube umher, in diesem verfluchten Gefängnis, das ihn nun seit vier Jahren so tückisch eingesperrt hielt. Die von überallher zusammengeliehenen Stücke der Einrichtung widerten ihn an. Die Bilder an den Wänden, darunter mehrere Aufnahmen von Adlig-Bünsow, schienen ihn nur zu verhöhnen. Ach, diese ganze schmutzige Flüchtlingsmisere hier hatte auf einmal auch ihren letzten, ihren allerletzten Sinn verloren. Wie war er bereit gewesen, sich zu mühen, sich demütigen zu lassen, zu sparen und zu darben um des Jungen willen! Aber nun hatte dieser kleine Taugenichts alles verdorben, mißachtet, mit Füßen getreten . . . !

Ein weher, schluchzender Zorn bemächtigte sich des enttäuschten Mannes. Er verstand auf einmal die Väter, die in wütender Verzweiflung ihre eigenen Kinder mit der Axt totschlugen. Er stürzte aus dem Zimmer. Die Wohnungstür schnappte mit einem bösen kleinen Knall hinter ihm zu; er hörte seinen Namen von drinnen rufen, aber schon war er auf der Treppe, vor dem Hause . . .

Durchgefallen![13] schrie es in ihm. Mein Sohn! Mein Sohn! Nicht angenommen! Nicht gut genug für diese Schufte!

Er wusste nicht, wo er sich hinwenden sollte in seiner

---

[13] *Durchgefallen:* flunked

stechenden Qual. So lief er blindlings in die Dämmerung hinaus. Wie ein krankes, waldwundes ¹⁴ Tier suchte er einen Winkel, ein Loch, ein tiefes, sicheres Versteck, um zu vergehen, zu verenden, zu verrecken ¹⁵ mit seiner Schande . . .
Er stand auf dem Bahndamm. Schweratmend. Ein Zug brauste vorüber. Es war ein Schnellzug, hinter dem letzten Wagen wirbelte der Luftdruck kleine Steine auf . . . Langsam stieg Herr von Bünsow über die Geleise.

„Es hat keinen Zweck mehr!" sagte er laut und empfand eine grausame Lust daran, sich selbst das Todesurteil zu sprechen.—„Ich schaffe es nicht mehr. Ich werde nicht mehr, was ich war. Ich bekomme nicht mehr den Kopf über Wasser. Nun gut."

Er schritt langsam zwischen den Schienen entlang, von Schwelle zu Schwelle, mit tiefgesenktem Kopf, als suche er etwas Verlorenes zwischen all dem Holz und Eisen.

Dem Jungen aber, dachte er weiter, dem Jungen haben sie unrecht getan. Ganz gewiß. Er ist ein besonderes Kind. Er denkt vielleicht ein wenig langsam, er entwickelt sich nicht so flink wie andere, aber—. Man muß solch ein Kind verstehen. Man muß es mit dem Auge der Liebe betrachten, man muß ihm Zeit lassen. Schließlich hat es Flucht und Mord und Brand und Hunger hinter sich.¹⁶—Aber wen kümmert das hier? Sie haben ihn nur mit ihrem Bandmaß gemessen, meinen kleinen Armin, mit ihrem geistigen Bandmaß!—Oh, dachte Herr von Bünsow, was ist dies für eine Welt geworden, die nur noch mißt, was sich messen läßt. Aber was im Verborgenen lebt,¹⁷ sieht sie nicht, das Edelschöne, den Keim, die Seele, all das Schlummernde, Scheue, Zarte, das in der Knospe wartet . . . !

Er stolperte flußwärts den Bahndamm hinab, unter schweren, dunkel ziehenden Wolken. Ein paar Tropfen fielen. Herrn

---

¹⁴ *waidwund:* wounded in the intestines
¹⁵ *verrecken:* to die (like an animal)
¹⁶ *hat es . . . hinter sich:* he has experienced . . .
¹⁷ *was im Verborgenen lebt:* that which lives below the surface

DER SOHN

von Bünsow kam plötzlich der Gedanke: Aber wo ist er jetzt eigentlich? Allen Ernstes,[18] wo mag der Junge jetzt eigentlich sein?

Er war auf einmal gar nicht mehr zornig. Er sah das feine Gesichtchen seines Sohnes vor sich, so wie es heute während der Arbeit immerfort vor seiner Seele gestanden hatte. Er sah ihn in der fremden Schule sitzen und warten, etwas verloren und bänglich; er sah ihn geprüft und—fortgeschickt werden. Mit der erschrockenen Mutter sah er ihn still nach Hause gehen... Wo ist er? dachte er. Sie haben ihn gekränkt, sie haben ihm wehgetan, so ein Kind kann sich nicht wehren. Sie haben ihn fortgeschickt wie etwas, was unnütz ist. Er sah den in Tränen schwimmenden, fragenden Blick des Kindes genau auf sich selbst gerichtet; er sah die dunkle weiche Locke in der Stirn, die schmale gebogene Nase, die er „vom Vater hatte", den weich geöffneten Mund, der ihn der Mutter ähnlich machte... Wo ist er? dachte er wieder, und seine Kehle preßte sich zusammen.[19]—Wo ist er, um Gotteswillen? Es wird ihm ja wohl nichts zugestoßen sein?

Jenseits des Bahndammes sah man auf einmal den hageren, langen, ungeschickten Herrn laufen, schneller, immer schneller; es nahm sich kläglich und unschön aus,[20] er schleppte sein versehrtes Bein unwillig hinter sich her wie einen Stock. Aber er lief, er lief, das verzerrte, ausgemergelte Gesicht bald hierhin, bald dorthin gewandt. Wieder erinnerte er an einen kranken alten Raubvogel, aber nun an einen solchen, der in der fremd gewordenen weiten Welt ängstlich und flügellahm umhertorkelte...

Er stand am Ufer des Flusses und starrte in das schmutziggraue Wasser, das sich gleichgültig vorüberschob. Er bog die Weidensträucher auseinander, reckte den Hals mit kurzen, kleinen Rucken, eilte wieder voran zwischen Schutthaufen

---

[18] *Allen Ernstes:* in all seriousness
[19] *seine Kehle ... zusammen:* he felt a lump in his throat
[20] *es nahm ... aus:* it looked pitiful and unlovely

und Kehrichtbergen, am Flußufer aufwärts, bis die Schutthalden endeten und eine ruhige, liebliche Landschaft ihn umgab wie ein Gesang.

Das Herz schlug ihm zum Zerspringen.[21] Er wollte rufen, aber er konnte nicht. Er wußte, daß nichts antworten würde, und er fürchtete sich davor, nur seine eigene Stimme zu hören. Keuchend, immer von dieser unsinnigen Angst getrieben, lief er zwischen den Weidenbüschen kreuz und quer. Er dachte: Wenn ich ihn jetzt finde, wenn ich ihn jetzt so . . . finde, dann —dann . . . O hört es alle, ich verlange nichts, nichts mehr von diesem Leben! Nichts, nichts, nichts, nichts! Nur daß ich ihn nicht so finde . . . !

Er lallte es wie ein Irrer, während sich sein Fuß in dem sumpfigen Dickicht verfing . . .

Und dann sah er seinen Sohn. Er saß auf einem flachen Hügel unmittelbar am Flußufer, halb verborgen durch ein Gebüsch. Ganz still saß er da, die weiße Katze des Hauswirts an sich gedrückt, und starrte wie im Traum auf den Fluß zu seinen Füßen. Sein blaues Mäntelchen hatte er vorn geöffnet, um die Katze ganz nahe und warm bei sich zu haben. Und so schauten beide, das Kind und das Tier, mit dem gleichen verlorenen Blick ins fließende Wasser.

Herr von Bünsow blieb stehen, die Hand auf das furchtbar pochende Herz gepreßt. Schwarze Schleier wallten vor seinen Augen, er war ein wenig zu rasch gelaufen.

Das Kind! dachte er. Da ist es ja, das Kind! Da ist es ja, mein Gott im Himmel!

Der Knabe wandte sich um, erkannte den Vater, blieb aber sitzen, während er die Katze immer noch an sich drückte. Ein schüchternes, fragendes Lächeln breitete sich langsam auf seinen lieblichen Zügen aus.—„Vater!" sagte er leise.

Herr von Bünsow ließ sich neben seinem Sohn auf die kalte, feuchte Erde nieder. Noch immer pochte sein Herz sehr stark; er konnte nicht sprechen. Er schlang den Arm um das Kind,

---

[21] *zum Zerspringen:* as if it would burst

DER SOHN

drückte es an sich, den heißen, schwimmenden Blick auf das strömende Wasser gerichtet. Es war so gut, den Fluß zu sehen, wie er in der Dämmerung unaufhörlich rann und rann, mit immer neuem Wasser, und die schweren schwarzen Wolken darüber, aus denen hin und wieder ein paar Tropfen fielen . . .

Friede war hier. Seit sein Leben sich so zum Schrecklichen und Finsteren gewendet hatte, war noch nie ein solcher Friede in des Mannes Brust gewesen. Mit weicher, schwankender Stimme fragte er endlich: „Was ist, Armin? Haben sie dich nicht genommen?"

„Nein, Vater", antwortete das Kind.—„Aber ich darf es noch einmal versuchen."

Sie saßen da, eng umschlungen, starrten auf das fließende Wasser. Auch die Katze war bei ihnen geblieben, sie drehte ein paarmal weich den schönen Kopf, drückte sich schnurrend an den Knaben. Es begann nun doch richtig zu regnen.

„Schön ist es hier", sagte der Knabe.—„Das Wasser raschelt immer so, dort im Bogen."

„Ja", antwortete der Vater.—„Im Sommer müssen wir öfter hergehen, Armin. Mit Mutter."

Es regnete stärker. Die Katze hob den Blick zu den Menschen auf. Armin sagte: „Die Katze läuft mir immer nach, wenn ich aus dem Haus gehe."

„Magst du sie gern?" fragte Herr von Bünsow.—„Zu Hause hatten wir viele schöne Katzen. Ich mochte aber Hunde lieber."

„Hm, wenn sie nicht beißen," nickte der Junge.—„Es regnet, Vater. Wollen wir nach Hause gehen?"

„Meinetwegen. Komm!"

Sie erhoben sich. Es dunkelte. Der Mann blickte sich um. Welch ein Friede über dem Land! Welch ein schöner, großer Friede weit und breit!

„Ist Mutter noch traurig?" fragte der Knabe, während sie da noch auf dem Hügel standen.

„Ich glaube nicht", antwortete der Vater.—„Komm jetzt! Laß die Katze laufen!"

„Ich will sehr fleißig sein", stieß Armin auf einmal heftig hervor.

„Das ist recht, mein Kind.—Schlag dir den Kragen hoch! So. Knöpf den Mantel zu. Komm. Gib die Hand!"

Und so schritten sie heimwärts unter den dunklen, trägen Regenwolken, am Fluß und an den Weidenbüschen entlang, später über die Schutthalden hinweg.

Sie erklommen den Bahndamm und sahen hinter den Regenschleiern das nackte, häßliche Haus aufragen, in dem sie wohnten. Der Regen war sehr stark geworden. Vater und Sohn trieften vor Nässe.

Als sie den Bahndamm auf der anderen Seite wieder hinabstiegen, fühlte Herr von Bünsow den Druck von seines Sohnes Händchen ein wenig fester werden.

Er will mir hinunterhelfen, dachte er und war ganz glücklich.

WERNER BERGENGRUEN

Werner Bergengruen was born in Riga in 1892. His father, a doctor, was of a Baltic family which traces its lineage to Sweden. After serving in World War I, Bergengruen began his literary career as a journalist in 1920, but during the decade which followed he gradually turned away from journalism and established himself as an independent author. By the mid-thirties he had been converted to Catholicism and had settled in Munich. He lost his home there during the War, moved to the Tirol, and then in 1946 to Zürich, where he is now living.

Recognized today as one of the leading writers in the German language, Bergengruen has published since 1923, the year in which his first novel appeared, a long series of novels, *Novellen,* tales, and short stories, as well as several volumes of poetry and some critical essays. His most significant novels are *Der Großtyrann und das Gericht* (1935) and *Am Himmel wie auf Erden* (1940).

The story which follows is taken from the volume *Der letzte Rittmeister* (1952), which contains a group of stories supposedly told by a former officer of the Czar. Like many of the other stories in the volume, it shows the author's talent as a first-rate spinner of good yarns.

PUPSIK

von Werner Bergengruen

In Paris wohnte ich eine Zeit lang Zimmer an Zimmer mit einem russischen Emigranten, einem jüngeren Mann, der in einem Bankhause Anstellung gefunden hatte.

Ich hörte ihm gern zu. Einmal berichtete er ein sehr merkwürdiges Erlebnis. Ich erzähle Ihnen die Geschichte so, wie er sie mir erzählt hat:

Mein Vater war Eisenbahnbeamter und wurde im Jahre 1910 von Krementschug nach Mitau [1] versetzt. Ich trat dort in eine der unteren Gymnasialklassen [2] ein. Wir hatten eine hübsche Dienstwohnung in nächster Nähe des Bahnhofs. Es war auch ein leidlich geräumiger Garten dabei, in welchem meine Mutter sich gern zu schaffen machte.[3] Sie legte auch ein rundes Rosenbeet an. In seiner Mitte befand sich auf einem grüngestrichenen Holzpfahl eine silberfarbige, spiegelnde Glaskugel. So etwas liebte man damals. Ich bewunderte diese Glaskugel sehr.

Meine Schwester Dunja lebte zu jener Zeit noch in unserem Hause. Sie war fünf Jahre älter als ich. Später, während der Bürgerkriege,[4] habe ich ihre Spur verloren. Ich weiß nicht, ob sie heute noch am Leben ist.

---

[1] *Krementschug . . . Mitau:* cities in Czarist Russia, the former in the Ukraine, the latter in Latvia, near Riga

[2] *Gymnasialklassen:* classes of the Gymnasium (cf. note 7, page 81).

[3] *sich gern zu schaffen machte:* liked to busy herself

[4] *Bürgerkriege:* civil wars (i.e. the Russian Revolution and the other conflicts during early years of the Communist regime)

Sie sah gut aus mit ihren frischen, hübschen Farben und ihren lebhaften, ein wenig unruhigen Augen. Sie hatte viele Verehrer. Damit neckte ich sie zuweilen. Die Verehrer verwöhnten mich und schenkten mir oft Süßigkeiten. Dafür mußte ich Auskünfte geben und Bestellungen ausrichten. Ich tat das gern, denn ich stand mich mit Dunja sehr gut.[5]

Unter ihren Verehrern waren auch Offiziere. Es schmeichelte mir, wenn ich mich mit ihnen auf der Straße zeigen durfte und wenn wir von den Soldaten gegrüßt wurden.

Im einzelnen erinnere ich mich an diese Offiziere nicht mehr. Sie wechselten oft. Wahrscheinlich sind sie einander recht ähnlich gewesen. Nur einer ist mir sehr genau im Gedächtnis geblieben; freilich war ich auch schon etwas älter geworden, als er auftrat. Das war Pupsik.

Pupsik gehörte nicht zur Mitauer Garnison, vielmehr stand sein eigentlicher Truppenteil irgendwo in Kleinrußland.[6] Pupsik war Oberleutnant bei der Artillerie. Er stammte aus Witebsk.[7]

Man hatte ihn nach Mitau abkommandiert. Er ging oft ins Schloß; und auch sonst hatte er mit allerlei Behörden zu tun, darunter mit der Bahnverwaltung. Auf diese Weise wurde er mit meinem Vater bekannt. Schließlich machte er uns einen Besuch.

Damals hieß er noch nicht Pupsik, und wir haben noch lange Zeit Matwej Matwejitsch zu ihm gesagt. Den Namen Pupsik hat meine Schwester aufgebracht. Sie liebte es überhaupt, den Menschen Spitznamen zu geben. Sie war von kapriziöser Natur.

„Pupsik" war der russische Titel einer albernen, aus dem Deutschen übersetzten Operette. Sie wurde in den meisten größeren Städten gegeben, und ihre Schlagermelodien wurden von allen Menschen gesummt. Jeder Drehorgelmann spielte

---

[5] *ich stand ... gut:* I was on very good terms with Dunja
[6] *Kleinrußland:* Little Russia, an indefinite area in the western and southern part of Russia and the eastern part of Poland
[7] *Witebsk:* city in western Russia

sie. Heute kann man sich das nicht mehr vorstellen, aber damals war es wie eine Krankheit. Besonders verbreitet war ein Lied. Es fing an: „Pupsik, du meiner Augen Stern." Im Deutschen mag es um eine Kleinigkeit anders gelautet haben. Die Melodie war ordinär. Aber sie hatte die Fähigkeit, sich im Gehör einzunisten und nicht wieder hinauszugehen.

„Puppchen" oder „Pupsik" hieß der Held der Operette. Ich weiß nicht, warum, und ich weiß auch nicht, bei welchem Anlaß Matwej Matwejitsch von Dunja diesen Namen erhielt. Der Name blieb an ihm haften. Alle fanden, daß er gut paßte, und ich fand das auch.

Pupsik war um einen halben Kopf kleiner als Dunja. Er war hübsch und zierlich, von schmächtigem Bau. Ich erinnere mich sehr deutlich an seine schönen, sanften, ein wenig traurigen Augen. Vielleicht waren sie auch mehr schwärmerisch als traurig; ich war damals noch nicht in dem Alter, wo man so etwas genau unterscheiden kann.

Pupsik konnte auch sehr vergnügt sein. Mit mir trieb er alle möglichen Possen. Manchmal hatte ich das Gefühl, ich sei der ältere. Er muß aber viel Verstand gehabt haben, sonst wäre ihm diese Abkommandierung wohl auch nicht zugefallen;[8] ich denke jetzt, sie muß sich auf Mobilmachungs- und Transportfragen bezogen haben.[9]

Er kam sehr oft zu uns. Ich merkte bald, daß er in Dunja verliebt war. Er spielte mit ihr Tennis und brachte oft Blumen, Konfekt oder französische Parfüms.

Ich sagte schon, daß Dunja von kapriziöser Natur war. Dieser Zug gewann manchmal die Oberhand über ihre ursprüngliche Gutmütigkeit. Er war auch schuld daran, daß Dunja sich oft über Pupsik lustig machte. Ja, sie neckte ihn häufig, und sie liebte es, ihm Hoffnungen zu erwecken, die sie am nächsten Tage wieder verleugnete. Einmal hörte ich sie

[8] *sonst wäre ihm . . . zugefallen:* otherwise this detail would not have fallen to his lot.
[9] *muß sich . . . haben:* must have related to questions of mobilization and transportation

PUPSIK 93

sagen: „Ich muß Sie ein bißchen traurig machen, Pupsik, dann sind Sie am reizendsten." Dabei konnte sie ihn gut leiden, schon von seinem ersten Besuch an. Sie zeichnete ihn auch vor den anderen Offizieren aus und vor den jungen Beamten, die in unser Haus kamen.

Was ich bisher erzählt habe, das stammt alles aus meiner eigenen Beobachtung. Von jetzt an muß ich mitunter auch Dinge berichten, die ich nur aus späteren Äußerungen meiner Mutter weiß. Dunja hat hierüber nie zu mir sprechen mögen.

Pupsik hatte, wie man das nennt, „ernste Absichten". Seine Umstände waren so, daß er hätte heiraten können. Meine Eltern hatten ihn gern, obwohl mein Vater sonst das Militär nicht liebte. Er war ein Liberaler [10] und hatte auch viel Umgang mit Deutschen und Letten,[11] während meine Mutter sich am liebsten auf den Verkehr mit Rechtgläubigen beschränkte.[12] Mein Vater ging auch nicht zur Kirche, aber er billigte es, daß wir anderen es taten.

Pupsik sprach manchmal von der Möglichkeit eines Krieges. Mein Vater hörte das nicht gern und sagte oft, in unserem Zeitalter könnten Kriege nicht mehr vorkommen, höchstens auf dem Balkan.[13] Aber Pupsik wußte hiervon mehr als die anderen Offiziere, und das hing wohl mit seiner dienstlichen Tätigkeit zusammen.

Auch Dunja gegenüber sprach er davon, daß es Krieg geben könne. Nach dem Vorbild meines Vaters glaubte sie nicht daran und meinte, Pupsik bringe das nur vor, um sie zu einer Entscheidung zu drängen. Manchmal war sie selbst zu einer solchen Entscheidung geneigt; dann aber freute es sie wieder, ihn hinzuhalten, und sie hatte wohl auch Furcht vor der Unwiderruflichkeit. Mitunter vertröstete sie ihn mit Scherzworten.

[10] *Liberaler:* political liberal
[11] *Letten:* Letts (a people living chiefly in Latvia)
[12] *während meine Mutter ... beschränkte:* while my mother liked best of all to confine herself to association with orthodox people
[13] *auf dem Balkan:* in the Balkan countries

Einmal hörte ich, wie sie zu ihm sagte: „Das ist ja mein Unglück, Pupsik, daß ich Sie liebe. Täte ich das nicht, so wäre alles doch ganz einfach."

Pupsik hatte seine Eltern sehr früh verloren. Er war im Kadettenkorps erzogen worden und hatte die Ferien immer im Hause einer Tante in Witebsk verbracht. Von dieser Tante sprach er bisweilen; er hing an ihr wie an einer leiblichen Mutter. Überhaupt lag es in seiner Natur, daß es ihn nach etwas Mutterartigem verlangte. So hatte er sich vom ersten Tage an mit einer kindlichen und ihn sehr gut kleidenden Zutraulichkeit meiner Mutter genähert. Sie vergalt ihm das mit einer großen Sympathie. Ziemlich zu Anfang der Bekanntschaft, es mag um Ostern 1914 gewesen sein, sagte sie zu meinem Vater: „Matwej Matwejitsch ist rührend. So ungefähr habe ich mir immer meinen künftigen Schwiegersohn gewünscht."

Die Witebsker Tante war Witwe. Sie hatte als Pflegetochter ein junges Mädchen im Hause, eine entfernte Verwandte ihres Mannes. Auch von diesem Mädchen sprach Pupsik mitunter. Es schien da etwas wie eine Liebesgeschichte gegeben zu haben, doch hatte Pupsik die Neigung dieser Pflegeschwester wohl nicht erwidert, wenn er auch immer in freundschaftlichen Beziehungen zu ihr geblieben war. Mit all seiner Arglosigkeit erzählte er davon meiner Mutter, und er hat es wohl auch Dunja gegenüber erwähnt. Aber in seiner gutmütigen und nachgiebigen Weise war er diesem Mädchen vielleicht etwas zu weit entgegengekommen,[14] und so mochte sie meinen, eine Art Anspruch zu haben. Ganz habe ich hinter diese Zusammenhänge nicht kommen können.

Pupsik trug einen goldenen Ring mit einem besonders schönen grünen Turmalin[15] von brasilianischer Herkunft, den er sehr liebte. Diesen Ring hatte die Witebsker Tante ihm

---

[14] *war er diesem Mädchen . . . entgegengekommen:* he had perhaps been too obliging to this girl
[15] *Turmalin:* tourmaline, a semi-precious stone

geschenkt, als er zum Offizier befördert worden war. Zugleich war da aber auch ein Zusammenhang mit der Pflegetochter, denn der Ring stammte aus dem Nachlaß des Mannes und hatte früher dem Urgroßvater des Mädchens gehört. Sie erblickte in ihm ein Familienstück und hatte sich da offenbar etwas zurechtgelegt, so als sei mit seinem Übergang in Pupsiks Hände zwischen den beiden Familien eine Verbindung zustande gekommen, die sie in ihrer Verliebtheit anscheinend auf sich selber bezog.

Einmal aßen Pupsik und Dunja Vielliebchen [16] miteinander. Ich weiß nicht mehr, was den Anlaß gegeben hatte. Natürlich wollte Pupsik verlieren, damit er Gelegenheit hätte, Dunja ein Geschenk zu machen. Diese Absicht sollte aber nicht zu auffällig werden, und so dachte Pupsik die Bedingungen, die beiden Partnern auferlegt waren, erst eine Zeitlang innezuhalten. Darüber versäumte er den Augenblick, und die Verlierende war Dunja. Jetzt schalt sie auf ihn und sagte, es sei wenig aufmerksam und wenig chevaleresk, daß er sie hatte verlieren lassen. Pupsik machte ein erschrockenes und trübseliges Gesicht. Dunja lachte und suchte ihn zu trösten. Auf Grund des verlorenen Vielliebchens schenkte sie ihm eine Weckeruhr, die mit einer spieldosenähnlichen Vorrichtung ausgestattet war und beim Wecken statt des sonst üblichen boshaften Geschnarrs die Melodie: „Pupsik, du meiner Augen Stern" von sich gab.

Die Beziehungen zwischen Pupsik und Dunja blieben eine Weile auf die geschilderte Art in der Schwebe.[17] Schließlich aber erreichte er es, daß Dunja ihm sagte: „Gut, Pupsik, wenn es Krieg gibt, dann will ich mich mit Ihnen verloben. Das verspreche ich Ihnen. Aber jetzt dürfen Sie nicht hinlaufen und deswegen zwischen Wirballen und Eydtkuhnen [18] Grenzzwischenfälle anstiften."

[16] *Vielliebchen:* philopena or fillipeen (a game of forfeits)
[17] *in der Schwebe:* undecided
[18] *Wirballen und Eydtkuhnen:* the former was a Lithuanian, the latter an East Prussian border station

Als der Krieg¹⁹ ausbrach, stand Dunja zu ihrem Wort. Ich denke, sie wird es gern getan haben. Es war ihr deutlich anzumerken, daß es ihr jetzt ernstlicher zu Sinn war als bisher. Pupsik erhielt Ordre, sich zu einer neu aufgestellten Feldartillerie-Brigade zu begeben. Er mußte schnell Abschied nehmen, vielleicht war es aber auch ein allzu strenges, ein allzu ängstliches oder ein allzu begeistertes Pflichtgefühl, was ihn zu dieser Eile bewog. Er schenkte Dunja zum Abschied den Ring mit dem Turmalin. Er hatte kleine Hände, so paßte der Ring an Dunjas Finger, als sei er angemessen worden.

Pupsik war an diesem letzten Abend sehr lange bei uns. Ich selber war schon vor seinem Aufbruch zu Bett geschickt worden. Später wurde mir erzählt, er habe zu meiner Mutter gesagt: „Wenn ich nicht wiederkomme, dann fahren Sie doch bitte nach Witebsk und trösten Sie meine Tante und ihre Pflegetochter."

Am nächsten Vormittag, Pupsik war schon abgereist, erschien sein Bursche bei uns. Dieser ging nicht mit ihm zu dem neuen Truppenteil, denn er gehörte zur Mitauer Garnison und war ihm nur für die Dauer seines Kommandos zur Verfügung gestellt worden. Er brachte den Wecker und behauptete, dieser sei durch ein erst im letzten Augenblick wahrgenommenes Versehen nicht mit eingepackt worden, und er sei beauftragt, ihn mit der Bitte um Verwahrung abzugeben. Ich habe das schon damals für einen Vorwand gehalten. Wahrscheinlich lag es Pupsik daran,²⁰ den Wecker in Dunjas Hände zu bringen; er sollte sie täglich an ihn erinnern.

Dunja stellte den Wecker auf die Kommode in ihrem Zimmer, zog ihn aber nicht auf. Sie sagte, er solle nicht eher wieder gehen dürfen als bei Pupsiks Rückkehr. „Ich richte es dann so ein", sagte sie, „daß er sein Lied im selben Augenblick spielt, wo Pupsik ins Haus kommt."

---

[19] *Krieg:* World War I
[20] *lag es Pupsik daran:* Pupsik was interested in

PUPSIK

Pupsik nahm am Vormarsch in Ostpreußen [21] teil. Er schrieb oft, aber seine Briefe trafen nicht regelmäßig ein. Manchmal kam lange Zeit nichts, dann plötzlich ein großer Stoß aufgehäufter Post auf einmal. Infolgedessen gewöhnte Dunja sich daran, das Ausbleiben von Nachrichten nicht sehr schwer zu nehmen.

Noch im Laufe des Spätherbstes gab es eine Stockung, die diesmal länger dauerte als sonst. Dunja fing an, sich zu beunruhigen.

Wir saßen alle zusammen beim Frühstück, es war ein Sonntagmorgen. Plötzlich erscholl aus Dunjas Zimmer die Melodie: „Pupsik, du meiner Augen Stern."

Wir alle sahen uns betroffen an. Dunja sprang auf, stürzte ins Nebenzimmer und stellte das Läutwerk ab. Als sie zurückkam, sah sie sehr bleich aus. Sie setzte sich wieder an den Tisch, trank einen Schluck Tee und zerkrümelte ihr Gebäck, aß aber nichts.

Mein Vater bemühte sich, ein Gespräch in Lauf zu bringen. Plötzlich brach Dunja in Tränen aus.

„Es ist ein Unglück geschehen, es ist ein Unglück geschehen", sagte sie.

Meine Mutter redete ihr zu. Mein Vater sagte ärgerlich, das seien Dummheiten. Ich wurde gefragt, ob ich den Wecker aufgezogen habe. Ich verneinte. Nachher tat mir das leid. Ich hätte „Ja" sagen sollen, dachte ich, dann wäre Dunja beruhigt gewesen. Das Stubenmädchen wurde auch befragt. Sie antwortete, sie habe den Wecker nicht angerührt. Schließlich entschied mein Vater, Dunja selber müsse es in Gedanken getan haben.

Die nächsten Tage waren wir alle bedrückt. Meine Mutter telegraphierte nach Witebsk, ob man dort Nachrichten von Pupsik habe. Die Antwort lautete verneinend. Dann kam von seinem Truppenteil der Bescheid, daß Pupsik gefallen war

---

[21] *Ostpreußen:* East Prussia, a former German province

und zwar am Tage und zur Stunde, da der Wecker seine Melodie gespielt hatte.

Weiter schrieb der Adjutant, Pupsik sei mit einigen Kameraden zusammen auf einem ostpreußischen Dorffriedhof beerdigt worden. Es bestehe aber, wenn dies gewünscht werde, die Möglichkeit, diese Bestattung als eine vorläufige zu betrachten und die Leiche in die Heimat zu überführen. In diesem Sinne sei auch an die Tante nach Witebsk geschrieben worden. Der Adjutant gab ferner an, welche Schritte zu unternehmen, welche Vorschriften zu beachten, welche Genehmigungen einzuholen seien.

Die arme Dunja war außerstande, irgendeinen Entschluß zu fassen. Meine Mutter wechselte Briefe und Telegramme mit Pupsiks Tante. Es wurde beschlossen, Pupsik in Witebsk beizusetzen. Alles wurde eingeleitet, und als mein Vater den Bescheid hatte, der Waggon mit dem Sarge sei nach Witebsk abgegangen, da fuhren meine Eltern und Dunja hin. Ich blieb mit dem Stubenmädchen allein zuhause.

Es war geplant, daß meine Mutter und Dunja nach dem Begräbnis noch eine Zeitlang in Witebsk bleiben sollten. Pupsik hatte ja gewünscht, daß meine Mutter seine Tante und deren Pflegetochter trösten sollte. Eigentlich war dies ein sonderbarer Wunsch, namentlich, soweit er sich auf das junge Mädchen bezog; aber es drückte sich in ihm sehr deutlich Pupsiks ganze Gemütsart aus.

Mein Vater konnte aus dienstlichen Gründen nicht lange in Mitau entbehrt werden; er wollte gleich nach der Beisetzung heimkehren. Aber seine Rückkunft verzögerte sich.

Eines Tages, als ich aus der Schule kam, fand ich unser Mädchen in großer Aufregung und Furcht. Der Wecker, so behauptete sie, sei plötzlich wieder gegangen. Diesmal hätte auch mein Vater nicht behaupten können, es habe ihn jemand versehentlich oder in Gedanken aufgezogen; denn Dunja hatte vor ihrer Abreise den Wecker in ihrer Kommode eingeschlossen und den Schlüssel mitgenommen.

In den folgenden Tagen erklang noch dreimal jene Melodie. Das eine Mal habe ich es selber gehört. Das blecherne Gerassel des seelenlosen Gassenhauers,²² der sich doch mit so vielerlei Bedeutungen gefüllt hatte und Leidenschaft und Bitte, Trauer und Klage ausdrückte, hatte etwas Grauenhaftes und etwas Ergreifendes zugleich. Ich kann mir keinen schauerlicheren Totengesang vorstellen.

Endlich kam mein Vater. Ich erfuhr von ihm, daß die Beerdigung immer noch nicht stattgefunden hatte, ihm aber ein längeres Fortbleiben nicht möglich gewesen war. In Witebsk hatte man vergeblich auf das Eintreffen des Sarges gewartet. Mein Vater, dem die Nummer des Wagens bekannt war, hatte telegraphisch und telephonisch nach seinem Verbleib geforscht. Er war durch ein Versehen, wie sie in dieser Zeit des Verkehrswirrwarrs²³ nicht selten vorfielen, an irgendeinem Knotenpunkt abgehängt²⁴ und an einem anderen Zug angeschlossen worden. Es gelang meinem Vater nach unendlicher Mühe, seine Spur wieder aufzufinden und seinen Irrfahrten aus der Entfernung zu folgen. Diese hatten ihn nach Mitau geführt. Drei Tage lang stand er abgekoppelt auf dem Bahngeleise, unserem Hause gegenüber, bis mein Vater, noch von Witebsk aus, seine Weitersendung veranlaßte. Jetzt, bei der Rückkehr meines Vaters, war der Wagen bereits auf dem Wege nach Witebsk, doch hatte mein Vater sein Eintreffen dort nicht mehr abwarten können.

Ich erzählte vom abermaligen, wiederholten Erklingen der Melodie, das gerade in jenen Tagen stattgefunden hatte. Mein Vater wollte nichts davon wissen. Mir aber wurde es unzweifelhaft, daß hier ein Zusammenhang vorlag. Und was mich am meisten ergriff, das war der Gedanke, wie hier eine Kraft wirkte, die aus der liebenden Anhänglichkeit des Toten geflossen sein mußte. Der Waggon enthielt noch andere Särge,

---

²² *das blecherne . . . Gassenhauers:* the tinny clatter of the soulless song of the streets
²³ *Verkehrswirrwarrs:* confusion of the communications system
²⁴ *an irgendeinem Knotenpunkt abgehängt:* uncoupled at some junction

daneben allerlei sonstige Frachtstücke. Aber jene Kraft war so stark gewesen, daß sie dem ganzen Waggon, mit dem doch die verschiedensten Strebungen, Gedanken und Wünsche verbunden sein mußten, die Richtung vorzuschreiben vermocht hatte. Mein Vater wollte hier nur einen Zufall erblicken, wie er sich aus der kriegsmäßigen Unordnung des Verkehrswesens leicht erklären ließe. Meine Mutter dagegen teilte nach ihrer Rückkehr meine Auffassung und sah auch im Lautgeben des Weckers einen bedeutungsvollen Vorgang. Von diesem habe ich Dunja nichts gesagt, und auch dem Stubenmädchen wurde Verschwiegenheit anbefohlen. Daß der Waggon nach Mitau gekommen war, das hatte sich freilich nicht vor Dunja verheimlichen lassen, doch mochte ich mit ihr nicht darüber sprechen.

Übrigens blieben meine Mutter und Dunja auch nach der Beerdigung noch eine Zeit lang in Witebsk. Zwischen Dunja und der Pflegetochter entwickelte sich ein freundschaftliches Verhältnis, doch mag diesem, so meine ich jetzt, von seiten der Pflegetochter eine Beimengung von Eifersucht, vielleicht noch so verhüllt, nicht gefehlt haben. Vielleicht hätte sie sonst jenen ungewöhnlichen Wunsch nicht geäußert; übrigens äußerte sie ihn auch nicht mündlich, vielmehr kam wenige Tage nach Dunjas und meiner Mutter Heimkehr ein Brief, in welchem sie Dunja bat, ihr als Andenken an Pupsik den Ring mit dem Turmalin zu überlassen. Wie meine Mutter mir sagte, fand sich in ihrem Brief eine Wendung, die sich nur so auslegen ließ,[25] als habe Pupsik ihrer Meinung nach mit dem Weiterverschenken des Ringes etwas wie ein Unrecht und eine Treulosigkeit begangen. Auch hat meine Mutter mir später gesagt, es habe die Pflegetochter sehr geschmerzt, daß der Waggon statt nach Witebsk nach Mitau geriet, obwohl sie häufig betonte, es sei ein Zufall und habe keine Bedeutung.

Dunja zeigte meiner Mutter den Brief. Sie war verwundert über das Ansinnen, aber nicht verletzt oder gar entrüstet, wie

---

[25] *die sich ... ließ:* which could only be so interpreted

es vielleicht ein anderes Mädchen gewesen wäre. Ja, sie schien nicht abgeneigt, der Pflegetochter den Willen zu tun. Ich kann mir das jetzt nur so erklären, daß Dunja sich durch die Geradwegigkeit und Unbedingtheit, mit der dies Mädchen von sehr früher Jugend an einer einzigen Leidenschaft nachhing, beschämt fühlte; so mochte sie meinen, hier liege in der Tat ein gültigerer Anspruch vor. Meine Mutter riet ihr, die Entscheidung nicht zu übereilen.

Eines Abends in dieser Zeit saß ich in meinem Zimmer über einer schriftlichen Schulaufgabe, Dunja war zu einer Freundin gegangen, und auch mein Vater war nicht zuhause. Kurz vor zehn Uhr kam meine Mutter herein. Sie war in großer Aufregung, und ich meine noch heute zu sehen, wie ihre Lippen zitterten. Ich sprang auf und dachte, es sei Feuer im Hause. Meine Mutter wollte mir etwas auseinandersetzen, aber sie hatte die Worte nicht zu ihrer Verfügung, und so sagte sie nur, ich solle mitkommen.

Wir gingen ins Eßzimmer. Meine Mutter deutete auf eins der nach der Veranda und dem Garten gehenden Fenster und fragte mich, ob ich etwas sähe.

Es war Mondschein, aber ein schwacher. Mein Blick fiel zuerst auf die Glaskugel im Rosenbeet. Sie schien voller und heller zu strahlen als sonst, und ich erinnere mich, daß sich mir der Vergleich mit einer silbernen Frucht aufdrängte. Im nächsten Augenblick aber wunderte ich mich über ihren Standort; denn sie befand sich nicht an ihrer gewöhnlichen Stelle, sondern vielleicht acht Schritte weiter nach rechts und zugleich dem Erdboden näher als sonst. Dann aber wurde mir klar, daß dies ja gar nicht die Glaskugel war, sondern ein viel kleinerer Gegenstand, der nur durch seine schimmernde Helligkeit eine ihm nicht eigene Ausdehnung vorgetäuscht hatte.[26] Ich sah schärfer hin und gewahrte nun, daß jenes Glänzende nur einen Teil einer umfänglicheren Erscheinung

---

[26] *durch seine schimmernde ... hatte:* by its shimmering brightness had deceptively produced an extension not its own

bildete. Plötzlich erkannte ich die Gestalt eines unbeweglich dastehenden Mannes. Er stutzte sich mit beiden Händen auf einen Säbel, und was ich anfangs für die Glaskugel genommen hatte, das war das Portepee,²⁷ das im Licht der Bahnlaternen schimmerte.

„Das ist ja Pupsik!" rief ich.

Meine Mutter nickte. Sie war jetzt ganz ruhig geworden.

„Vielleicht täuschen wir uns", sagte sie. „Bleibe hier, ich bin gleich wieder da."

Die Kammer unseres Mädchens lag am Korridor. Meine Mutter klopfte an und sagte, das Mädchen möge aufstehen und zu uns kommen. Weiter sagte sie ihr nichts, ich habe genau Acht gegeben, und meine Mutter hatte die vom Eßzimmer zum Korridor führende Tür offen gelassen.

Ich blieb am Fenster stehen, öffnete es und überzeugte mich, daß jeder Irrtum ausgeschlossen war. Meine Mutter trat neben mich und legte den Arm um meine Schulter.

Jetzt kam das Mädchen, notdürftig angekleidet und barfuß. Kaum war sie bei uns am Fenster, als sie entsetzt aufschrie: „Das ist doch . . . das ist doch Fräuleins Bräutigam!" Sie lief davon. Wir hörten, wie sie den Riegel ihrer Kammertür vorschob.

Obwohl ich mich fürchtete, ging ich hinaus. Von der Veranda sah ich Pupsik mit der gleichen Deutlichkeit wie aus dem Fenster, und ebenso war es, als ich auf die von der Veranda in den Garten führenden Stufen kam. Kaum aber hatte ich den Garten betreten, da war alles verschwunden.

„Siehst du noch etwas?" rief ich meiner Mutter zu. Sie bejahte. Ich kehrte zu ihr zurück. Schon auf den Verandastufen drehte ich mich um und gewahrte nun abermals die regungslos dastehende Erscheinung.

Nun machten meine Mutter und ich noch mehrfach die Probe. Es blieb so, daß die Gestalt vom Fenster, von der Veranda und von den Stufen aus mit aller Deutlichkeit zu

---

²⁷ *Portepee:* sword knot (a cord and tassel tied to the hilt of a sword)

erblicken war. Ging man aber näher hinzu, so war sie verschwunden.

Mein Vater kam nach Hause. Wir gingen ihm ins Vorzimmer entgegen, erzählten und baten ihn, er möge sich überzeugen. Erst wollte er nicht ans Fenster kommen und sagte, wir sollten uns nicht lächerlich machen. Schließlich aber tat er meiner Mutter den Willen, sah hinaus und erklärte nun widerstrebend, er gäbe ja zu, daß es den Anschein habe, als stünde dort ein Mann in Offiziersuniform, der vielleicht unserem Pupsik ähnele; da das aber nicht sein könne, so müsse es an der Beleuchtung liegen, an den Schatten der Bäume oder dergleichen. Dann sagte er, er habe noch zu tun, und ging in sein Arbeitszimmer.

Bald danach hörten wir Dunja kommen und in ihr Zimmer gehen. Ich schlug vor, sie in Unkenntnis zu lassen und auch dem Mädchen ihr gegenüber den Mund zu verbieten.[28] Aber meine Mutter, die sonst zur Weichherzigkeit neigte, blieb diesmal unnachgiebig und sagte, dazu hätten wir kein Recht.

Sie ging zu Dunja und blieb eine ganze Weile bei ihr, während ich fortfuhr, die Erscheinung zu betrachten, und mich noch einige Male vergeblich ihr zu nähern suchte. Ich hatte manche Spukgeschichten gelesen oder erzählen gehört. Es fiel mir nun sehr auf, daß im Gegensatz zu allen diesen Berichten Pupsiks Gestalt vollkommen unbeweglich blieb und nichts tat, um auf sich aufmerksam zu machen. Aber diese schweigende Regungslosigkeit wirkte viel stärker und eindringlicher, als irgendein Tun oder Kundgeben es vermocht hätte. Ich dachte mir, vielleicht sei Pupsik in einer Behinderung, an der er leide und aus der er gern hinaustreten würde, um sich uns mitzuteilen.

Meine Mutter kehrte zurück und sagte, Dunja sei nicht zu bewegen, ihr Zimmer zu verlassen, obwohl sie ihr sehr nachdrücklich zugeredet habe. In ihrer gutmütigen Art suchte sie

---

[28] *dem Mädchen . . . verbieten:* to forbid the servant girl to speak of it to her

Dunja zu entschuldigen, und doch fühlten wir beide, daß das nicht recht möglich war.

Erst nach Mitternacht gingen wir schlafen. Pupsik stand immer noch im Garten. Meine Mutter nahm ein Beruhigungsmittel und gab auch mir davon. Dennoch erwachte ich nach einigen Stunden. Sofort fiel mir alles wieder ein. Ich stand auf und ging ins Eßzimmer. Der Mond war untergegangen, aber das Licht der Bahnlaternen reichte hin, um mich die Erscheinung deutlich wahrnehmen zu lassen. Das Portepee blitzte immer noch.

Pupsik hat in der beschriebenen Weise vier Nächte hintereinander in unserem Garten gestanden. Am dritten Abend sahen ihn auch zwei mit meiner Mutter gut bekannte Damen, ohne von ihr vorbereitet zu sein.

Diese Tage waren sehr bedrückend; ich möchte sie nicht noch einmal erleben müssen. Dunja ging uns aus dem Wege. Bei den Mahlzeiten war sie von einer künstlichen Munterkeit, für die sie an meinem Vater einen Bundesgenossen fand. Meine Mutter aber hatte verweinte Augen und sah so abgehärmt aus, daß es zum Erschrecken war.

Am zweiten Abend saß Dunja lange am Klavier und spielte Romanzen, Walzer und Operettenmelodien. Sicher tat sie das nicht aus Leichtfertigkeit, sondern weil sie sich nicht anders zu helfen wußte. Ich versuchte mit ihr zu sprechen, aber sie wies mich ab. Schließlich brach sie in Tränen aus und schrie: „Müßt ihr mich denn mit Gewalt unglücklich machen wollen?" Und ihr hübsches Gesicht war so verändert, daß sie mir leid tat und ich es nicht übers Herz brachte, ihr weiter zuzusetzen.²⁹ Aber es war mir doch grauenhaft zu denken, daß Pupsik währenddessen dort draußen stumm und unbeweglich stand und von irgendetwas gequält wurde, das er nicht laut zu machen vermochte.

Endlich kam meine Mutter zu mir, es war zu Beginn der

---

²⁹ *ich es nicht . . . zuzesetzen:* I couldn't bring myself to continue to press (my conversation) on her

vierten Nacht und mein Vater und Dunja waren schon schlafengegangen. Auch ich hatte mich schon niedergelegt, schlief aber noch nicht, sondern las in einem der Turgenjewschen [30] Romane. Meine Mutter setzte sich zu mir aufs Bett und sagte, sie habe Tag und Nacht gegrübelt und vielleicht werde das Mittel, auf das sie verfallen sei, das rechte sein. Sie wolle jetzt einen Versuch machen, Pupsik zu seiner Ruhe zu bringen, und ich solle ihr dabei helfen.

Ich stand auf und kleidete mich an. Wir gingen nun ins Eßzimmer, und ich blieb am geöffneten Fenster stehen. Meine Mutter wollte zu Pupsik in den Garten, um mit ihm zu sprechen; und zwar dachte sie so nahe an ihn heranzugehen, wie es nur irgend möglich war. Da sie ihn aber, sobald sie die Veranda verlassen hatte, nicht wahrnehmen konnte, so sollte ich auf ihre Richtung achtgeben und sie durch Zurufe verständigen.

Ich erbot mich, an ihrer Stelle hinauszugehen, aber das lehnte sie ab. Sie bekreuzte sich und trat auf die Veranda.

Später hat sie mir geschildert, wie es ihr zumute war. Als sie auf die Verandastufen kam, da war mit einem Male alle Unruhe und alles Elend von ihr genommen und sie war ganz sicher und ganz getrost, so als sei sie im Begriff,[31] in einer schwierigen Lage das einzig Dienliche und Hilfreiche zu unternehmen, und wundere sich nur, daß ihr das nicht schon längst in den Sinn gekommen sei. Sie ging mit großer Sicherheit auf Pupsik zu, obwohl sie ihn ja nicht mehr sehen konnte, und ich hatte kein einziges Mal nötig, sie etwa mehr nach rechts oder mehr nach links zu weisen. Plötzlich aber hatte sie eine Empfindung von Kälte und zugleich fühlte sie, daß irgendetwas ihr den Atem benahm. Im selben Augenblick hörte sie mich rufen: „Zurück, du bist ja schon ganz in ihm drin!"

Ich sah sie nun zwei Schritte zurückweichen. Dann blieb

---

[30] *Turgenjewschen:* by Turgenev, a Russian novelist of the nineteenth century
[31] *als sei sie im Begriff:* as if she were on the point of

sie stehen und sprach, wobei sie ihre Worte mit entsprechenden Handbewegungen, wie sie bei ihr hergebracht waren, begleitete. Sie redete genau so, als befinde sie sich in einem Gespräch mit einem Partner der gewöhnlichen Beschaffenheit. Ihre Stimme klang freundlich und warmherzig, wie das in ihrer Natur lag.

Sie sagte: „Hören Sie, Pupsik, wir haben uns lange den Kopf zerbrochen,³² warum Sie hierhergekommen sind. Ich glaube jetzt, ich habe es herausgebracht. Nämlich es beunruhigt Sie, daß Dunja daran denkt, den Ring aus der Hand zu geben. Sie aber möchten, daß sie ihn weiterträgt, damit ein Stück von Ihnen immer um sie ist und sie an Sie erinnert. Seien Sie ganz ruhig, Dunja wird den Ring behalten, ich werde dafür sorgen, das verspreche ich Ihnen. Dunja hat Sie geliebt und ist Ihretwegen traurig gewesen. Aber haben Sie nun Achtung vor dem Willen Gottes. Kehren Sie zu Ihrer Ruhe zurück und kommen Sie nicht wieder zu uns."

Ich hatte während der letzten Worte meiner Mutter mehr auf sie geachtet als auf die Erscheinung. Jetzt, als sie zu Ende gesprochen hatte, bemerkte ich plötzlich, daß sie allein war. Die Gestalt war verschwunden, und sie hat sich auch nicht wieder gezeigt.

---

[32] *wir haben uns . . . zerbrochen:* we've been racking our brains for a long time (about)

MARIE LUISE KASCHNITZ

The daughter of an army officer, Marie Luise Kaschnitz (born 1901) spent her early years in Berlin and Potsdam. She studied the book trade in Weimar and Munich and then engaged in the book business in Rome, where she married the archaeologist Guido Kaschnitz-Weinberg. In 1932, after a stay of seven years in Italy, she returned with her husband to Germany. Residing first in Königsberg and Marburg, the couple then settled in Frankfurt-am-Main where her husband held the chair of archaeology at the university. After the War they returned to Rome; there Professor Kaschnitz-Weinberg is director of the German Archaeological Institute.

Marie Luise Kaschnitz is known as one of the leading lyric poets of Germany today. Although she had already won recognition for her poetry before the Second World War, her first volume of poetry, *Die Gedichte,* a collection, was not published until 1947. Several other volumes have followed since. Two of her novels appeared before the war, and a third, *Gustave Courbet,* in 1950. Besides the novels and the poetry, she has also written *Hörspiele* and essays. *Pax,* the sketch-like story which follows, is taken from the little volume of stories *Das dicke Kind und andere Erzählungen* (1952). Like other stories in this collection, *Pax* is concerned with the inner processes of the heart and soul of mankind.

PAX

von Marie Luise Kaschnitz

UNMITTELBAR nachdem die Brüder den Verletzten in den Wagen des Arztes gehoben und ihn fortgefahren hatten, machte sich auch Carla auf den Weg. Sie ging an dem Traktor vorüber, der umgestürzt an der Böschung lag und in dessen Raupenspur das Blut sich verlief. Auf der anderen Seite des Weges, aber in einiger Entfernung, erhob sich die offene große Scheune, die der Gemeinde gehörte und die noch vor wenigen Tagen von dem fröhlichen Stampfen und Sausen der Dreschmaschine, von dem Wehen des goldenen Staubes und dem Gelächter der Arbeitenden erfüllt gewesen war. Jetzt war es still dort und still auf dem breiten Wege, dessen feuchter Lehm jeden Tritt des schreitenden Fußes mit einem saugenden Schmatzen entließ. Es war Herbst geworden, kahle Zeit, Schafherdenzeit, und bald würde, nicht weit von der Scheuer und gegenüber dem Friedhofseingang, wieder der Räderkarren, das Wanderhäuschen des Schafhirten, stehen. Bald würden die Bäume nur noch Schattenrisse sein, und der Friedhof mit seinen immergrünen Hecken, seinen feurigen Allerseelenblumen würde durch den Nebel leuchten wie eine Insel des Lichts.

Aber Carla, die den Weg zum Friedhof eingeschlagen hatte, dachte weder an die vergangene noch an die kommende Jahreszeit, weder an die Dreschmaschine noch an die Weihnachtslämmer, die alljährlich im Dorfe geboren wurden und die das Entzücken der Kinder erregten. In der vollkommenen Geistesabwesenheit dessen, der etwas Bestimmtes auszuführen gedenkt,[1] öffnete sie die Gittertüre und ging zwischen den beiden hohen, senkrecht beschnittenen Lebensbäumen hindurch auf das hölzerne Kruzifix zu. Als sie den Mittelweg erreicht hatte, wandte sie sich nach links, so daß sie nun die winzige, blau ausgemalte Kapelle im Rücken hatte, während vor ihr, am Ende des breiten Weges zwischen zwei nicht völlig gleich hochgewachsenen Trauerbirken, der hohe Grabstein des Gutsherrn stand. Vor dem Grabstein befand sich ein längliches Beet mit Begonien, die aus fleischfarbenen Stengeln zahlreiche, aber ein wenig kümmerliche Blüten trieben. Ein verwelkter Kranz bedeckte einen Teil des langen Namens, und über den aus dem Stein gehauenen Buchstaben sprangen die bäuerlich plump geformten Wappentiere[2] in verblichenen Farben hervor.

Carla hörte den Kies unter ihren Schritten knirschen und sah wie die gleich einem braunen Gespinst herabhängenden Zweige der Birken sich im Winde bewegten. Sie trat an die Buchseinfassung des langen Grabes und dort blieb sie stehen und stampfte mit dem Fuß auf den Kies.

Warum hast Du es nicht verhindern können? fragte sie schnell. Obwohl Carla bei diesen Worten kaum ihre Lippen bewegte, erschrak sie doch bei dem Gedanken, sie könne auf ihre Frage eine Antwort erhalten, oder es könne der Tote auf irgend eine Weise zur Erscheinung kommen. Sie empfand

[1] *dessen, der . . . gedenkt:* of one who intends to carry out something definite
[2] *die bäuerlich . . . Wappentiere:* the heraldic animals fashioned in a rustically awkward manner

denselben Schrecken wie früher, wenn sie aufrührerische Gedanken gehabt hatte, und der Vater, plötzlich vor ihr stehend, sie mit seinen großen hellen Augen angesehen hatte. So ließ sie denn ihre Blicke herumwandern und einen Ausweg suchen, einen Seitenweg, zu den zwergenhaften Kreuzen der Gefallenen etwa,[3] die sich in einiger Entfernung zu einem armseligen Häuflein aneinanderdrängten. Aber gerade als Carla die Stellung ihrer Füße ein wenig in diese Richtung hin verändert hatte, schien sich die Spitze des Friedhofs wie der Bug eines Schiffes zu erheben, und ein Rauschen über den Wäldern klang wie das zornige Rauschen einer großen Welle, die sich über den Strand ergießt.

In der Tat [4] war in diesem Augenblick der Tote erschienen. Er war natürlich nicht aus dem Grabe gekommen, sondern von viel weiter her, und das war auch der Grund, warum er sich so verspätet hatte. Sein Erscheinen war keineswegs freiwillig, es geschah nach dem Gesetz des Ortes, der seinen Insassen vorschreibt, bei jeder unmittelbar an sie gerichteten Ansprache zur Stelle zu sein. Obwohl der Tote diese Ansprache, die eine Frage war, bei seinem Kommen noch deutlich im Ohr hatte, war er ihr doch nicht gewachsen,[5] oder man hätte auch sagen können, er war ihr entwachsen, gerade wie er dem Friedhof mit seinen kleinen Grabkreuzen und seinen engen Wegen entwachsen war, und nicht recht wußte, wie er sich hier einrichten sollte. So nahm er denn zunächst auf der Mauer Platz, aber nur, um gleich darauf wieder emporzusteigen, so hoch, daß er das ganze Gebirge und die Stromebene übersehen konnte. Mit einer gewissen Neugierde richtete er seine Blicke auf das Tal, das herbstlich grau und anspruchslos zu seinen Füßen dahinfloß und in dessen Mitte, von hohen Bäumen überragt, das Gutshaus lag. Dann aber sank er wieder in sich zusammen und nahm die genaue, wenn

---

[3] *zu den . . . etwa:* to the dwarf-size crosses of the fallen (soldiers) perhaps
[4] *In der Tat:* As a matter of fact
[5] *war er . . . gewachsen:* he wasn't up to (answering) it

auch unsichtbare Gestalt eines Menschen an. Er saß auf der Mauer und strich mit der Hand über das leichte Geflecht der Birkenzweige und über den rauhen, an manchen Stellen von feuchten Moospolstern überwachsenen Stein. Er saß ruhig und versuchte sich an den Anblick des menschlichen Wesens zu gewöhnen, das da vor ihm stand und einen merkwürdigen Geruch ausströmte, den Geruch des Verbrennungsprozesses nämlich, der sich mit großer Schnelligkeit und Heftigkeit vollzieht und der das Leben heißt.

Ich weiß nicht, wovon Du sprichst, sagte der Tote sanft.

Obwohl Carla sich so sehr davor gefürchtet hatte, den Toten reden zu hören, war sie doch jetzt ganz ruhig und gefaßt. Sie nahm ohne weiteres an, daß seine Worte aus ihrem eigenen Innern hervorgedrungen waren und daß es sich um eine Art von Zweikampf handelte, der in ihr selbst ausgetragen wurde und in dem sie ihren Part durchzuführen hatte, furchtlos und treu.

Ich spreche, sagte sie trotzig, von dem Unglück, das heute geschehen ist.

Von was für einem Unglück, fragte der Tote.

Von dieser Frage fühlte sich Carla aufs bitterste enttäuscht. Sie hatte immer das Gefühl gehabt, als sei der Tote sehr nahe geblieben, sie hatte seinen Schritt im Garten und den Hufschlag seines Pferdes auf der Straße zu hören vermeint und hatte immer angenommen, daß er von allem, was auf dem Hofe vorging, wohl unterrichtet sei.

Du weißt also nichts, sagte sie und erschrak über den Ton von Geringschätzung, der aus ihren Worten klang. Du weißt nicht, daß wir einen Traktor angeschafft haben. Wahrscheinlich weißt Du auch nichts von der neuen Obstanlage und der Säge am Bach.

In der Tat wußte der Tote von all diesen Dingen nichts, und obwohl er sich große Mühe gab, gelang es ihm kaum, sich etwas unter ihnen vorzustellen. Das einzige, was ihn erreichte, war der Klang von Carlas Stimme, und diese erinnerte ihn an die Stimme eines Kindes, das vor langer Zeit einmal zwischen seinen Knien gestanden und mit unzähligen heftigen Fragen von ihm Rechenschaft gefordert hatte, Rechenschaft über Gott und die Welt.

Bist Du es, Puck, fragte er schnell.

Obwohl Carla sehr überrascht darüber war, erst in diesem Augenblick erkannt worden zu sein, schmolz doch bei dieser Frage des Toten all ihr Trotz wie Tau vor der Sonne dahin. Sie trat einen Schritt zurück und setzte sich auf den Rand eines Grabes, und weil jetzt Tränen in ihren Augen standen, sah sie den Friedhof plötzlich ganz anders, wie eine große geheimnisvolle Landschaft, zitternd in regenbogenfarbenem Glanz. Aber dann erinnerte sie sich daran, daß der Vater sie mit ihrem Kindernamen genannt hatte, und sie hatte den Verdacht, daß er sie noch immer so wie damals sah.

Ich bin es,[6] sagte sie, aber ich bin jetzt alt. Wir alle sind alt. Wir sind alt geworden und haben nicht erreicht, was wir erreichen wollten. Wir sind alt geworden und haben keinen Frieden gefunden. Wir haben unsere Hände gerührt und doch nicht verhindern können, daß das Unheil geschieht.

Was für ein Unheil, fragte der Tote.

Solltest Du das alles wirklich nicht wissen? fragte Carla entsetzt. Sollte es Dir verborgen geblieben sein, daß Deine Söhne krank sind und unruhig und nicht wissen wohin?[7] Ja, Deine Söhne sind aus dem Kriege nach Hause gekommen, aber sie sind müde und furchtsam und warten nur darauf, daß wieder etwas Schlimmes geschieht. Sie haben nicht mehr die Kraft zu lieben, und darum sind sie von denen, die sie am bittersten nötig hatten, verlassen worden. Sie säen und ernten, aber statt sich an dem zu freuen, was ihnen die Erde gibt, denken sie nur an die Feinde, die des Nachts vielleicht den Hof umschleichen und Böses im Schilde führen.[8] Obwohl

---

[6] *Ich bin es:* It is I.
[7] *nicht wissen wohin:* don't know where to turn
[8] *Böses im Schilde führen:* have evil intentions

sie den ganzen Tag arbeiten, schlafen sie doch erst gegen Morgen, und wenn sie aufwachen, sehen sie die Phalanx ihrer Feinde auf sich zukommen, drohend und stumm. Oft schon sind sie mitten in der Nacht aufgestanden, um alles stehen und liegen zu lassen und fortzugehen, irgendwohin . . .

Sind sie denn fortgegangen, fragte der Tote, der sich erst jetzt mit einiger Beschämung daran erinnerte, daß er noch andere Kinder gehabt hatte als Carla.

Sie sind geblieben, sagte Carla. Sie haben die Silos gebaut und den Schuppen für die Säge, aber sie haben dies alles ohne Freude und Liebe getan. Erst an dem Tage, an dem der neue Traktor zum ersten Mal über den Hof gefahren ist wie ein zorniges schnaubendes Tier, haben sie wieder ein wenig Mut gefaßt. An diesem Tage haben wir alle das Gefühl gehabt, als sei eine neue Kraft auf den Hof gekommen, eine Kraft, wie das Leben selbst.

Der Tote machte eine Bewegung des Erstaunens, und von dieser Bewegung wurde Carla wie von einem Zittern der Luft berührt.

Das kannst Du nicht verstehen, sagte sie heftig, was eine Maschine heutzutage für Männer bedeuten kann. Du weißt nicht, was für ein Entzücken sie überkommt, wenn diese dunklen, rauhen Stimmen aufbrüllen, wenn diese ungefügen Leiber unter ihnen erzittern und sich nach ihrem Willen bewegen. Aber ich habe das alles gesehen und die Hoffnung gehabt, daß jetzt eine neue, wunderbare Zeit beginnt. Ich war überzeugt davon, daß Deine Söhne jetzt wieder heiraten würden und daß bald wieder Kinder da sein würden, die im Sommer auf dem Heuwagen heimfahren und in der Weihnachtszeit zusehen, wie die alten Model [9] herausgeholt und die Springerle [10] gebacken werden, die Erzengel aus Teig und Anis. An dieses alles habe ich geglaubt bis zum heutigen Tag.

Und was ist heute geschehen, fragte der Tote.

---

[9] *Model:* molds
[10] *Springerle:* a kind of Christmas cookie made with anise

Der Traktor, sagte Carla schnell, ist eine Böschung heraufgefahren. Er hat sich überschlagen und hat den jungen Knecht unter sich begraben. Er hat sich auf die Brust des Jungen gelegt und es hat eine Stunde gedauert, bis man ihn aufrichten konnte. Als man den Jungen herauszog, hat er noch geatmet, aber sein Brustkasten war eingedrückt, und der Schaum stand ihm in roten Flocken vor dem Mund.

Und nun schwieg Carla und senkte den Kopf auf die Brust, und der Tote versuchte sich klarzumachen, was sie gesagt hatte, und es gelang ihm nicht. Je länger er seiner Tochter zuhörte, desto weniger war er imstande, aus ihren Worten mehr herauszuhören als eine furchtbare Unruhe, die ihn mit Unbehagen erfüllte, weil sie nichts anderes war als die alte, brodelnde Unruhe des Geschehens.[11] Darum seufzte er nur ein wenig und hob die Hand, wie wenn er Carla über das Haar streichen wollte, und Carla spürte diese Zärtlichkeit wie einen leisen, überirdischen Wind.

Weißt Du, warum ich gekommen bin? fragte sie flehend.

Ich soll Euch vielleicht helfen, sagte der Tote.

Ja, sagte Carla rasch. Du sollst uns ein Zeichen geben, daß es vorüber ist mit dem Unheil und mit der Angst. Du sollst dafür sorgen, daß der Junge nicht stirbt.

Das kann ich nicht, sagte der Tote bedrückt. Er war jetzt ganz in sich zusammengesunken, und wenn Carla ihn hätte erblicken können, so hätte sie gesehen, daß er den Kopf in die Hand stützte. Aber Carla gewahrte nichts anderes als die hängenden Birkenzweige mit den goldenen Blättern und unter diesen Blättern ein einziges, das nicht ruhig herabhing, sondern sich unaufhörlich zitternd bewegte.

Ich bin allein, dachte sie, ich bin allein. Und weil ihre Unruhe und ihr heftiger Wille sie wie ein rasches Feuer verzehrten, war es ihr nicht möglich, der furchtbaren Ent-

---

[11] *die alte . . . Geschehens:* the old, seething disquietude of things which come to pass

täuschung Herr zu werden, die sie bei den Worten des Toten überkam.

    Du bist schuld, rief sie plötzlich. Du trägst die Schuld daran, daß kein Segen hier ist und keine Ruhe und kein Glück. Du hast uns verlassen, wie Du uns früher verlassen hast, damals, als Du noch lebtest und fortrittest in der Morgenfrühe und wegbliebst über den Mittag und den Abend und über die Nacht. Damals hat niemand gewußt, wo Du warst, so wie heute niemand weiß, wo Du geblieben bist. Damals wie heute hast Du vergessen, daß Du eine Frau und Kinder hattest, damals wie heute hast Du im Grunde nur frei sein wollen, frei . . .

    Als der Tote diese Vorwürfe hörte, richtete er sich langsam auf. Es war ihm nicht möglich, den Sinn aller dieser Worte zu verstehen, aber sie erinnerten ihn an etwas, das ihn mit großer Freude erfüllte. Jetzt saß er nicht mehr auf der Mauer, er stand aufrecht und wuchs immer höher über das Grabmal und die goldenen Birkenzweige hinaus, und obwohl er bald keine menschliche Gestalt mehr hatte, vermochte er doch noch mit menschlichen Augen, wenn auch mit unendlich fernsichtigen, zu sehen. Wie bei seinem Kommen gewahrte er nun wieder das Gebirge, das in der Klarheit des Abends mit all seinen Bergen und Tälern, seinen Waldwegen und Schluchten vor ihm lag. Er sah sich selbst auf seinem alten Pferde durch die Dobel [12] und über die Pässe reiten, und es schien ihm, als habe nichts in seinem versunkenen Leben so sehr seinem jetzigen Dasein geglichen wie diese einsamen Streifzüge und als habe er aus ihnen all seinen Mut gesogen, all seine Liebe und all seine Kraft.

    Über diese Erinnerung vergaß der Tote seine Tochter, die noch immer auf ihn einsprach, ihn anklagte und um seine Hilfe bat. Er hörte ihre Stimme nur mehr wie das Getöse eines wilden Baches und verspürte etwas wie Langeweile bei dem

---

[12] *Dobel:* forested ravines

fernen eintönigen Gesang. Da nun die Sonne gerade am Untergehen war und zwischen den Wolken ihre flammenden Strahlen erschienen, streckte er seine Hand aus, um diese Wolken ein wenig zu verschieben und einen See zu formen mit Buchten und Inseln, einen purpurnen See.

Dieser Augenblick, in dem der Tote in die Ewigkeit zurückkehrte und gleichsam ein Teil der Schöpferkraft wurde, ging an Carla nicht unbemerkt vorbei. Sie schwieg plötzlich und hob den Kopf, und nun erblickte sie das große Schauspiel des Sonnenunterganges, bei dem so etwas wie ein neuer Kosmos, aber aus reinerem Stoff und von reineren Maßen zu entstehen schien. Sie hatte das Gefühl, als ob der Tote dabei seine Hand im Spiele habe, und erst in dieser Erkenntnis wurde ihr das Ungeheuerliche der Begegnung bewußt. Da sie nun, einem Klirren der Gitterpforte zufolge, den Kopf umwandte, fand sie den nächsten Grabstein von einem schrägen, kräftigen Strahl getroffen und sah das aus dicken Goldbuchstaben aufgesetzte Wort P A X [13] aufleuchten vom granitenen Stein. Sie starrte auf dieses Wort und sah dann einen Jungen auf dem Kiesweg näherkommen und meinte, es könne gar niemand anderes sein als der junge Knecht, den sie vor kurzem unter dem Traktor hervorgezogen hatten und der nun dahin kam, wohin er gehörte, auf den Friedhof, ins Grab. Sie empfand keine Furcht bei seinem Anblick, ja, es überkam sie wie ein Glücksgefühl, daß nun alles auf ein und demselben Schiffe war, Fluch und Segen und Tod und Leben, und hinabglitt, oder hinauf, in den purpurnen See. Aber nun kam der Junge immer näher, und es stellte sich heraus, daß es nicht der Verunglückte war, sondern sein Bruder, der jetzt schüchtern und mit rotgeweinten Augen auf Carla zutrat und sie aufforderte, nach Hause zu kommen, die Polizei sei da. Da legte Carla ihren Arm um die Schulter des Jungen und ging mit ihm zwischen den Lebensbäumen hin und durch das Gittertor

[13] *Pax:* peace (Latin)

und am Dreschschuppen vorbei, wo in kurzer Zeit der Schäferkarren stehen würde, wo die weißen und die schwarzen Lämmer geboren werden und ihre zahllosen kleinen Hufspuren hinterlassen würden, in der lehmigen Erde und später im Schnee.

GERD GAISER

Gerd Gaiser, who was born in 1908 as the son of a pastor in the little town of Oberriexingen an der Enz in Württemberg, attended art schools in Stuttgart and Königsberg. Then, after several years of travel, he began his university studies, specializing in the history of art. He studied art in Spain and was awarded the Ph.D. degree after completing a dissertation on Spanish art. His short stories and lyric poetry began to appear during the early 'forties. He served in the *Luftwaffe,* was captured by the British, and thereafter spent several years in a prisoner of war camp in Italy. At present he is living and teaching in Reutlingen.

Gaiser's first volume of short stories, *Zwischenland,* was published in 1949, and his first novel, *Eine Stimme hebt an,* in 1950. For the latter he was awarded the Fontane Prize in 1951. His most widely acclaimed novel, *Die sterbende Jagd* (1953), which tells of the inner conflicts of a group of German pursuit pilots in the Second World War, was published in this country under the title *The Last Squadron.*

Du sollst nicht stehlen appears in the volume entitled *Einmal und Oft* (1956) as does the story

Von den Farben der vergangenen Tage (*The Colors of Past Times*) which was selected by the editors of the *Atlantic Monthly* for inclusion in the special supplement on contemporary Germany in the issue of March 1957. *Du sollst nicht stehlen* poses a nice question of morality, one which, it can well be imagined, many ordinary Germans had to try to answer in the difficult years following the Second World War.

DU SOLLST NICHT STEHLEN

von Gerd Gaiser

HALIMEDE, sagte der Vorstand,[1] ist gestohlen worden. Der Diebstahl wurde heute früh bemerkt. Ich mußte Sie rufen lassen.

Der Bildhauer war nicht angeschlossen,[2] deshalb hatte man ihn über die Bäckerei im Nebenhause verständigt. Jetzt saß er dem Vorstand gegenüber und schien betroffen, aber nicht übermäßig, so als nähere er sich dem Verständnis des Vorgefallenen nur langsam.

Ich möchte nicht falsch verstanden werden, fing der Vorstand wieder an, nachdem er eine kleine Weile hatte verstreichen lassen. Ich kann ermessen, daß einem so ein Stück schwer vom Herzen geht.[3] Aber ich gönne Ihnen auch den

---

[1] *Vorstand:* manager
[2] *war nicht angeschlossen:* was not connected (i.e. had no telephone)
[3] *daß einem . . . geht:* that one hates to lose such a piece

Diebstahl, denn mit einem Verkauf konnten Sie nicht rechnen. Sie werden das Geld brauchen können.

Mein Gott, sagte der Bildhauer und stand jetzt so erregt auf, daß er an den Tisch stieß: Daran hatte ich noch gar nicht gedacht.

Die Figur Halimede, Messing poliert, sechsundvierzig Zentimeter, war nicht aus einer Ausstellung von Bildwerken entwendet worden. Der Vorstand der Gewerbehalle hatte sie für die RAWA, eine Werbeschau [4] von Rasen- und Wassersportartikeln, erbeten, wo das funkelnde Ding in der Rotunde zierlich aufgebaut gewesen war. Er wollte dem Bildhauer wohl und nahm die Gelegenheit wahr,[5] ihm ein Publikum zu verschaffen. Halimede war eine Meertochter: das gab den Zusammenhang.

Am Vortag der Eröffnung, als der Bestand aufgenommen wurde, fragte er den Bildhauer: Wie hoch soll Ihre Plastik in der Versicherungsliste stehen? Nennen Sie den Verkaufspreis.

Das Stück gehört Mette, sagte der Bildauer, und ist also unverkäuflich. Sie leiht es mir nur, und ich leihe es Ihnen. Es ist ihr Lieblingsbesitz.

Kunstfiguren werden nie gestohlen, sagte der Aufseher und Hausverwalter. Wer stiehlt, nimmt sich etwas anderes, und wer sich aus Kunstfiguren was macht,[6] der stiehlt nicht. Da ist jede Einzahlung Reingewinn für die Versicherung.

Trotzdem, sagte der Vorsteher zu dem Bildhauer: Seien Sie nicht bescheiden. Es kommt gar nicht drauf an.[7] Wie hoch wollen Sie Halimede versichert haben?

Gut, sagte der Bildhauer: Zweitausendvierhundert.

Er hätte ebensogut vierundzwanzig sagen können oder zehntausend, irgendeine Zahl, aber er sagte zweitausendvier-

---

[4] *Werbeschau:* sales exposition
[5] *nahm die Gelegenheit wahr:* availed himself of the opportunity
[6] *wer sich . . . macht:* whoever cares about art figures
[7] *Es kommt . . . an:* It makes no difference at all

hundert, weil diese Summe seinen Kopf beschäftigte, eine andere fiel ihm gerade nicht ein. Zweitausendvierhundert hieß der Voranschlag für eine Operation samt Nachbehandlung in den Kliniken des Professors Hamacher in Wassergellheim, durch die Mette von dem Gespenst einer fortschreitenden Lähmung befreit werden konnte. Wassergellheim war der einzige Ort, an dem ein Eingriff bisher mit Erfolg vorgenommen wurde; und für die Behandlung, sollte sie wirksam werden, gab es eine Altersgrenze. Sie ließ sich nicht aufschieben.

Die Heilkunst verzeichnete eine stolze Entwicklung, und ihre Einrichtungen standen jedem zu Gebot, der über Mittel verfügte oder für den eine Kasse aufkam.[8] Wer in Arbeit stand, der war versichert, und verlor er seinen Arbeitsplatz, so kam für ihn die öffentliche Hand auf. Dies traf nicht zu für Menschen, die Kunst herstellten. Deshalb gingen dem Bildhauer die Zweitausendvierhundert im Kopf herum.

Deshalb war er jetzt auch aufgesprungen und starrte dem Vorstand ins Gesicht.

Ich kann Mette nach Wassergellheim schicken, sagte er.

Halimedes Verlust erzeugte keine öffentliche Erregung. Zwei der am Platz[9] erscheinenden Zeitungen brachten eine gedrängte Notiz über den Vorfall, wobei eine die Gelegenheit wahrnahm, über den Urheber einige Daten einzurücken, Werdegang, mit welchen Preisen ausgezeichnet, die viereinhalb Zeilen füllten. Die andere wählte als Überschrift „Wieder Metalldiebe am Werk", ohne das Objekt näher zu würdigen. Die Verpflichtung, die der Versicherungsgesellschaft Poseidon[10] aus dem Vergehen erwuchs,[11] blieb unerwähnt, ebenso die erfreulichen Folgen für den Verfertiger.

Da empfing abends, und es war April und dunkelte noch

---

[8] *für den . . . aufkam:* for whom an insurance fund footed the bill
[9] *am Platz:* in that place (i.e. in the town)
[10] *Poseidon:* proper noun
[11] *erwuchs:* was incurred by

früh, der Verwalter, der zugleich Aufseherdienste versah, einen Besuch. Der Besuch erschien ungemeldet, er kam sogar ohne Klingelzeichen, weil die Flurtür zufällig einen Spalt breit offenstand, und war gleich rechter Hand in die Küche eingedrungen, wo der Aufseher saß und eine Tasse Kaffee vor sich stehen hatte. Eine Regenluft kam mit dem Mann hereingestrichen. Weil das Radio tönte, sah der Verwalter erst auf, als der fremde Mensch am Tisch stand und als die Regenluft zu riechen war.

Ja? sagte er und stand schnell auf. Ist denn meine Frau nicht draußen? Was wünschen Sie?

Der fremde Mensch antwortete nicht, sondern setzte einen länglichen, in Packpapier eingeschlagenen Gegenstand auf den Tisch. Hier, sagte er und fing an, mit aufgeregten Fingern an dem Papier herumzureißen: Mein Diebstahl.

Der Tisch war mit Wachstuch gedeckt, auf dem Brotreste krümelten und ein paar Tropfen Milchkaffee vergossen waren. Dazwischen stand jetzt, hoch blitzend, heimgekehrt, Halimede.

Ich will es Ihnen zeigen, Herr Aufseher, fuhr der fremde Mensch fort und zog seinen Lodenmantel [12] auseinander; es war ein grüner, fällig geschnittener Mantel. Er fuhr mit der Hand in die Tasche, und neben der Tasche befand sich ein Schlitz; innen kamen die Finger zum Vorschein und umgriffen jetzt Halimede. Der Arm senkte sich, der Mantel schlug faltig zu, und niemand konnte wahrnehmen, was die Hand, die scheinbar in der Tasche ruhte, unter dem Stoff festhielt.

So, Herr Aufseher, sagte der Besucher und heftete seine Augen oder vielmehr richtete seine Brillengläser starr auf den Hausverwalter—habe ich dieses Stück hinausgetragen. Ich habe Sie überlistet und betrogen, Sie konnten es nicht bemerken. Und so—damit setzte er Halimede auf das Wachstuch zurück—bringe ich Ihnen diesen Raub wieder. Ich tue

---

[12] *Lodenmantel:* a coat made of a coarse wool cloth

es nicht, weil ich eine Entdeckung fürchtete. Ich komme, weil ich ein anderer Mensch geworden bin.

Wollen Sie nicht Platz nehmen? sagte der Verwalter.

Nein, es gehört sich für mich zu stehen. Sie werden nach meinen Gründen fragen. Ich scheue mich nicht. Ich bekenne, daß ich ein Liebhaber gewesen bin. Mein Herz entzündete sich an Dingen, die das Auge berückten. Ich bin das viertemal dagewesen, als ich den Diebstahl beging. Ich habe diesen Gegenstand umschlichen, ich kannte mich selbst nicht in dem Augenblick, als ich ihn an mich brachte. Bis dahin hielt ich mich niemals für einen Dieb, ich besann mich nicht, jemals etwas genommen oder unterschlagen zu haben, ausgenommen vielleicht das Fahrgeld in einem öffentlichen Verkehrsmittel. Jetzt aber war ich kaum zu Hause angelangt, als mich meine Tat zu peinigen anfing: ich begriff, daß ich ein Dieb war und daß ich es unterlassen hatte, jemals über Recht und Unrecht nachzudenken. Im Grunde war ich immer ein Dieb gewesen, auch wenn ich zufällig nichts genommen hatte. Ich konnte nicht mehr zur Ruhe kommen. Ich sah ein, daß Gott mich hatte fallen lassen, damit ich zur Besinnung käme. Ich bin erweckt worden. Und so habe ich mich aufgemacht und komme zu Ihnen. Brauchen Sie meine Anschrift? Meinen Namen? Müssen Sie Anzeige erheben?[13] Tun Sie es. Ich bin bereit, mich zu erniedrigen, obgleich ich Beamter bin. Ich bin bereit, Zeugnis zu geben.

Der Mann endete, nachdem er eifrig, ein wenig flackernd, gesprochen hatte; ein vornübergebeugter Mensch, dessen Augen dicke Gläser verbargen; seine Glut ermattete wie ein Ofen, dem zu wenig Zug zugeführt wird, denn der Hausverwalter schwieg und half ihm nicht weiter; so stand er da, war zu Ende und knüllte, ohne daß er es wußte, das Papier, in das Halimede gewickelt gewesen war. Jetzt stand der Verwalter auf und ging ohne ein kenntliches Zeichen um ihn herum zur

[13] *Anzeige erheben:* notify the police

Küchentür, die er schloß, nachdem er in den Flur gehorcht hatte. Der Besucher folgte ihm erst mit dem Blick, dann drehte sich seine ganze Gestalt mit.

Seitdem ich diesen Entschluß faßte, fing er wieder an und hielt ungeschickt in beiden Händen das geknüllte Papier wie einen Ball: Seitdem ich ihn faßte, ging ich in einem unbeschreiblichen Glücksgefühl herum. Auch Ihnen bitte ich ab,[14] denn ich habe auch Sie betrogen, und ich freue mich mit Ihnen.

Woher wissen Sie, sagte der Aufseher, der sich wieder gesetzt hatte, daß ich mich freue?

Wie mögen Sie das sagen, rief der fremde Gast voller Betrübnis. Das Gute geschieht, Unrecht wird getilgt, ein Mensch ist erweckt worden, und Sie mögen sich nicht freuen!

Jawohl, sagte der Wärter, und der Mann, den Sie bestohlen hatten, kriegt nun sein Geld nicht von der Versicherung und kann sein Kind nicht in Behandlung geben. Das beste wäre, Sie packten das Ding wieder ein.

Der Fremde erlosch [15] und stand eine lange Zeit hängend da mit seinen linkischen Händen. Plötzlich, sehr schnell, als ob er auch dies vollends ganz eilig los werden wollte, legte er den Papierknäuel auf den Tisch und zog die Finger wieder zurück wie von einer heißen Platte.

Davon darf ich nichts wissen, sagte er hastig. Das darf nicht meine Sache sein.

Er wandte sich ab, doch der Hausmeister stand ein zweites Mal auf und ging um ihn herum zur Tür, vor die er sich stellte.

Lassen Sie mich gehen. Versuchen Sie mich nicht.

Es ist mein Ernst, sagte der Hausmeister. Ich kann es nicht wissen, ob der liebe Gott Sie das Ding hat nehmen heißen: Sie meinen es ja. Wenn aber er etwas meinte, so meinte er auch, Sie sollten es behalten. Sie haben jetzt mit dieser Sache

---

[14] *Auch Ihnen . . . ab:* I also ask your pardon
[15] *erlosch:* was burned out

zu tun, Sie können nicht einfach austreten und von nichts mehr wissen wollen, weil Sie auf einmal Angst haben und Ihr beruhigtes Gewissen Ihnen angenehm ist. Wenn Sie ein gutes Werk tun wollen, so machen Sie jetzt nicht schlapp [16] und behalten Sie das Ding. Oder aber Sie legen die Zweitausendvierhundert auf den Tisch da, so daß es ein Kauf wird.

Ich bin arm, sagte der Mann erschöpft. Lassen Sie mich. Ich habe keine Zweitausendvierhundert.

Dann nehmen Sie das Ding wieder unter Ihren Mantel. So wie Sie dachten, können Sie nicht ein anderer Mensch werden. In dem Betracht sind Sie noch derselbe. Sie haben sich eingemischt. Sie können nicht mehr machen, was Sie wollen.

Der Weg ist ungewöhnlich, sagte der Bezirksdirektor der Versicherungsgesellschaft Poseidon zum Vorstand der Gewerbehalle, aber Nachrichtenwege sind öfters sonderbar. Ich mußte Sie aufsuchen. Es besteht Verdacht, daß ein Versicherungsbetrug vorliegt.[17] Die bei uns versicherte Plastik Halimede soll wieder zurückgegeben sein, auf jeden Fall will der Entwender sie zurückgestellt haben.

Mein erstes Wort, sagte der Vorstand. Wie kommt es zu solchen Vermutungen?

Es sind mehr als Vermutungen. Wie ich sagte, der Nachrichtenweg ist diesmal äußerst sonderbar. Ich habe einen Angestellten, einen ganz genauen Mann, sein halbes Leben bei der Gesellschaft tätig, nur in einem Betracht etwas wunderlich. Er ist Mitglied einer Gemeinschaft, deren Angehörige voreinander bekennen.[18] Sie beichten einander ihre Schwächen und Verfehlungen. Der Mann also hat lange gekämpft, ob er etwas sagen solle, und einen Namen würde er natürlich um keinen Preis nennen. Aber er wollte seine Pflicht nicht versäumen und hat mir gemeldet, daß ein Neuaufgenom-

---

[16] *machen Sie . . . schlapp:* "don't get soft now"
[17] *daß ein . . . vorliegt:* that an insurance fraud is before us
[18] *deren Angehörige . . . bekennen:* whose members make confessions in the presence of one another

mcner [19] in jenem Kreis öffentlich von dem Diebstahl in der RAWA berichtet und zugleich ausgesagt habe, wie er bereut und das gestohlene Gut zurückgegeben habe, um ein anderer Mensch zu werden. Zufällig ist mein Angestellter eben derjenige, der diesen Versicherungsfall bearbeitet.

Das ist tatsächlich verrückt, sagte der Vorstand. Aber kann man es ernst nehmen? Selbstbezichtigungen sind immer mit Vorsicht zu fassen. Offen gesagt, ich halte es für unmöglich, daß mein Bildhauer die Sache unterschlagen würde.

Von dem Bildhauer, sagte der Mann von Poseidon, ist auch weniger die Rede. Ihr Hausmeister soll der Empfänger gewesen sein.

Mein Hausmeister? Ein bißchen hartmäulig und nicht immer leicht zu nehmen. Aber ebenfalls ein ganz gewissenhafter Mann. Ich lasse ihn kommen.

Der Verwalter kam, blickte auf seinen Vorgesetzten und von dem Vorgesetzten zu dem fremden Herrn, verschloß sich [20] und antwortete steif: Jawohl, die Figur. Ich weiß, worum es sich handelt. Was soll sein?

Jemand will die Figur zurückgebracht haben.

Wem zurückgebracht?

Ihnen.

Abends war einmal einer da, sagte der Hausverwalter nach einer Pause und nahm einen rauhen, künstlichen Ton an. Es war einer da, kam auf die Figur zu sprechen und redete was durcheinander. Ich sah ihn für nicht ganz richtig an und machte, daß ich ihn los wurde.

Nachdem er die Figur dagelassen hatte?

Nein, Herr Direktor. Der Mann hat nichts dagelassen. Ich kann das versichern, daß er an dem Abend nichts dagelassen hat.

So. Dieser Mann, der Sie besucht hat, erklärt aber glaub-

---

[19] *ein Neuaufgenommener:* one who has been recently taken in (as a member)
[20] *verschloß sich:* became uncommunicative

würdig, daß er die Messingfigur bei sich trug und sie Ihnen aushändigte.

Ich ließ mir nichts aushändigen. Ich wollte mir gar nicht angucken, was der Mensch bei sich trug. Ich wollte es nicht einmal sehen.

Warum denn nicht? Was dachten Sie sich dabei?

Daß es jedenfalls nicht die rechte Figur sein konnte. Wenn so ein Verrückter sich wichtig machen wollte, so brachte er vielleicht was daher, aber sicher nicht das Richtige. Außerdem hätte ich es auch nicht genau beurteilen können. Moderne Kunstfiguren kann man nicht am Gesicht erkennen oder an den Haaren. Bei der gestohlenen konnte man ja nicht einmal genau sagen, daß es ein Weibsbild [21] sei. Ich wollte mich da nicht hereinlegen lassen.[22]

Darf ich eine Frage stellen, mischte sich Poseidon ein: Sie und der Bildhauer sind Bekannte?

Ja, vom Vater her, wenn ich so sagen darf. Der Vater ist General gewesen, und meine Mutter war da im Dienst bis zu ihrer Verheiratung.

Aha. Nun, was sagen Sie dazu, daß wir sichere Unterlagen haben? Sie haben die Figur tatsächlich bekommen.

Der Hausmeister zögerte eine Weile, dann sagte er: Kann ich mit Ihnen allein weitersprechen, Herr Direktor?

Schon, aber das wird nicht viel Zweck haben. Was Sie sagen, muß doch herauskommen. Erklären Sie doch einfach, wie es war.

Ist dieser Herr von der Polizei oder vom Gericht?

Noch nicht. Vorläufig nur von der Versicherung.

Also gut, sagte der Hausmeister, wenn es schon heraus ist, hat's ja doch keinen Zweck mehr. Aber mit dem Guten geht es nicht zu in der Welt,[23] sag ich. Die Figur steht bei mir im Holzstall.

---

21 *Weibsbild:* woman
22 *Ich wollte . . . lassen:* I didn't want to be taken in
23 *Aber mit . . . Welt:* But good things don't work out quite right in the world

So? Das heiße ich eine Unterschlagung.

Wenn es dem Bildhauer, der ein armer Teufel ist, Geld bringt, und wenn es seinem Töchterchen die Gesundheit einbringt, habe ich gedacht, so ist das keine Unterschlagung, sondern ein gutes Werk, und niemand geschieht davon ein Schaden.

Außer meiner Gesellschaft, sagte der Versicherungsmann, wenn Sie das gütigst berücksichtigen wollen. Wir denken hier ein bißchen anders.

Der Hausmeister hörte nicht auf ihn, seine herausfordernde Haltung verließ ihn plötzlich, und wie einem Menschen, der sich zuviel zugemutet hat,[24] schoß ihm ein Zittern in die Knie. Er setzte sich, ohne dazu aufgefordert zu sein, und nahm die Schirmmütze [25] vom Kopf, die er nach Wärtergewohnheit auch im Zimmer trug. Er blickte in die Mütze nieder, und auch seine Finger zitterten jetzt.

Ich habe es gut gemeint, Herr Direktor, murmelte er. Ich habe nichts als das Gute im Kopf gehabt. Ich habe mir nie etwas zuschulden kommen lassen [26] auf meiner Stelle, Herr Direktor. Aber so ist es in der Welt. Das Gute sieht niemand an. Niemand belohnt das Gute.

Warum haben Sie mich belogen und erst geleugnet, die Figur erhalten zu haben.

Ich habe Sie nicht belogen. Ich sagte nur: an jenem Abend hat der Mann nichts dagelassen. Und er hat auch nichts dagelassen. Ich stellte ihm die Sache vor und zwang ihn, die Figur wieder mit sich zu nehmen. Aber am übernächsten Morgen, wie ich die Tür aufschließe, steht die Figur auf der Schwelle. Er hatte sie dort abgesetzt, das sah ich gleich, heimlich, damit ich ihm nicht wieder sollte dreinreden können.[27]

Und was dachten Sie sich?

Ich sagte zu mir: Das habe ich gleich gefürchtet, daß er

---

[24] *der sich . . . hat:* who had taken too much upon himself
[25] *Schirmmütze:* peaked cap
[26] *Ich habe . . . lassen:* I have never done anything wrong
[27] *damit ich . . . können:* so that I should not be able to oppose him

schlapp machen wird. So nahm ich das Ding und packte es in den Holzstall. Jetzt bin ich's, der es tun muß, habe ich gedacht.

Halimede ist keine Gestalt, die in den Sagen der griechischen Welt greifbar [28] wurde. Hesiod [29] zählt sie auf als die siebenunddreißigste unter fünfzig Töchtern des Nereus [30] und nennt sie die Kranzgeschmückte. Sonst nichts. Halimede ist ein Name, ein Schall, so wie das Stück, das dieser Name bezeichnete, nichts als ein Gebilde aus Messing war: eine schlanke, sich wendende Form, hoch blitzend, spielend und bekränzt.

Als sie jetzt wieder auf dem Tisch stand, hoch blitzend, war sie aufs neue unbezahlbar geworden, eines Kindes Besitz, ein Glanz, ein Spiel, nichts weiter. Die Summe, die sie vorübergehend wert gewesen war, zog sich zurück. Poseidon litt keinen Schaden. Mette behielt die Figur und fuhr nicht nach Wassergellheim.

Wenn es angebracht wäre,[31] sagte der Vorstand zu dem Bildhauer: wie gerne würde ich Sie beglückwünschen. Unrecht Gut gedeiht nicht,[32] würde ich sagen.

Sonderbar, sagte der Bildhauer und sah sein Gebild grübelnd an: dabei habe ich sie auch gestohlen.

Gestohlen?

Ich meine das Rohstück, den Messingbarren. Zu Kriegsende, nach einem Angriff, brannte ein Lastzug aus, es waren Fahrzeuge einer Geräteverwaltung. Die Anlieger [33] suchten darin herum, und ich nahm im Vorbeigehen das Stück Messing

---

[28] *greifbar:* tangible
[29] *Hesiod:* Greek didactic poet who probably wrote during the eighth century B.C.
[30] *Nereus:* in Greek mythology, the sage old man of the sea, father of the Nereïds, or mermaids
[31] *Wenn es angebracht wäre:* If it were justified
[32] *Unrecht Gut gedeiht nicht:* cf. Proverbs 10.2
[33] *Die Anlieger:* those living adjacent

an mich. Es lag mir in der Hand; was ich damit anfangen würde, wußte ich auch nicht. Später machte ich Halimede daraus. Die Figur ist nicht gegossen, sie ist mit der Feile aus dem Rohstück geholt und geglättet. Ich habe sehr lange daran gearbeitet.

Der Bildhauer nahm von den Zigaretten des Vorstands und fuhr fort: Ich machte sie in der Zeit, als es uns dreckig ging, wollte sagen, als wir hungerten und uns einbilden konnten, allen anderen Leuten ginge es ähnlich dreckig wie uns oder wenigstens den anständigeren. Geld hatten wir noch, aber wir konnten für das Geld nichts kaufen. Ich hätte Halimede verhandeln können, vielmehr das Stück, das später zu Halimede wurde, vielleicht hätte ich ein Kilo Schmalz dafür eingetauscht. Das ist mir aber erst später eingefallen. Ich schenkte sie Mette zum Geburtstag, es war ihr elfter, und was ich ihr noch dazu schenken konnte, war im Grund auch gestohlen. Es war eine Handvoll Nüsse, die ich in eine Schale gelegt hatte, frische Nüsse, noch im Bast, ich hatte sie auf einem Gang draußen in Nonn [34] aufgelesen, auf einem fremden Grundstück natürlich. Mette aß frische Nüsse so gern, solange sie noch süß waren und die Kerne sich schälen ließen.

Sie sollten sich einen Job suchen, sagte der Vorstand, eine allgemein verständliche Arbeit, die etwas einträgt.

Ja, sagte der Bildhauer finster. Schließlich ist alles meine Schuld.

Die Umstände, unter denen Halimede das zweitemal gestohlen wurde, waren von den ersten gänzlich verschieden. Daß sie das zweitemal gestohlen wurde, wird niemand wundern, der sich schon mit der Doppelung von Ereignissen befaßt hat. Die Täter konnten voneinander nichts wissen. Der Hergang überhaupt kam erst viel später durch einen Zufall ans Licht.

Des Besuchs einer höchsten Persönlichkeit wegen, für deren

[34] *Nonn:* place name

DU SOLLST NICHT STEHLEN 131

Empfang die Halle benötigt wurde, mußte die RAWA zwei Tage früher als geplant ihre Pforten schließen. Städtische Arbeiter rückten an; Dekorateure, Angestellte von Geschäften, Verlader wimmelten durcheinander, um abzubauen und zu verpacken. Um die Rotunde freizubekommen, hatte man zunächst den rupfenbespannten Block,[35] auf dem Halimede wieder ihren Platz gefunden, hinausgeschafft und zur Seite des Eingangs niedergelassen. Zur Vorsicht nahm der Arbeiter, der dies besorgte, die Figur ab und setzte sie zu Boden, damit sie nicht fallen sollte. Holzwolle, Kartons und Kisten lagen umher getürmt. Da jemand ihn zu einer Hilfeleistung abrief, versäumte der Arbeiter wiederzukommen.

Eine Bande von einem Halbdutzend Zwölf- bis Vierzehnjähriger, die in einem Ruinengrundstück unweit der Gewerbehalle ihre Sitzungen abhielt, hieß sich Der Hai.[36] Der Hai fraß keine Menschen und war nicht übermäßig gefährlich, er begnügte sich im allgemeinen damit, eine Bande zu sein und dann und wann, sobald die Kasse es forderte, etwas Buntmetall abzuschrauben, dessen Erlös ihn stärkte. Am Abend dieses Tages stieß gegen den Schlupfwinkel des Hais ein kleines Bürschchen vor, das sich seit einiger Zeit mit Zähigkeit bemühte, in den Hai aufgenommen zu werden.

Ich kann was bieten, sagte das Bürschchen. Ihr könnt mit mir verhandeln, wenn ihr wollt. Ich hab was für den Einstand.

Erst vorzeigen, sagte der oberste Hai streng und musterte den dünnen Bewerber. Es muß aber ein Wagnis dabei gewesen sein. Sonst kann es nicht angerechnet werden.

Hä, kein Wagnis? Es wimmelte von Leuten. Zwischen den Beinen hab ich's ihnen herausgeholt.

Geklaut? Da will ich nichts mit zu tun haben.

Ach wo geklaut.[37] Das stand da herum, schwierig war bloß das Aufpassen. Es wiegt ziemlich viel.

[35] *rupfenbespannten Block:* canvas-covered platform
[36] *Der Hai:* The Shark(s)
[37] *Ach wo geklaut:* Aw no, not stolen

Zeig her, sagte der befehligende Hai.

Wenn ihr mich nicht verratet, und wenn ich dafür aufgenommen werde.

Er verschwand, kam wieder aus der Dämmerung und wickelte Halimede aus einem Stück Sackleinwand. Die Bande drängte sich herum.

Was kann das bloß sein?

Weiß nicht, vielleicht von der Wasserleitung. Oder es hat zur Beleuchtung gehört oder ist überhaupt bloß so was zur Verzierung.

Oder vom Treppengeländer.

Jedenfalls massiv, entschied der Haupthai, nachdem er das Stück gewendet und an ihm geschabt hatte. Damit läßt sich was machen.

Weischedel [38] zahlt am besten. Ich hole morgen den Preis ein.

Bist du verrückt? Da muß erst mal Gras drüber wachsen.

Zu dem Neuling sagte der Haihauptmann: Ich erkenne es an. Der Rat der Bande wird über dein Gesuch entscheiden.

Dann fuhr er fort: Am besten ist, wir zerlegen das Ding gleich, dann kommt nichts auf. Ein paar Stücke kommen zu Weischedel, ein paar zu Grund.[39] Bembus, beschaff eine Eisensäge aus Bollmaiers [40] Werkstatt.

Ja, Häuptling.

Es war ein schöner und schon warmer Abend, der vorletzte Apriltag. Da die RAWA vorzeitig abgebrochen war und die Versicherungsfrist noch lief, verstand sich Poseidon dazu, den Fall anzuerkennen. Die Haie in ihrem Dunkel vollbrachten im Handumdrehen, was die obere Welt nicht vermochte. Die Säge schnitt an und fraß dumm durch das gelbe Metall; Halimede beschloß ihr Dasein, um sich in einen Betrag zu verwandeln, in eine Summe von Zweitausendvierhundert, die

---

[38] *Weischedel:* proper noun
[39] *Grund:* proper noun
[40] *Bollmaier:* proper noun

Poseidon zur Last fiel [41] und von welcher die Haie nichts wußten. Dazu kamen zwei kleinere Summen, welche die Althändler Weischedel und Grund dem Hai zugestanden. Ein Name, ein Klang blieben von Halimede. Mette fuhr nach Wassergellheim.

[41] *die Poseidon . . . fiel:* which was charged to Poseidon

EUGEN ROTH

Eugen Roth, who was awarded the *Literaturpreis der Stadt München* in 1953, is best known for his books of philosophically satirical verse, which have been published in millions of copies. Besides, he has often been distinguished with awards for his short stories and *Novellen*. Born in Munich in 1895, he attended the university and earned a doctorate. He served in the First World War and was editor of a Munich newspaper from 1927 to 1933. Although he has traveled widely, Munich has continued to be his headquarters.

Roth's verse, which for the most part good-naturedly pokes fun at human weaknesses, began to appear shortly after the First World War, but it was not until the 1930's, when such volumes as *Ein Mensch* and *Die Frau in der Weltgeschichte* were published, that he gained the reputation which he enjoys today. Since the Second World War, more of his verse, some of it quite serious in tone, has appeared. Roth's first book of stories, *Die Fremde,* came out in 1938, and several other collections have since followed it. Besides his stories and poems, he has edited an edition of Eichendorff's works and written a number of essays and cultural studies.

Der Mitschuldige is included in a collection of stories, some of them old, some published for the first time, entitled *Abenteuer in Banz und andere Erzählungen* (1952). Although the stories in the collection are based on a variety of experiences and express several themes, each is a good story well told. Der Mitschuldige, in a simulated Bavarian dialect, probes into the feelings of the ordinary German during the trying experiences of the Second World War.

DER MITSCHULDIGE

von Eugen Roth

WEIL ihr's [1] ja doch schon wißt, daß sich der Nachbar, der Korbinian, was angetan hat,[2] will ich's euch erzählen, wie alles hergegangen ist; für die andern soll es ruhig dabei bleiben, daß [3] er aus Gram über das Schicksal seines Buben, des Benedikt, gestorben ist. Der ist verschollen in Rußland, in Stalingrad,[4]

---

[1] *ihr's:* ihr es
[2] *daß sich . . . hat:* that our neighbor Korbinian has done violence to himself
[3] *für die . . . bleiben, daß:* for the others let it simply remain this way, that
[4] *verschollen in Rußland, in Stalingrad:* missing in Russia, in Stalingrad. (One of the most decisive battles of World War II was fought at Stalingrad, where German losses were very heavy.)

und das ist ärger als der sichere Tod. Der Penzenstadler Lukas [5] ist als Verwundeter noch herausgekommen, und was der erzählt hat, das hätte einen starken Mann umwerfen können. Aber der Korbinian hat sich überdies eingebildet, daß er mit dran [6] schuldig ist. Und er hat sich seine wunderlichen Gewissensbisse [7] nicht ausreden lassen und ist an ihnen zugrundegegangen.

So schnell muß der Mensch heute leben, daß die neuen Sorgen und Kümmernisse die alten in den Sarg legen; wer gewohnt ist, von früher her, über alles nachzudenken, der kommt gar nicht mehr mit. Der kann sich bloß noch wundern darüber, was für ein kaltherziges Geschlecht wir geworden sind und was wir mit unserem kargen Brot mit hineinfressen an Elend und Schande,[8] ohne daß es uns die Seele aus dem Leibe würgt. Aber wenn man die Leute so anschaut, möchte man meinen, sie sind grad [9] lustig, und es könnten gar nicht Theater und Kinos genug sein zum Hineinlaufen; und daß die Mannsleute keinen Wein kriegen und die Weiber nicht tanzen dürfen, das ist, scheint's mir, ihr einziger Verdruß.

Wir schreiben jetzt den Sommer dreiundvierzig, und so gewiß wir diesmal wissen, wer den Krieg angefangen hat: wer ihn enden soll, das weiß niemand. Und ich wundere mich selber oft, wie ich noch essen und schlafen kann und meiner Arbeit nachgehen. Uns heraußen [10] auf dem Land hilft ja viel, das sichere Haus und der Wald und die Wiesen und das ganze Leben überhaupt, ich sage es oft, wir wissen noch gar nicht, was der Krieg ist, aber vielleicht erfahren wir es noch einmal, bis zur letzten Hütte.

Bevor es mit Rußland angegangen ist,[11] da haben die Sol-

---

[5] *Penzenstadler Lukas:* Lukas is the first name
[6] *dran:* daran
[7] *Gewissensbisse:* pangs of conscience
[8] *was wir . . . Schande:* what in the way of misery and shame we gobble up along with our meager bread
[9] *grad:* gerade
[10] *heraußen:* out here
[11] *Bevor es . . . ist:* Before things got started with Russia

daten es auch nicht gewußt mit lauter Marschieren und Siegen und mit dem übermütigen guten Leben im Feindesland.¹² Daß sie schneidig gewesen sind und daß man ihnen ihre Erfolge gönnt, versteht sich; aber da kommen wir von selber auf die Geschichte vom Korbinian und vom Benedikt, seinem Sohn.

Der Benedikt hat bei den Gebirgsjägern ¹³ gedient und ist im neununddreißiger Jahr gleich am ersten Tag eingerückt und nach Polen gefahren worden. Bei Lemberg ¹⁴ haben sie große Verluste gehabt, aber in achtzehn Tagen sind sie mit dem ganzen Krieg fertig gewesen, und der Benedikt ist in Urlaub heimgekommen, mit einer leichten Verwundung am Arm, kaum vier Wochen, nachdem er fortgegangen war. Ich will nicht sagen, daß er ein Aufschneider ¹⁵ gewesen ist oder ein Großmaul, aber die Siege sind den jungen Leuten halt ¹⁶ doch in den Kopf gestiegen; und damals haben viele gemeint, der Krieg ist aus und so gut wie gewonnen.

Der Vater, der Korbinian, hat den ganzen Weltkrieg mitgemacht im Westen, Verdun und die Somme und Flandern; ¹⁷ und wie der Sohn nun daheim und im Wirtshause immer wieder erzählt hat, wie sie die Polen im Handumdrehen hingelegt haben, daß sie nimmer aufstehen, und deutlich hat durchblicken lassen, wie man das jetzt macht mit den Panzern und den Sturzkampffliegern,¹⁸ da hat er nur mitleidig gelächelt und hat gesagt, mit den Polen, drei gegen einen, fertig werden, wäre keine große Kunst, aber wenn es jetzt an die Franzosen

¹² *da haben ... Feindesland:* the soldiers didn't know either, what with all their marching and victories and with their high-spirited good life in enemy territory
¹³ *Gebirgsjägern:* mountain chasseurs
¹⁴ *Lemberg:* a city in Polish territory (Polish, Lwów; scene of an important battle at the outbreak of World War II in September, 1939)
¹⁵ *Aufschneider:* swaggerer
¹⁶ *halt:* a particle common in the speech of southern Germany; it means something like "in my opinion" or "I guess"
¹⁷ *Verdun und ... Flandern:* scenes of important battles of World War I.
¹⁸ *mit den ... Sturzkampffliegern:* with the tanks and dive bombers

ginge und die Engländer, dann würde ja der Herr Sohn sehen, was ein richtiger Krieg ist. Der Benedikt hat aber nur gesagt, gut, sie würden es sehen, und mit den Franzosen würden sie genau so schnell fertig wie mit den Polen; denn schlechte Soldaten seien die [19] auch nicht gewesen. Er ist dann wieder zu seiner Truppe eingerückt und den Winter über am Westwall [20] gelegen.

Im März ist er auf ein paar Tage heimgekommen und diesmal ist es schon hitziger hergegangen zwischen den Alten und den Jungen,[21] und der Korbinian und der Benedikt, so gut sie sich sonst vertragen haben, sind aufeinander los wie die Gockel,[22] sie haben gewiß oft selber nicht mehr gewußt, wo der Spaß aufhört und der Ernst angeht; der Vater hat gestichelt, daß sie anno vierzehn [23] gleich losmarschiert wären und Lüttich [24] genommen hätten—und die Marneschlacht [25] verloren, trumpfte der Sohn dagegen, und damit den ganzen Krieg. Eine solche Fretterei fingen sie diesmal gar nicht an.[26] Und der Vater wieder: am Westwall herumlungern und das Weintrinken und Zigarettenrauchen lernen, das könnten sie; und in allen Dörfern den Weibern nachlaufen, man höre genug davon, ja, saubere Geschichten kriege man erzählt,[27] und die Herrn Soldaten täten sich ja noch selber was drauf einbilden.[28] Die alten Leut daheim [29] könnten inzwischen die Arbeit machen, jawohl; die Rösser hätten sie dann wenigstens dalassen sollen, damit man sich nicht mit den Kühen abrackern

---

[19] *die:* i.e. die Polen
[20] *Westwall:* fortifications on the western boundary of Germany
[21] *ist es . . . Jungen:* things got hotter between the old people and the young people
[22] *sind aufeinander . . . Gockel:* went at each other like (game) cocks
[23] *anno vierzehn:* in the year 1914
[24] *Lüttich:* a city in Belgium (Liége)
[25] *Marneschlacht:* first battle of the Marne, September 1914
[26] *Eine solche . . . an:* This time they wouldn't even begin such drudgery (i.e. as the slow trench warfare of World War I)
[27] *saubere Geschichten . . . erzählt:* one got told pretty stories
[28] *täten . . . einbilden:* even prided themselves on them
[29] *Die alten Leut daheim:* the old people at home

müßte beim Pflügen,³⁰ wenn schon die Herrn Söhne sich auf die faule Haut legen wollten.

Das ist natürlich ungerecht gewesen, ich glaube auch, daß es der Korbinian gewußt hat; denn so dumm ist er nicht gewesen. Die Eifersucht hat ihn aufgehetzt; daß es die Jungen so leicht haben sollten, wo sie seinerzeit ohne Sieg und Dank es so bitter schwer gehabt haben, das hat er nicht vertragen. Der Benedikt hat natürlich auch weit übers Ziel hinausgeschossen, ³¹ wenn er immer von den neuen Waffen geredet hat und von der neuen Haltung der Truppe, was sie ihnen halt so von oben herunter eingetrichtert ³² haben. Und aus dem allen, was er gesagt hat, ist herauszuhören gewesen, daß die Jungen den Krieg machen müßten, weil ihn die Alten verspielt hätten.

Der Korbinian ist dann immer fuchsteufelswild geworden und hat geschrien, ob sich das einer muß hinreiben lassen,³³ der Verdun mitgemacht hat, und sie wollen nun sehen, wie das wird mit Verdun. Er ist ja in Polen nicht dabei gewesen, aber der Oberst von Spreti hat es ihm geschrieben, sein Leutnant von damals, der immer in die Sommerfrische ³⁴ herausgekommen ist; alter Kamerad, hat er geschrieben, wenn du es nicht weitersagst, dann verrat ich dir's: ein einziger Tag an der Somme anno siebzehn ist ärger gewesen als wie der ganze polnische Feldzug. Und auf den Tag, hat er geschrieben, warte ich, wo die jungen Leute ihren Herrgott werden kennen lernen, wenn es einmal aufgeht in Verdun oder in Flandern.

Es ist dann bald wirklich aufgegangen, in Norwegen, in Holland und in Belgien und Frankreich.³⁵ Das ist jener wunderbare Sommer gewesen, als ob eine Tür aufgegangen wäre in die Welt, die uns Alten verschlossen gewesen ist, vier Jahre

---

³⁰ *damit man . . . Pflügen:* so that one wouldn't have to wear himself out plowing with the cows
³¹ *weit übers Ziel hinausgeschossen:* shot far beyond the target
³² *eingetrichtert:* funnelled in (i.e. drummed into their heads)
³³ *ob sich . . . lassen:* whether one had to let that rub him the wrong way
³⁴ *Sommerfrische:* summer vacation
³⁵ *Es ist . . . Frankreich:* Then it soon really got going in Norway, Holland, Belgium, and France

lang mit Blut und Eisen. Und der Sommer leuchtet noch heut nach [36] in jedem Gemüt; wenn auch die Tür wieder zugefallen ist seitdem und es scheinen will, als ob es noch tiefer Nacht werden könnte als wie damals. Seinerzeit,[37] wie haben sich alle gefreut! Wenn einer oder der andre noch gesagt hat, daß es lange nicht ausgemacht ist, ob wir gewinnen, weil ja der Engländer noch da ist und der Russe und der Amerikaner, der ist niedergeschrien worden und ausgelacht.

Der Korbinian ist so einer gewesen; ich selber habe der Geschichte auch nicht ganz getraut, aber wie dann eine Siegesmeldung nach der andern gekommen ist, habe ich doch gemeint, wir packen es noch.[38] Der Korbinian hat sich vielleicht auch gefreut, aber es hat doch zugleich ein Wurm an ihm genagt,[39] wie Verdun gefallen ist fast ohne einen Streich und die Somme bloß ein Bächl gewesen ist,[40] über das die Jungen hinübergehüpft sind, mir nichts dir nichts.[41] Er hat es einfach nicht glauben wollen; das muß eine Hexerei sein, hat er gesagt, oder es sind nicht mehr die gleichen Franzosen, die uns damals jeden Meter Boden in Blut und Feuer getaucht haben. Und das mit Verdun hat er schon gar nicht begriffen und er hat vom Douaumont [42] erzählt und vom Toten Mann,[43] und er hat sich ehrlich gegrämt, ob sie sich im sechzehner Jahr wirklich so viel dümmer gestellt haben oder nicht so tüchtig gewesen sind, wie die Jungen heute. Denn die neuen Waffen, hat er immer wieder gesagt, die können es allein auch nicht ausmachen; Panzer und Flieger haben die andern auch und geschlafen werden sie nicht haben in den zwanzig Jahren

---

[36] *leuchtet noch heut nach:* still has an afterglow today
[37] *Seinerzeit:* at the time of all that
[38] *wir packen es noch:* we'd make it yet
[39] *es hat . . . genagt:* at the same time it rankled him
[40] *wie Verdun . . . ist:* how Verdun fell almost without a blow (being struck) and the Somme was merely a little brook. (In World War I these had been points of strong Allied resistance.)
[41] *mir nichts dir nichts:* without the slightest ado
[42] *Douaumont:* French fortification northeast of Verdun
[43] *Toten Mann:* a hill west of Verdun, site of bitter battles in 1916 and 1917

nach ihrem Sieg. Und lachen müßte er, hat er gesagt, wenn jetzt wirklich der Krieg aus wäre und die Jungen kämen heim wie von einem Spaziergang und könnten zu den Vätern sagen, schaut, ihr alten Datteln,⁴⁴ schaut, so hättet ihrs auch machen müssen.

Der Krieg ist aber nicht aus gewesen, obwohl es keine Fähnerln mehr zum Stecken gegeben hat⁴⁵ bis zur spanischen Grenze und obwohl sie in Berlin ein halbes Schock Marschälle ernannt haben. Wir haben unsern Rundfunk gehört aber der Loderer Georg,⁴⁶ den sie hernach auch richtig erwischt und eingesperrt haben, hat damals schon die ausländischen Sender abgehorcht und hat erzählt, daß der Schämberlein⁴⁷ gesagt hat, der Hitler hat den Omnibus verpaßt und jetzt geht der Krieg erst an. Damals hat den Loderer ein jeder ausgelacht, aber ich habe mich noch erinnert, daß wir den Grey⁴⁸ damals, anno fünfzehn, auch bespöttelt haben, wie er das gleiche gesagt hat, und daß es dann so fürchterlich wahr geworden ist.

Im Herbst vierzig hat es viel Urlaub gegeben und auch der Benedikt ist heimgekommen. Ich muß sagen, es ist für einen alten Weltkriegsteilnehmer nicht leicht gewesen, sich neidlos zu freuen, und ich habe oft an die Veteranen vom Siebziger Krieg⁴⁹ denken müssen, die wir ja auch nicht ganz ernst genommen haben. Dabei ist der Benedikt, das muß man ihm lassen, stiller gewesen und friedfertiger, als wir gedacht haben. Den Jungen ist vielleicht selber unheimlich geworden bei ihren Siegen.⁵⁰ Aber freilich, erzählt haben sie genug, wie sie mit den Panzern durchgebrochen sind und wie von oben die

---

⁴⁴ *Datteln:* fogies
⁴⁵ *obwohl es ... hat:* although there was no more territory to be taken. (The figure here refers to the practice of sticking small national flags into a map to show troop positions and territories occupied.)
⁴⁶ *Loderer Georg:* cf. note 5, page 136
⁴⁷ *Schämberlein:* i.e. Neville Chamberlain, Prime Minister of England, 1937–40
⁴⁸ *Grey:* Edward Grey, English Foreign Minister, 1905–16
⁴⁹ *Siebziger Krieg:* The Franco-German War of 1870–71
⁵⁰ *Den Jungen ... Siegen:* The boys themselves began perhaps to feel uneasy in their victories

Flieger nachgeholfen haben. Trotzdem, wenn sie auch gesagt haben, mit solchen Waffen hätten wir es im Jahr vierzehn auch geschafft, es ist ein Stachel zurückgeblieben; denn daran ist nicht zum Drehen und Deuteln gewesen: [51] wir haben gesiegt und ihr nicht.

Wie der Krieg weitergehen soll, hat niemand gewußt, aber daß wir mit den Russen noch anfangen, haben manche vorausgesagt. Es ist ein große Gewörtel [52] gewesen am Biertisch, ob die Russen wirklich nichts taugen oder sich bloß verstellen und mauern wie beim Kartenspiel, damit sie uns zur rechten Zeit hereinlegen können. Wir haben nichts anderes zu hören gekriegt, als daß sie Untermenschen sind und nur von ihren Kommissaren [53] vergewaltigt werden und daß wir in fünf Wochen in Moskau stehen und in Petersburg [54] und dann jeder Bauernsohn sich einen Hof heraussuchen kann, so groß er ihn nur mag, in Polen oder in der Ukraine.[55]

Der Korbinian, der Vater, ist ein scharfer Politiker gewesen, aber die Russen hat er nicht gekannt. Er hat nicht geglaubt, daß die Jungen durch sie den Herrgott noch würden kennen lernen, wie er immer gewollt hat. Er hat zu mir gesagt, wenn wir allein gewesen sind, ob ichs denn nicht verstünde, daß das ein schlechtes Ende nehmen müßte, wenn die Buben aus dem Krieg heimkommen und haben bloß immer gesiegt, mit solchen lasse sich nicht hausen auf der Welt, ein Mensch, dem alles hinausgeht,[56] der wird unleidlich vor lauter Stolz und Besserwisserei. Sein eigner Großvater, hat er gesagt, hat ihm oft erzählt, wie froh er gewesen ist, daß anno siebzig doch auf Sedan noch die Loire gekommen ist,[57] sonst hätten sie

---

[51] *daran ist . . . gewesen:* there was no quibbling on that point
[52] *Gewörtel:* argument
[53] *Kommissaren:* Russian political officials
[54] *Petersburg:* Russian city on the Baltic Sea, now named Leningrad
[55] *Ukraine:* a large agricultural region in the southwestern part of Russia
[56] *dem alles hinausgeht:* who succeeds in everything
[57] *auf Sedan . . . ist:* after Sedan the Loire was still to come. (Sedan, a city in eastern France, was the location of a significant victory of the

überhaupt nicht gewußt, was ein Krieg ist. Ich habe ihn aber doch in mancher Schlinge gefangen, den Korbinian, und er hat mir gestehen müssen, daß es auch wegen dem ist, daß der Benedikt ganz klein werden muß und zu Kreuz kriechen [58] aus seiner Hoffart.

Es hat aber wirklich so hergeschaut, als ob es in Rußland nicht anders gehen sollte als in Frankreich. Die Panzer sind schon vor Moskau gestanden, und in der Illustrierten [59] ist zu sehen gewesen, wie die unsern mit den Scherenfernrohren [60] hineinschauen nach Petersburg. Da haben wir noch lang geglaubt, daß es in der Schnelligkeit vorwärts geht und unsere Zeitungen haben nichts andres geschrieben, als daß Rußland schon ganz morsch ist und daß wir schon die Fünfzehnjährigen fangen und die alten Männer, die nicht einmal mehr ein Gewehr haben.

Das ist vor Weihnachten gewesen, einundvierzig; und der Benedikt hat im November einen Streifschuß in den linken Arm gekriegt und ist, bevor er wieder hat hinausmüssen, etliche acht Tage in Urlaub gekommen. Da hat es dann zwischen Vater und Sohn den großen Streit gegeben, den ich meiner Lebtage nicht vergessen werde. Ich bin mit dem Penzenstadler auf einen Plausch [61] in der Stube gesessen, eigentlich nur im Vorbeigehen. Aber der Benedikt ist grad gut aufgelegt [62] gewesen und hat uns zu Ehren einen Schnaps herausgerückt, den er noch von Frankreich her daheim gehabt hat. Und mit dem Schnaps ist das Sticheln angegangen, im Spaß noch, versteht sich; denn der Vater hat seinen Vogelbeerschnaps, den er schon hat einschenken wollen, mit einem pfiffigen

---

Germans in February 1870. At the Loire River the German army, and particularly the Bavarian regiments, suffered great losses in the autumn of the same year.)
[58] *zu Kreuz kriechen:* humble himself
[59] *Illustrierten:* pictorial magazine
[60] *Scherenfernrohren:* stereo-telescopes
[61] *auf einen Plausch:* for a chat
[62] *gut aufgelegt:* in a good humor

Lächeln wieder zugestöpselt und hat gesagt, gegen einen so
feinen Sohn käme der stärkste Vater nicht auf, und seinerzeit
hätten die Soldaten im Weltkrieg keinen Schnaps aus Frankreich mit heimgebracht, sondern zerrissene Stiefel; vermutlich,
weil sie sich dümmer gestellt haben als die von neunzehnhundertvierzig.

Ich habe gleich gespannt,[63] wo er hinaus will, und habe gebremst, damit sie nicht hintereinander kommen. Wir sind
gerecht, habe ich gesagt, und tun deinem Schnaps die gleiche
Ehre an wie dem Franzosen. Und auf diese Weise haben wir
an dem Abend mehr getrunken, als sonst unter gestandenen
Männern der Brauch ist, bald da ein Glas und bald dort. Es
war soweit recht gemütlich, wir sind nur immer tiefer in die
Politik geraten: der Benedikt hat uns auseinandergesetzt, wie
sie jetzt bis zum Ural[64] vorstoßen wollen und daß wir dann
in der Ukraine so viel Brot haben, daß wirs nicht alles essen
können, und im Kaukasus[65] so viel Benzin, daß jeder in einem
Automobil fahren darf. Und daß wir ein Großdeutsches
Reich[66] kriegen müssen und lauter solches Zeug, wie sie es
ihm eingelernt haben bei den Soldaten.

Der Korbinian hat gesagt, daß wir das Großdeutsche Reich
noch nicht haben und daß er es auch gar nicht mag; was ihn
angeht, er hat das Kraut noch nicht verdaut, das sich die
Preußen anno vierzehn zu viel herausgenommen haben;[67]
und jetzt wollt ihr uns schon den zweiten Teller voll aufladen,
hat er gesagt, und einen Brocken ukrainisches Brot dazu, an
dem der deutsche Bauer ersticken muß.

Der Benedikt hat recht mitleidig gelächelt über so viel

---

[63] *Ich habe gleich gespannt:* I knew immediately
[64] *Ural:* mountain range in Russia, the natural boundary between Europe and Asia
[65] *Kaukasus:* the Caucasian mountain range in southeastern Russia, adjacent to an important oil-producing region
[66] *Großdeutsches Reich:* Pan-Germanic Empire
[67] *was ihn ... haben:* as far as he was concerned, he hadn't yet digested the sauerkraut which the Prussians had dished up too much of for themselves in '14

Hinterwäldlerei [68] und hat mit lauter Sprüchen aufgetrumpft, daß die Führung jetzt eine ganz andre ist und das Volk auch. Und der Korbinian, schon rot vor Zorn, ist aufgesprungen und hat geschrien, er sollte es nur frei heraussagen, was er sich sowieso denkt: und die Soldaten auch! Er hat gar keine Antwort abgewartet, sondern gleich weitergeredet: dann wünscht er ihm, dem Benedikt, daß er endlich einmal einen richtigen Krieg erlebt, damit ihm sein dummes Geschwätz vergeht und sein hochmütiges Lachen: ja, das wollte er noch erleben, daß sie heimkommen, die Jungen, und erzählen, wie es gewesen ist, und daß er, der Vater, dann zugeben müßte: das haben wir nicht mitgemacht, jetzt könnt *ihr* reden, jetzt sind wir still mit Verdun und mit der Somme und unserm ganzen windigen Weltkrieg, den wir verloren haben. Und wenn ihr dann noch Lust habt auf eure großen Höfe in der Ukraine, dann könnt ihr ja hinunterfahren mit dem vielen Benzin und uns kleine Gütler [69] daheim lassen und auslachen —wir sind's zufrieden.

Der Benedikt ist ganz blaß geworden, hat still sein Glas hingestellt und bloß gesagt: So, das wünschst du mir . . . und ist aus der Stube gegangen. Wir sind alle recht dasig [70] dagesessen, und dem Korbinian ist gar nicht wohl gewesen in dem eisigen Schweigen. Bevor aber der Penzenstadler oder ich was hätten sagen können, hat es geklopft und der Loderer ist hereingekommen mit einem ganzen Hut voller Neuigkeiten, ob wir es schon wüßten, daß es in Rußland stinkt; die unsern müßten zurück, das heißt, sie möchten gern, aber sie können nicht, weil sie zu Hunderten erfrieren im Schnee und von den Kosaken [71] zusammengehauen werden wie die Napoleonischen anno achtzehnhundertzwölf.[72] Ich habe ihm gleich das Maul

---

[68] *Hinterwäldlerei:* naïve backwoods philosophizing
[69] *kleine Gütler:* small landowners
[70] *dasig:* stupidly
[71] *Kosaken:* Cossacks, a people of the Russian steppes noted as warriors and horsemen
[72] *wie die . . . achtzehnhundertzwölf:* like the Napoleonic (armies) in 1812

verboten, wir wüßten schon, wo er seine trüben Weisheiten
her hat, aber der heillose Kerl hat nur immer wieder mit
neuen Hiobsbotschaften [73] aufgetrumpft, er hat ja auch nicht
wissen können, wie das den Korbinian getroffen hat, grad in
dem Augenblick.

   Der Sohn hat sich an dem Abend nicht mehr blicken lassen,
und der Vater ist ihm nicht nachgelaufen. Wir hätten noch
alles leidlich eingerenkt; denn ein böses Wort läßt sich wieder
gut machen, wenn es nicht das letzte ist. Ein unglücklicher
Zufall hats so gefügt, daß es das letzte hat sein sollen. Der
Korbinian ist den andern Tag in aller Früh nach auswärts
gefahren, und er ist noch keine Stunde aus dem Haus gewesen,
da hat der Bürgermeister einen Boten geschickt, der Benedikt
müßte sofort, noch vor den Feiertagen, zu seiner Truppe ein-
rücken. Da ist er aus dem Haus, in aller Stille, ohne Abschied,
und seitdem ist er nicht wiedergekommen.

   Es hat sich bald herausgestellt, [74] daß der Loderer recht
behalten hat, so ungern wir es gehört haben. Es ist plötzlich
der Aufruf gekommen, daß wir die Wintersachen sammeln
müssen für die frierenden Soldaten, und wer da nicht taub
war, hat es heraushören müssen, wie schlecht es steht und wie
sie bei uns alle den Kopf verloren haben. Sie haben ihn ja
dann wieder aufgesetzt,[75] trotziger als zuvor, aber der Glaube,
daß alles so tanzen muß, wie wir pfeifen, hat damals zu
wanken angefangen. Im Frühjahr sind dann die ersten Männer
aus den Lazaretten gekrochen, ohne Hand und Fuß, es waren
solche dabei, denen alle zwei Arme weggefroren waren, es
ist zum Erbarmen gewesen.[76] Sie haben erzählt von der großen
Kälte, die plötzlich hereingebrochen ist wie seit Menschengedenken nicht mehr, und ich habe mich an meinen Urgroßvater
erinnert, den ich als dreijähriger Bub [77] als einen Neunziger

---

[73] *Hiobsbotschaften:* Job's messages (i.e. bad news)
[74] *Es hat . . . herausgestellt:* It soon proved
[75] *Sie haben . . . aufgesetzt:* of course, they put it (the head) on again
[76] *es ist . . . gewesen:* it was pitiful
[77] *Bub: Bube,* boy

noch im Lehnstuhl habe sitzen gesehen. Er ist als blutjunger Trommler mit dem Napoleon nach Rußland gezogen, und wenn ihn einer gefragt hat, wie es gewesen ist, dann hat er bloß gesagt: kalt.

Der Benedikt hat ja das große Unglück nicht miterlebt; denn bis er wieder hinausgekommen ist, war das Ärgste vorbei, und die Unsern sind mit Macht durch die Ukraine gestoßen, bis in den Kaukasus und nach Stalingrad. Und die erste Warnung haben wir vergessen, auch wir daheim, und wie in der Erntezeit der Loderer gesagt hat, es kommen keine fünf von hundert mehr heim von denen, die jetzt so tief drin stehen in Rußland, da sind alle über ihn hergefallen und der Kneidl [78] hat ihn bei der Partei hingehängt [79]—hätte es auch nicht gebraucht—und er ist nachher verhandelt worden und sitzt heute noch; [80] ums Haar hätten sie ihn geköpft für etwas, das sechs, acht Wochen später die Spatzen von den Dächern gepfiffen haben; daß es schlecht herschaut in Stalingrad.

Das Stalingrad kenne ich recht gut; denn ich bin im Jahre sechzehn am Seret [81] gefangen und nach Sibirien [82] verschleppt worden. Da sind wir bei Zarizin, [83] so hat es damals noch geheißen, über die Wolga [84] gefahren worden, die so breit ist wie der obere See.

Der Benedikt ist nie ein großer Freund vom Schreiben gewesen, aber jetzt hat er schon gar nichts mehr hören lassen, als daß er noch lebt und daß es ihm gut geht. So gut kann es ihm aber nicht gegangen sein; denn der Penzenstadler Lukas, der gewiß keiner von den Frömmsten gewesen ist, hat seiner Mutter geschrieben, daß sie alle beten sollen für ihn, denn oft verzweifeln sie selber, ob sie die Heimat noch

---

[78] *Kneidl:* proper noun
[79] *hat ihn . . . hingehängt:* reported him to the Party (i.e. the Nazis; for listening to the foreign radio and saying pessimistic things)
[80] *sitzt heute noch:* is still sitting (in jail) today
[81] *Seret:* river in the Ukraine
[82] *Siberien:* Siberia
[83] *Zarizin:* a Russian city, now Stalingrad
[84] *Wolga:* the Volga River in Russia

einmal sehen dürfen. Der alte Penzenstadler hat den Brief dem Korbinian gezeigt, aber das hätte er besser bleiben lassen. Denn der Vater ist nur noch hintersinniger [85] geworden. An Weihnachten zweiundvierzig hat er seinen Trotz aufgegeben und hat von sich aus dem Benedikt geschrieben. Er hat seinen unseligen Wunsch zurückgenommen und hat den Sohn wissen lassen, daß er, der Vater, jetzt selber hat seinen Herrgott erkennen müssen. Aber er hat keine Antwort mehr gekriegt auf den Brief, und wer weiß, ob ihn der Benedikt überhaupt noch erhalten hat. Denn im Januar drauf ist das große Sterben angegangen in Stalingrad, und wir haben gelesen, daß sie nichts mehr zum essen haben und sich bloß noch mit dem Spaten wehren. Da haben wir uns geschämt, daß wir noch unsere warme Suppe gelöffelt haben und in den weichen Betten gelegen sind.

Der Penzenstadler Lukas ist, wie gesagt, mit einem Knieschuß als einer der Letzten noch herausgekommen und hat trübe Nachrichten mitgebracht, aber ein gutes Wort vom Benedikt an seinen Vater hat er nicht mitbringen können. Ich habe ihm ins Gewissen geredet, er soll halt in Gottes Namen was erfinden, was für den alten Mann ein Trost ist, aber er hat gesagt, daß er nicht lügen kann und daß ihm der Benedikt nie was dergleichen mitgeteilt hat, obwohl sie oft beisammen gewesen sind.

Der Korbinian hat sich auch gar nicht trösten lassen, er hat auf alles, was wir vorgebracht haben, bloß die eine Antwort gewußt, daß er's ja selber so wollen hat. Wenn man ihm gesagt hat, er solle sich nicht einbilden, daß ein vermessenes Wort für alle die Hunderttausend Kraft hat haben können, die da zu Grund gehen, dann hat er gemeint, die andern gingen ihn nichts an, aber mit dem Herrgott hätte jeder Mensch seine eigene Rechnung, und die seinige müßte er zahlen, er ganz allein. Und wenn wir ihm zugeredet haben, daß doch die meisten gefangen worden sind und schon noch

---

[85] *hintersinniger:* more depressed

heimkommen werden, dann hat er bloß den Kopf geschüttelt: je fester er an den Benedikt denkt, desto gewisser weiß er, daß er tot ist.

An Lichtmeß [86] ist Stalingrad gefallen, an Josephi [87] haben wir den Korbinian vom Türbalken geschnitten; sie haben daheim immer ein Auge auf ihn gehabt, aber daß er sich etwas antut, hätten sie nicht vermutet. Es hätte ihm ja auch niemand helfen können, denn wenn einer inwendig so krank ist, kann ihm keiner ein Wort sagen, das er nicht selber schon weiß.

Es ist eine traurige Sache, aber was ist nicht traurig jetzt? Und was das Schicksal mit uns allen noch vorhat, wissen wir nicht; daß es ein Frevel ist, wenn man ihm vorgreifen will, daß hat ja grade die Geschichte bewiesen, vom Vater und vom Sohn, die alle zwei brave Leute gewesen sind und doch ein schlimmes Ende gefunden haben—das heißt, wenn das überhaupt ein Ende war . . .

[86] *Lichtmeß:* Candlemas, a feast celebrated on February 2 in commemoration of the Purification of the Virgin Mary
[87] *Josephi:* Feast of St. Joseph, March 19

WOLFGANG HILDESHEIMER

Wolfgang Hildesheimer was born in Hamburg in 1916. He attended the humanistic gymnasium in Mannheim and the famous Odenwaldschule near Heppenheim. In 1933 he went to England and later to Palestine. Back in England in 1937, he studied at the London School of Arts and Crafts and at the London Academy of Art and designed sets and costumes for a London theater. When the war started in 1939, Hildesheimer returned to Palestine and was employed by the British Government in the Public Information Office and was made responsible for the English edition of a weekly magazine. To this periodical he contributed art and literary criticism and some poetry. During the war years exhibitions of his art work were held in Tel Aviv and Jerusalem. In 1946 he returned to London and soon thereafter got a position as a simultaneous translator at the Nürenberg trials of Nazi war criminals. He remained in Nürenberg until 1949, then went to live on the Starnberger See near Munich, where he intended to continue his work as a painter. In 1950, however, he quite suddenly gave up his career in art and turned to one in literature. His stories have appeared in such publications as *Die*

Süddeutsche Zeitung, Die Neue Zeitung, and *Die Welt,* and he has written scripts for a number of radio programs.

Das Gastspiel des Versicherungsagenten, the humorous anecdote which follows, is taken from Hildesheimer's first published volume of stories, *Lieblose Legenden* (1952), a collection of satirical comments on the foibles of contemporary society, on the façade behind which we like to hide, and on some of our pet "hobby horses."

DAS GASTSPIEL DES VERSICHERUNGSAGENTEN

von Wolfgang Hildesheimer

WER jemals den Pianisten Frantisek Hrdla gehört hat, wird diesen ungeheuren Eindruck niemals vergessen (selbst wenn er es versucht). Auf Grund seines hinreißenden Temperaments und seiner virtuosen Technik haben ihn die großen Kritiker des Jahrhunderts mit Anton Rubinstein [1] verglichen, und Eduard Watznik, der Nestor [2] der Musikschriftsteller—er ist heute 104 Jahre alt—hat einmal ausgerufen: „Schließt man die Augen, so vermeint man, Liszt [3] zu lauschen!" In London und Kairo,

[1] *Anton Rubinstein:* famous Russian piano virtuoso and composer (1820–94)
[2] *Nestor:* an aged wise counselor (in the *Iliad*)
[3] *Liszt:* Franz Liszt (1811–86), famous Hungarian pianist and composer

Paris und Williamsburgh (Pa.), überall braust diesem Gottbegnadeten frenetischer Beifall entgegen, sobald sein letzter Ton verklungen ist. Dann erhebt er sich langsam, völlig verausgabt, aber bescheiden: ein Diener nur am Werke des Komponisten. Er verbeugt sich tief, wobei, wie man sagt, ein müdes Lächeln um seine Mundwinkel spielt. Ein echter Künstler, denkt der unbefangene Konzertbesucher, ein Lieblingskind der Musen![4] Nur einige wenige, darunter ich, sein Jugendfreund, wissen um seine Tragik, die Ursache seines müden Lächelns: Hrdla ist ein verhinderter Versicherungsagent.

Frantisek Maria Hrdla entstammt einer Musikerfamilie. Sein Vater war ein gesuchter Musikpädagoge, der sich durch seine Bearbeitung der Klassiker[5] zu vier Händen große Verdienste erworben hat. (Seine eigenen Symphonien sind allerdings heute vergessen.) Seine Mutter war eine Tochter des Johann Nepomuk Hummel,[6] stand aber als Harfenistin auf durchaus eigenem Boden.[7]

Der kleine Frantisek wurde—kaum der Wiege entwachsen—auf den Klavierschemel gesetzt, hatte bereits im Alter von vier Jahren den „fröhlichen Landmann"[8] hinter sich, und vier Jahre später konnten ihm die Samthöschen des Wunderkindes angemessen werden. Diese beängstigende Entwicklung wurde plötzlich zum Stehen gebracht: durch einen Zufall lernte der junge Frantisek einen Versicherungsagenten kennen, der in dem Zehnjährigen ein tiefes Interesse für das Versicherungswesen wachzurufen verstand.

Nun begann der Konflikt, dessen Ausmaße nur derjenige Leser überblicken kann, dessen eigenes Jugendschicksal der

---

[4] *Musen:* Muses, the Greek goddesses of the arts and sciences
[5] *Klassiker:* classical composers
[6] *Hummel:* here a proper name; the common noun means "bumble-bee"
[7] *stand aber . . . Boden:* was, however, a harpist completely in her own right
[8] *den „fröhlichen Landmann":* "The Happy Farmer", a well-known beginner's piece by Schumann

DAS GASTSPIEL DES VERSICHERUNGSAGENTEN 153

Kampf um ein fernes Ideal gegen einen verständnislosen und unerbittlichen Vater war. Nicht ohne tiefe Anteilnahme vergegenwärtigt man sich die zermürbenden Schuldgefühle des jungen Menschen, der sich heimlich mit Agenten und Statistikern treffen mußte, da der allzu gestrenge Vater ihm den Verkehr mit Vertretern solcher Gewerbe untersagt hatte. Und dennoch: wie Frantisek mir später einmal gestanden hat, gehört die Zeit, zu der er nachts unter der Bettdecke Baumgartners „Gerichtspraxis in Versicherungssachen" [9] las und seinen eigenen—übrigens recht hübschen—Versuch „Kapitalreserve und Umlagesystem" [10] schrieb, zu den glücklichsten Perioden seines Lebens.

Aber kein Mensch mit wirklicher Sensibilität hält eine solche dauernde Anforderung an seine Widerstandskraft aus. Besiegt und entmutigt mußte sich der junge Frantisek seinem Schicksal fügen und trat nun seinen Triumphzug durch die musikalische Welt an, auf dem er bis heute nichts als Lorbeeren geerntet hat. Hat er seine geheime Sehnsucht aufgegeben? Gemeinsame Freunde versichern mir von Zeit zu Zeit, daß er noch immer mit dem Versicherungswesen liebäugle.[11]

Gestern habe ich den von einer Auslandstournee [12] Heimgekehrten zum erstenmal seit Jahren wieder gehört: er spielte das neunte Klavierkonzert von Malinczewsky, welches ebenso wie die vorhergehenden acht Konzerte Hrdla gewidmet ist. Er spielte so göttlich, daß wildfremde Menschen sich die Hände schüttelten und selbst mir hartgesottenem Sachverständigen die Träne aus dem Auge trat.

In der Pause vor der Eroika [13] bahnte ich mir mit meinem Regenschirm den Weg durch die Autogrammjäger [14] zu Hrdlas

[9] „*Gerichtspraxis in Versicherungssachen*": "Practice of the Courts in Matters concerning Insurance"
[10] „*Kapitalreserve und Umlagesystem*": "Capital Reserve and the System of Tax Assessment"
[11] *mit dem Versicherungswesen liebäugle:* flirts with insurance affairs
[12] *Auslandstournee:* guest tour abroad
[13] *Eroika:* Beethoven's Third Symphony
[14] *Autogrammjäger:* autograph hunters

Ankleidezimmer. Er saß müde und abgekämpft zwischen Lorbeeren und sah aus, als habe er einen faden Geschmack im Mund. Ich küßte ihn auf beide Wangen und sagte, sein Spiel sei eine Offenbarung gewesen. Nur so, rief ich aufgeregt, dürfe man Malinczewsky spielen. Es sei Unsinn, zu behaupten, dieser Komponist verlange kein Rubato [15] und keinen Tempowechsel. Der karge Anschlag der sogenannten sachlichen Pianistenschule . . .

Aber er hörte mir nicht zu, sondern sah mich von der Seite an. War es der lauernde Blick des Versicherungsagenten auf ein neues Risiko? [16]

Ein wenig verwirrt redete ich weiter über die seltene Kombination von brillanter Technik und wahrem Ausdruck; es ließ ihn kalt.

Ich hatte das Gefühl, in den Wind geredet zu haben und stand auf, schüttelte ihm nochmals die Hand und wollte mich entfernen, um dem wachsenden Ansturm der Autogrammsammler freie Bahn zu geben. Da fragte er mit behutsamer Gelassenheit: „Sag mal, mein Lieber, bist du eigentlich versichert?"

Etwas heiser gab ich zu, daß ich es nicht sei.

Seine Augen leuchteten auf; er wurde wach und aufgeregt. Mit einem Sprung war er beim Tisch und entnahm der Schublade einige Policen: [17] bevor ich Eroika sagen konnte, hatte er mich gegen Mord, Unfall, Hagel und Nebel und alles, gegen was man versichert sein kann, versichert. Ich werde es nie vergessen: seine großartige Rednerkunst und sein warmes Pathos kamen tatsächlich der ursprünglichen Kraft seiner Pianistik gleich. Ich war erschüttert (-und versichert).

Die unterschriebene Police in der Hand, verabschiedete ich mich. Er rief mir nach: „Schicke die Autogrammsammler zu

---

[15] *Rubato:* a musical tempo in which some notes are shortened so that others can be lengthened
[16] *Risiko:* risk (insurance)
[17] *Policen:* policies (insurance)

mir!" und zog einen dicken Stoß Papiere aus der Schublade. Er hatte Blut geleckt.

Ein seltsamer Mensch, dachte ich während der Eroika, wahrhaftig eine Doppelbegabung von nicht alltäglichen Ausmaßen.

FRIEDRICH TORBERG

Friedrich Torberg, who is now living in Vienna, where he was born in 1908, is an editor of *Forum,* one of the leading cultural periodicals of Europe. Torberg lived and studied in the city of his birth and in Prague until 1938, when he migrated, because of the political situation, to Switzerland. He served as a volunteer in the Czechoslovakian divisions of the French Army until the fall of France in 1940, at which time he was able to escape to the United States. He lived in Los Angeles and New York during the rest of World War II and became an American citizen, but as soon as the war was over he returned to Europe. Upon his return he was employed as a foreign correspondent and editor and achieved considerable reputation as an essayist and theater critic.

The author of three novels as well as a volume of poetry, all of which appeared before the war, he has since written a *Novelle, Mein ist die Rache* (written 1943, published 1947), and a novel, *Hier bin ich, mein Vater* (1948). Both of these stories have as their background the problem of his Jewish people under the Hitler regime. In 1950 he published *Die zweite Begegnung,* the story of a political emigrant of 1939 who returns to his native Prague after the Communists have taken over in 1948. Torberg has also written many articles and essays on the problems of political emigration and its literature.

Nichts leichter als das, the story which follows, is an acute study of the psychological pressures which are exerted on a person who is fighting underground for the freedom of his country. The story made its first appearance in the anthology of twentieth-century stories, *Unsere Zeit* (1956), edited by Hermann Kesten.

NICHTS LEICHTER ALS DAS

von Friedrich Torberg

Schon mehrmals an diesem Abend hatten wir bemerkt, daß Dr. M. mit einer sonderbar fahrigen Handbewegung an eine seiner Anzugtaschen griff, von außen her, manchmal auch mit beiden Händen nach zwei Taschen zugleich—als wollte er einem bestimmten Gegenstand nachspüren, den er zu verlieren fürchtete. Offenbar fehlte ihm nichts, denn er begnügte sich immer mit einem kurzen Betasten der Tasche oder der Taschen, und diese in Abständen sich wiederholende Gebärde kam manchmal fast einem Zucken gleich,[1] einem nervösen Tick, wie man ihn oft genug zurückbehält, wenn man längere Zeit unter Druck gelebt hat. Tatsächlich war Dr. M. erst wenige Wochen zuvor, im Oktober 1948, als politischer Flüchtling aus Prag[2] nach Paris gekommen, hatte also in seiner Heimat noch die Anfangsperiode des kommunistichen Regimes[3] mitgemacht—und das mußte für ihn, den sozialdemokratischen Abgeordneten und scharf antitotalitären Publizisten,[4] eine ständige Gefährdung und Anspannung bedeutet haben. Es ließ sich gut denken,[5] daß ihm da noch ein unfreiwilliges Merkzeichen des kaum überstandenen Drangsals anhaftete, und wir vermieden es, ihn danach zu fragen.

Im weiteren Verlauf des Abends erwies sich, daß wir falsch spekuliert hatten. Ich sage „wir", weil ich ganz gewiß nicht der einzige war, der diesen Spekulationen oblag:[6] bestand doch das Gros[7] der Gesellschaft, einschließlich unsres Gastgebers, aus Mitteleuropäern, die irgendwann einmal—manche sogar zweimal oder dreimal—durch Ähnliches hindurchgegangen waren wie Dr. M. Und ich nenne unsre Spekulationen „falsch", obwohl sie zum Schluß, auf seltsam umwegige Art, doch wieder zutrafen.

Dr. M. hatte gerade wieder mit beiden Händen und nachdrücklicher als sonst seine äußeren Rocktaschen befühlt, als der Blick der sehr charmanten Hausfrau auf ihn fiel; und da sie unter keinen europäischen Hemmungen litt—sie war Amerikanerin und hatte den Wiener[8] Konzertpianisten, in

---

[1] *kam manchmal . . . gleich:* sometimes seemed almost to be equivalent to a twitching

[2] *Prag:* Prague, capital of Czechoslovakia

[3] *kommunistischen Regimes:* Communist regime (At the end of World War II, Russian forces occupied Czechoslovakia and fostered the establishment of a communist government.)

[4] *Publizisten:* journalist

[5] *Es ließ . . . denken:* It could easily be imagined

[6] *der diesen Spekulationen oblag:* who occupied himself with these speculations

[7] *Gros:* majority

[8] *Wiener:* Viennese

dessen Pariser Hotelzimmer wir zu Gast waren, drüben in Los Angeles kennengelernt und geheiratet—, fragte sie Dr. M. rundheraus ob er etwas suche.

Betreten und sichtlich verwirrt durch die plötzliche Stille (die mir als weiterer Beweis gelten durfte, daß sein vermeintlicher Tick auch den andern aufgefallen war), stotterte Dr. M. das Geständnis hervor: ja—allerdings—er habe sein Taschentuch vergessen—und wenn es nicht zuviel verlangt wäre—

„Nichts leichter als das!"

Mit diesen Worten hatte lächelnd und gewandt unsre Gastgeberin das weiße Taschentuch hervorgezupft, das ihr Gatte in der äußeren Brusttasche seines Smokings [9] trug, und warf es mit fröhlichem „Hopp!" Dr. M. in den Schoß, unbekümmert um seine Betretenheit und unbekümmert um die Stille, die immer noch anhielt.

„Nichts leichter als das", wiederholte Dr. M. „Das sagen Sie so."

Wir alle hörten es, und uns allen fiel seine tonlos bedrückte Stimme auf; jetzt schwiegen wir, weil wir eine Fortsetzung erwarteten.

Dr. M. schien nichts dergleichen im Sinn zu haben. Sein Blick war abgeglitten, das Taschentuch in seinem Schoß lag unberührt.

„He! Ist etwas los?" Amerikanerinnen werden von Atmosphäre oder derlei nicht so geschwind überwältigt. „Und putzen Sie sich schon endlich die Nase, Doktor!"

Der eilfertige Gehorsam, mit dem Dr. M. diesem Auftrag nachkam, bewirkte tatsächlich Entspannung und Belebung ringsum.

„Gleich morgen lasse ich es waschen und bringe es Ihnen zurück."

„Ich bitte Sie!" [10] Diesmal war es der Hausherr, der ihn

---

[9] *Smokings:* dinner-jacket
[10] *Ich bitte Sie:* Please don't think of it

zurechtwies. „Machen Sie doch aus so einem lächerlichen Taschentuch keine Affäre."

„Würden Sie glauben"—(langsam, beinahe zaudernd steckte Dr. M. das Taschentuch zu sich)—„würden Sie glauben, daß so ein lächerliches Taschentuch zu einer Frage von Tod oder Leben werden kann?"

„Hitchcock!"[11] Die Dame des Hauses konnte ihre Hollywooder Herkunft nicht verleugnen. „Das wäre etwas für einen Hitchcock-Film! Mann in dunklem Zimmer versteckt—hat kein Taschentuch—muß niesen—Entdeckung—wie?"

In dem Lächeln, mit dem Dr. M. ihr zunickte, mischten sich Nachsicht und Ironie.

„Stimmt. Bis auf das Niesen stimmt alles. Ich war in einem dunklen Zimmer versteckt, ich hatte kein Taschentuch, und die Entdeckung—" Mitten im Satz brach er ab, seine Augen hinter den dicken Brillengläsern schlossen sich für ein paar Sekunden, und er holte tief und hörbar Atem.

„Es war kein Hitchcock-Film, gnädige Frau. Es war das Leben—besser gesagt: die Wirklichkeit. Denn was damals in Prag vor sich ging, hatte mit Leben wenig zu tun—mit Leben, wie Sie, gnädige Frau, es kennen."

Er machte im Sitzen eine konziliante und zugleich gehässige Verbeugung gegen die Angeredete, die mit einem komischen Seufzer darauf reagierte; sie mochte es gewohnt sein, von Europäern ein wenig herablassend und vorwurfsvoll darüber belehrt zu werden, daß ihr das Schicksal eine bestimmte Art von Lebenserfahrungen erspart hatte.

„O mein Gott", seufzte sie. „Ich weiß es ja . . . Wollen Sie *noch* ein Taschentuch oder verzeihen Sie mir auch so?"

Dr. M. wurde knallrot.

„Nein—bitte—*ich* muß um Verzeihung bitten—wirklich—"

---

[11] *Hitchcock:* Alfred Hitchcock, noted producer of suspense and mystery films

„Sie müssen weitersprechen, das ist alles. Also. Sie hatten sich versteckt?"

„Kaum daß die Kommunisten zur Macht gekommen waren. Noch am selben Tag. Ich war ein toter Mann, wenn ich in ihre Hände fiele. Das hatten sie mir während der ganzen langen Kampfzeit, die ihrem Putsch [12] vorangegangen war, oft genug in Aussicht gestellt. Und sie meinten es ernst."

„Aber wenn Sie das wußten, Doktor—warum haben Sie's darauf ankommen lassen? [13] Warum haben Sie so lange gewartet? Sie als Berufspolitiker hätten die Dinge doch richtig beurteilen müssen?"

Abermals war es unsre Gastgeberin, die fragte, und es klang abermals so, als hätte sie Fragen solcher Art schon oft gestellt, ohne jemals eine befriedigende Antwort zu bekommen.

Merkwürdigerweise wirkte ihre Wißbegier weder dümmlich noch herausfordernd. Auch Dr. M. schien sie als durchaus berechtigt zu empfinden. Er hob nachdenklich die Schultern.

„Offenbar bin ich nicht nur Berufspolitiker. Offenbar steckt in mir—wie in allen von uns, die wir beruflich irgendwie mit der Politik zu tun haben—noch etwas von einem Dilettanten. Man könnte statt Dilettant auch Amateur sagen—das klingt netter und paßt besser. Amateur heißt eigentlich Liebhaber, nicht wahr. Als Professional wußte ich ganz genau, wieviel es geschlagen hatte.[14] Als Liebhaber wollte ich es nicht wahrhaben." [15]

„Als Liebhaber wessen? Der Politik?"

„Ganz und gar nicht, gnädige Frau. Als Liebhaber—wenn Sie so wollen—meines Vaterlandes, das sich ja schließlich in der gleichen Situation befand wie ich. Wir schwebten sozu-

---

[12] *Putsch:* political uprising and forceful taking over of governmental power
[13] *warum haben . . . lassen:* why did you take a chance on it?
[14] *wieviel es geschlagen hatte:* how late it was, what the score was
[15] *wahrhaben:* admit

sagen beide in Lebensgefahr. Und solange ich blieb, konnte ich meinem Vaterland vielleicht noch helfen, die Lebensgefahr zu überwinden. Ich sage: vielleicht. Denn Sie sollen nicht glauben, daß ich mich überschätze oder daß ich mir eingebildet hätte, ich könnte meinem Vaterland etwa dadurch helfen, daß ich ihm mein Leben zum Opfer brächte. Ich liebe mein Vaterland sehr, und ich liebe das Leben. Aber ich liebe weder das eine noch das andre bedingungslos, nein, das nicht. Das Leben als solches, und das Leben im Vaterland erst recht, scheint mir nur unter ganz bestimmten Bedingungen lebenswert. Und diese Bedingungen—das wird Ihnen vielleicht unglaubhaft vorkommen, gnädige Frau, aber fast alle unsre Freunde hier können es Ihnen bestätigen—diese Bedingungen sind selbst in einer so katastrophal zugespitzten Situation,[16] wie es damals die meine und die meines Vaterlandes war, bis zum letzten Augenblick gegeben. Bis zum letzten Augenblick vor der Katastrophe. Selbst wenn man die Dinge noch so richtig beurteilt und um die Folgen der Katastrophe noch so genau Bescheid weiß—bis zum letzten, bis zum allerletzten Augenblick hält man sich an die immer noch gegebenen Bedingungen des lebenswerten Lebens. Solange es mir möglich ist, zu gehen wohin ich will—aufzustehen wann es mir paßt— zu sprechen mit wem es mir beliebt—: solange glaube ich nicht daran, daß mir das alles von einem Augenblick zum andern unmöglich sein sollte. Es wird aber tatsächlich von einem Augenblick zum andern unmöglich. Obwohl er niemals genau feststellbar ist, dieser Augenblick. So wenig wie der Augenblick des Einschlafens, oder der Augenblick, in dem man sich in eine Frau verliebt. Man ist dann eben ganz plötzlich eingeschlafen—oder verliebt—oder nicht mehr in der Lage, nach eigenem Wunsch zu gehen und aufzustehen und zu sprechen. Noch gestern, noch vor wenigen Stunden, noch vor ein paar Augenblicken hatte man die Wahl, dies

---

[16] *in einer ... Situation:* in a situation which had become so catastrophically critical

zu tun oder jenes—beispielsweise: zuhause zu übernachten oder bei einem Freund. Und jetzt, ganz plötzlich, kann man weder das eine noch das andre. Ganz plötzlich läutet in dem kleinen Vorstadt-Café, wo man an diesem Tag mit den Oppositionsführern zusammentraf—gewiß, es war gefährlich, sie zu treffen, aber man traf sie noch—gewiß, man mußte für jeden Tag einen andern Treffpunkt festsetzen, aber man setzte ihn noch fest—und plötzlich läutet das Telefon—die Stimme am andern Ende sagt: ‚Hier die Sportredaktion,[17] wir haben gerade die Aufstellung bekommen, Svoboda [18] spielt nicht'—und da weiß man alles, und weiß, daß mit diesem Augenblick ein andres Leben begonnen hat. Und keine einzige von den Bedingungen, die das Leben lebenswert machen, ist jetzt noch gegeben. Keine einzige mehr.

Seien Sie unbesorgt. Ich werde Ihnen jetzt nichts von ‚Freiheit' und ‚Demokratie' erzählen. Ich werde so rasch wie möglich auf unser Taschentuch zu sprechen kommen. Und wenn Sie gestatten, werde ich der Beschleunigung halber die Details der Vorgeschichte übergehen. Es sind ohnedies immer die gleichen. Wer jemals politisch verfolgt war, dem sind sie selbstverständlich—und wer niemals politisch verfolgt war, dem sind sie unverständlich; der kann sich zur Not noch vorstellen, daß man von einem Augenblick zum andern in einem Versteck untertauchen muß—aber *wie* man das macht, von was für läppischen Kleinigkeiten es abhängt, und mit welcher Übergangslosigkeit [19] man in die neu geschaffene Situation hineinwächst: das stellt sich niemand, dem es nicht selbst widerfahren ist, richtig vor. Eh man sich dessen versieht,[20] hat sich's auch schon vollzogen und hat seine eigenen Gesetze etabliert, die man so fraglos anerkennt, als wäre man längst mit ihnen vertraut.

Das Zimmer, in dem ich für die erste Zeit untertauchte—

---

[17] *Hier die Sportredaktion:* This is the sport editor's office
[18] *Svoboda:* a proper noun
[19] *Übergangslosigkeit:* lack of a period of transition
[20] *Eh man sich dessen versieht:* Before you know it

ohne zu wissen, wie lange diese erste Zeit dauern würde—, befand sich in einem kurz zuvor fertiggestellten Neubau, nahe dem Moldaukai,[21] einem Geschäftsgebäude von sieben Stockwerken. Es waren noch nicht einmal alle Räumlichkeiten in Gebrauch genommen worden, und die des letzten Stockwerks waren noch nicht einmal eingerichtet. Zum größeren Teil sollten sie später einmal als Magazine [22] verwendet werden, zum geringeren als Wohnräume für das Verwaltungspersonal des Hauses, für Liftboys, Nachtwächter und dergleichen. Auch Toiletten und Duschräume gab es dort oben, eine Küche, eine Kantine für die Angestellten der im Hause untergebrachten Firmen—es war ein weitläufiges Areal, wenn auch, zu meinem Glück, nicht sehr übersichtlich angelegt.[23] So hatte etwa das Zimmer, das mir als Versteck diente, keine Türe zum Hauptkorridor. Es lag eingewinkelt zwischen Küche und Duschenraum, und man mußte genaue Ortskenntnis besitzen, um es von einem kleinen Nebengang zu erreichen. Das Zimmer bestand aus Fußboden, vier Wänden und einer schrägen Decke mit Oberlichtfenster. Sonst enthielt es nichts, absolut nichts. Eine elektrische Leitung war gelegt, war aber—ebenso wie Küche und Kantine—noch nicht in Betrieb. Nur die Duschen funktionierten bereits. Die Duschen und der Lift. Der durfte mir allerdings gleichgültig sein, denn ich würde das Haus nicht so bald verlassen können—das hatte mir mein Betreuer nachdrücklich zu verstehen gegeben. Mein Betreuer, damit Sie auch das noch wissen, war Setzer in der Druckerei unsres Parteiblattes, ein alter sozialdemokratischer Gewerkschaftler namens Stepan, Vertrauensmann der Betriebsleitung und mir aus zwei Jahrzehnten gemeinsamer Arbeit treu ergeben—einer vom alten Schlag,[24] der sich schon im ersten Weltkrieg

---

[21] *Moldaukai:* Moldau quay (Prague is on the Moldau River)
[22] *Magazine:* storage room
[23] *nicht sehr übersichtlich angelegt:* not laid out in a way immediately clear to the eye
[24] *vom alten Schlag:* of the old stamp

genauso bewährt hatte wie unter den Nazi [25] und wie er sich jetzt unter den Kommunisten bewähren würde. Der alte Stepan besaß einen noch älteren Onkel, dem er den Portiersposten in diesem Gebäude zugeschanzt hatte, und dafür hatte der Onkel sich nun bereit erklärt, mich dort oben verschwinden zu lassen—kein geringer Entschluß für einen alten, furchtsamen Mann. Daß er von der ganzen Sache weiter nichts wissen wollte, mußten Stepan und ich ihm nicht nur zubilligen, sondern wir mußten uns auch sehr strikt danach richten: ich, indem ich mich vollkommen unsichtbar machte, und Stepan, indem er für die Verbindung mit mir auch nicht die allergeringste Hilfe von seiten des alten Mannes in Anspruch nahm.[26]

Auf diese Weise ergab es sich, daß ich Stepan erst in der dritten Nacht wiedersah—in der ersten Nacht hatte er mich beim Einbruch der Dunkelheit in mein Versteck gebracht und mich sofort wieder verlassen, es gab ja für ihn eine Menge andrer Dinge zu tun, und fast noch höher als die Rettung selbst rechne ich es ihm an, daß er nach zehn Minuten wiederkam, um mir außer einer alten, zerschlissenen Decke, die er vermutlich seinem Onkel weggenommen hatte, auch noch Zigaretten zu bringen und ein Paket klug ausgewählter Eßwaren, mit denen ich mich mindestens zwei Tage lang verköstigen konnte. Zündhölzer hatte ich selbst, Wasser hatte ich nebenan im Duschenraum—ich hatte also alles, was ich für die unmittelbare Zukunft brauchte.

Alles: bis auf ein Taschentuch. Ob ich am Morgen eines zu mir gesteckt und es dann verloren hatte, und wann, oder ob ich schon den ganzen Tag ohne Taschentuch herumgelaufen war—Gott allein weiß es. Seit Beginn der Woche hatte ich nicht mehr zuhause übernachtet, sondern abwechselnd bei

---

[25] *Nazi:* popular name of the Nationalsozialistische Deutsche Arbeiterpartei (NSDAP), the party of Adolf Hitler
[26] *in Anspruch nahm:* laying claim to

zwei Freunden—die Wohnung des einen, der meinen kleinen Handkoffer aufbewahrte, lag zu weit von der Stadt, als daß ich sie in den Nachmittagsstunden noch hätte aufsuchen können—und dann: wer dachte im Verlauf eines solchen Tags an Taschentücher? Ich jedenfalls nicht. Erst jetzt, da ich im hoffnungslosen Dunkel dieser leeren vier Wände allein war, merkte ich, daß ich kein Taschentuch hatte.

Ich merkte es nicht sogleich. Während ich meine wirr durcheinanderflatternden Gedanken zu ordnen versuchte und unablässig im dunklen Zimmer auf und ab ging, muß ich wohl mehrmals in die Tasche gegriffen haben, in der ich mein Taschentuch zu tragen pflege, ehe mich ihre Leere zum ersten Mal stutzig machte.[27] Ganz genau entsinne ich mich, wie ich plötzlich stehenblieb und tief in diese Tasche hineingriff—dann in eine andre, in der ich es noch zu finden hoffte—und dann, nacheinander, in alle Taschen meines Anzugs, immer schneller, immer zappliger, zwischendurch auch einmal gründlich und in Ruhe, dann wieder gleichzeitig mit beiden Händen—im ganzen vielleicht fünf oder sechs Mal. Und dann erst kam es mir zum Bewußtsein. Ich hatte kein Taschentuch.

Nein, so richtig zum Bewußtsein war es mir auch dann noch nicht gekommen. Ich nahm es zur Kenntnis,[28] ich ärgerte mich, ich lachte laut auf, um meinem Ärger Luft zu machen—aber was es eigentlich bedeutet, kein Taschentuch zu haben, wußte ich noch immer nicht.

Bitte halten Sie mich jetzt nicht für zimperlich. Ich bin ein recht bedürfnisloser Mensch, und ich kann mich an mißliche äußere Umstände rasch adaptieren. Als die Nazi meine Heimat besetzt hielten[29] und mich in Haft nahmen, fand ich mich unter den neuen Lebensbedingungen des Konzentrationslagers sehr bald zurecht und wußte mir meinen Schlaf-

---

[27] *ehe mich . . . machte:* before its emptiness startled me for the first time
[28] *Ich nahm es zur Kenntnis:* I took cognizance of it
[29] *Als die . . . hielten:* When the Nazis occupied my home (land). The Germans occupied Czechoslovakia in 1939.

NICHTS LEICHTER ALS DAS 167

platz in der Baracke beinahe behaglich einzurichten. Übrigens
—doch das ist wirklich nur ein Zufall—war es ein Taschentuch, aus dem die ganze Behaglichkeit bestand. Ich hatte es
am Kopfende meines Strohsacks über das Pritschenholz ge-
breitet, benützte es als Unterlage für Blechnapf und Löffel,
ordnete nachts den spärlichen Inhalt meiner Taschen darauf—
es war eine Art Privatnische, ein Refugium von zwanzig Zenti-
metern im Quadrat, das ich als Eßzimmer und Nachttisch
und, kurzum, als den Rest eines sozusagen normalen Daseins
betrachtete. Niemals während meiner ganzen Haft habe ich
dieses Taschentuch als Taschentuch verwendet (dazu besaß
ich zwei andre). Es hat mir sehr geholfen, den vielfältigen
Bedrohungen des Gefangenenlebens zu widerstehen. Es hat
mir sehr geholfen, ein Mensch zu bleiben.

Jetzt, in jenem nachtdunklen Dachgemach, empfand ich
den Mangel eines Taschentuchs auch wirklich und in erster
Linie als Attacke auf meine Menschenwürde. Erlassen Sie mir
und sich die Schilderung, wie ich durch die finstern Korridore
tappte—ich hätte aus Furcht vor dem Entdecktwerden selbst
dann kein Licht gemacht, wenn ich es zu finden gewußt
hätte—, wie ich in den hämisch blanken Räumlichkeiten, in
Küche und Kantine und Toiletten, vergebens nach irgendeinem Tuch, nach einem Stückchen Papier suchte—und mich
schließlich damit abzufinden begann, daß [30] ich auf Stepans
Wiederkehr warten mußte.

Nun dürfen Sie sich das anderseits nicht etwa so vorstellen,
als hätte ich immer nur an dieses alberne Taschentuch gedacht. Mein Kopf war voll von Sorgen und Mutmaßungen
über das, was draußen vorging, voll von Gedanken und
Plänen für die Zukunft—die sehr wichtigen Dokumente, die
ich bei mir hatte, gaben mir untertags [31] reichlich Beschäftigung, und allmählich fiel mir der Mangel eines Taschentuchs

---

[30] *mich schließlich . . . daß:* finally began to adjust myself to (the fact) that

[31] *untertags:* during the daytime

nur noch auf, wenn ich es tatsächlich gebrauchen sollte; dann allerdings mit unverminderter Pein, und um so heftiger gab ich mich dann wieder meinen andern Sorgen hin. Sie bezogen sich auf alles mögliche, nur nicht darauf, wie und wann meine eigene Lage sich ändern würde. Ich hatte während der Nazizeit genügend Erfahrung gesammelt, um zu wissen, daß es in solcher Lage völlig sinnlos war, sich gerade mit dem Unmittelbaren und Nächstliegenden zu beschäftigen oder gar Aktionen zu erwägen, über deren Durchführbarkeit doch nur draußen entschieden wurde, von den noch aktionsfähigen Freunden. Auf die mußte ich mich verlassen und mußte ihnen die Hilfe, die sie mir bringen würden, nach Möglichkeit erleichtern: indem ich nichts tat, was mich—und damit auch sie—gefährden könnte, nichts, was ihren Instruktionen oder den selbstverständlichen Geboten der Vernunft und der Erfahrung zuwiderliefe.

Am dritten Abend, kurz nach Büroschluß—mein Gehör vermochte die von draußen kommenden Geräusche schon recht gut zu unterscheiden und zu deuten, so daß ich auch das Geräusch des sich leerenden Hauses sofort erkannte—, am dritten Abend kam Stepan, und während ich ihm auf das vereinbarte Klopfzeichen die von innen versperrte Türe aufschloß, merkte ich, daß meine Hand vor Erregung zitterte. Nun war das ja unter den gegebenen Umständen nicht verwunderlich; aber ich schämte mich doch ein wenig vor Stepan und gab mir Mühe, möglichst ruhig zu erscheinen. Deshalb stellte ich ihm zunächst keine Fragen, sondern ließ ihn nach eigenem Plan berichten—wobei ich gewiß sein durfte, daß der alte Stepan schon von sich aus nur auf die wesentlichen und für mich bedeutungsvollen Dinge zu sprechen käme. Tatsächlich erfuhr ich beinahe alles, was ich von ihm zu erfahren gehofft hatte, bekam auch die nötigen Instruktionen für meinen demnächst aufzunehmenden Kontakt mit einer unsrer Widerstandsgruppen, wurde über persönliche Schicksale unterrichtet, die mich besonders interessierten—und war überglücklich, als

Stepan, statt mir ein paar Erkundigungen allgemeiner Art zu beantworten, auf eine mitgebrachte Pappschachtel wies, in der ich nebst Verpflegung und Gebrauchsgegenständen auch die Zeitungen der letzten Tage finden würde. Selbstverständlich—denn Stepan hatte sich bereits zum Aufbruch angeschickt—fragte ich ihn nicht, ob sich unter den Gebrauchsgegenständen auch Taschentücher befänden. Und selbstverständlich war das nicht der Fall. Die Schachtel enthielt eine auskömmliche Ration von Zwieback und Konserven, die angekündigten Zeitungen, Zigaretten, Schreibzeug, sogar eine Taschenlampe—aber kein Taschentuch. An Taschentücher, wie überhaupt an Toilettesachen, hatte Stepan nicht gedacht.

Den Impuls, ihm nachzulaufen, unterdrückte ich rasch und energisch, um mich schließlich damit zu trösten, daß ich jetzt wenigstens Papier besaß und daß Stepan mir seinen nächsten Besuch für morgen oder spätestens übermorgen in Aussicht gestellt hatte.

Leider war das kein sonderlich haltbarer Trost. Ich will nicht gerade behaupten, daß ich angesichts der Zivilisationsbehelfe, über die ich nun verfügte, den Mangel eines Taschentuchs noch unerträglicher empfand als zuvor—ich empfand ihn nur öfter. Und als Stepan am nächsten Abend nicht erschien, befiel mich dann doch eine kleine Krise, eine Art Untergrund-Koller, wie er im Resistenzkampf [32] auch sonst gelegentlich auftritt, besonders wenn man längere Zeit von der Umwelt abgeschnitten ist. Vielleicht hat der und jener von Ihnen ähnliches erlebt, an sich selbst oder an andern. Es ist nichts weiter als eine Nervenschwäche—aber sie kann mitunter zu bösen Folgen führen, zu hysterischen Kopflosigkeiten, zu Spitzelfurcht,[33] von der jede illegale Arbeit gelähmt und zer-

---

[32] *eine Art . . . Resistenzkampf:* a sort of frenzy you get in the Underground, such as occurred occasionally in the Battle of the Resistance. (During the Nazi occupation of such countries as Czechoslovakia, underground forces fought in resistance to the occupying forces.)

[33] *Spitzelfurcht:* fear of being informed on. (A *Spitzel* is a police spy or informer.)

setzt wird, ja sogar zu freiwilliger Selbstaufgabe. Soweit ging das bei mir nun freilich nicht. Immerhin tat ich etwas, was ich mir andernfalls nicht hätte beikommen lassen: [34] Ich benützte, obgleich keiner der akzeptierten Dringlichkeitsfälle vorlag, den von Stepan mir übergebenen Haustorschlüssel, um mein Versteck zu verlassen. Und das hätte ich vereinbarungsgemäß erst nach unsrer nächsten Besprechung tun sollen, erst wenn die Mitglieder der Gruppe, mit der ich dann in Verbindung zu treten hätte, zuverlässig informiert und vorbereitet wären. Aber ich verließ das Haus ja nicht deshalb, um diese Verbindung vorzeitig aufzunehmen. Sondern ich wollte mir ein Taschentuch verschaffen.

Und da stand ich nun auf der Straße, es war spät am Abend, einige Minuten nach zehn, ich wußte es genau, ich hatte pünktlich bis zehn mit der Uhr in der Hand auf Stepan gewartet—denn auch eine Uhr besaß ich, jawohl, ich besaß ja auch eine Füllfeder und Schreibpapier und eine Taschenlampe, ich besaß Zigaretten und Zeitungen und Geld, alles, alles, nur kein Taschentuch. Und ich wollte ein Taschentuch haben.

Um Sie jetzt gleich vor einer Enttäuschung zu bewahren: Es geschah nichts Dramatisches. Es zeigte sich nur, daß mein Nervenzustand mich offenbar an einer konsequenten Überlegung meines Vorhabens gehindert hatte. Mit der Sperre der Geschäftsläden hatte ich noch gerechnet; nicht jedoch damit, daß mir vier Tage alte Bartstoppeln im Gesicht standen, die mich verwahrlost aussehen ließen, ohne mich unkenntlich zu machen—und daß in den vergangenen Wochen und Monaten mein Bild zu oft in Zeitungen und auf Plakatwänden aufgetaucht war, als daß ich vor dem Erkanntwerden hätte sicher sein können. Einer sehr hellen Beleuchtung durfte ich mich jedenfalls nicht aussetzen. Und als ich auf der Suche nach einer öffentlichen Telefonzelle am Portal eines Kinos vorbeikam, das gerade die Besucher der

---

[34] *was ich ... lassen:* which I otherwise wouldn't have taken into my head

letzten Vorstellung entließ, beschleunigte ich meine Schritte so unvermittelt, daß ich eben dadurch Aufsehen zu erregen fürchtete. Um diese Zeit bedauerte ich bereits, das Haus verlassen zu haben. Aber das Schlimmste kam erst.[35]

Es kam, als ich endlich einer Telefonzelle ansichtig wurde,[36] und es kam nicht in Form eines Ereignisses, sondern einer Entdeckung. Während der vier Tage in meinem Versteck hatte ich ungezählte Male an meine sämtlichen Freunde und Bekannten gedacht, an die politischen wie an die privaten, in allen möglichen Zusammenhängen—nur im Zusammenhang mit Taschentüchern nicht. Und was ich jetzt, da ich vor der Telefonzelle stand, entdecken mußte—ich weiß nicht, ob Sie, meine Freunde, die Sie ja schon viel länger in der Emigration leben [37] als ich, mich noch verstehen werden. Ich weiß nicht, ob die Krankheit, die ich an jenem Abend in ihrer krassesten Erscheinungsform kennenlernte, auch in der Emigration auftritt. Hier, in diesem Zimmer, will es mir unwahrscheinlich vorkommen. Hier sitze ich unter lauter Gleichgesinnten—und daß Sie's sind, versteht sich von selbst—, und wenn ich ein Taschentuch brauche, so ist nichts leichter als das. Dort aber, wo gleiche Gesinnung sich nicht von selbst versteht, gibt es keine Taschentücher.

Klingt Ihnen das unsinnig oder gar komisch? Es ist eine traurige, eine fürchterliche Tatsache. Diese Krankheit, von der ich sprach, dieser tödliche Zersetzungsprozeß,[38] der uns alle ergriffen hat—ich nenne ihn den politischen Knochenfraß.[39] Unser ganzes Leben ist von ihm verwüstet. Er hat sich an unser Innerstes, an unser Intimstes herangefressen und bis in unsre Eingeweide hinein. Ein jeder von Ihnen wird vermutlich andre Erinnerungen an den Beginn der Erkrankung haben. Ich selbst nahm die ersten Symptome um 1933 wahr,

---

[35] *das Schlimmste kam erst:* the worst was yet to come
[36] *ansichtig wurde:* caught sight of
[37] *in der Emigration leben:* live in political exile
[38] *Zersetzungsprozeß:* process of decomposition
[39] *politischen Knochenfraß:* political caries

zur Zeit des Nazi-Umschwungs in Deutschland.⁴⁰ Damals, als die politischen Spannungen sich immer mehr verschärften und als es immer klarer Farbe zu bekennen galt ⁴¹—damals fing es an, daß man mit Leuten, die man früher ganz annehmbar oder schlimmstenfalls gleichgültig gefunden hatte, nichts mehr zu tun haben wollte. Unmittelbar vor dem Einzug der Nazi in unsre Heimat häuften sich die Fälle, und zur Zeit des deutsch-russischen Paktes ⁴² erreichten sie das Maß einer Epidemie, deren Keime sogar in die verschiedenen Konzentrationslager eingeschleppt wurden. Am vehementesten aber kam die Krankheit nach der Befreiung ⁴³ zum Ausbruch. Jetzt waren es nicht nur die einstigen Nazi-Kollaborateure, die man sich vom Leibe hielt.⁴⁴ Man konnte auch mit den Mitläufern und Handlangern des Kommunismus nicht mehr auskommen —selbst wenn sie es nur aus Dummheit waren, aus eitler, hohler, unerschütterlicher Dummheit. Offen gesagt: mir waren die schamlosen Opportunisten, die zynischen Rückversicherer ⁴⁵ beinahe lieber als diese selbstgerechten Idioten, die das sieghafte Lächeln des Besserwissers am Munde trugen und sich zugleich als Märtyrer ihres aufrechten Charakters gebärdeten, als unbeugsame Vorkämpfer der einzig wahren, einzig fortschrittlichen Gesinnung. Es blieb einem gar nichts anders übrig, als sie zu meiden, ehe man von ihnen gemieden wurde. Da mochte man sie noch so lange gekannt haben, mochte mit ihnen sogar befreundet gewesen sein, mochte sich durch hundert kleine und große Gemeinsamkeiten mit ihnen verbunden fühlen—es half nichts. Wenn der politische Kno-

---

⁴⁰ *des Nazi-Umschwungs in Deutschland:* of the switch to Naziism in Germany

⁴¹ *als es . . . galt:* when it became more and more a question of showing one's colors

⁴² *des deutsch-russischen Paktes:* of the German-Russian treaty, a non-aggression pact announced in August 1939

⁴³ *nach der Befreiung:* after the liberation (from the Germans) (Russian troops took control of Czechoslovakia in May 1945.)

⁴⁴ *die man . . . hielt:* whom one kept at a distance

⁴⁵ *die zynischen Rückversicherer:* the cynical (political) hedgers

chenfraß einmal eingesetzt hat, ist er nicht mehr aufzuhalten. Dieser eine, einzige Bazillus genügt, um den wohlgefügten Organismus einer menschlichen Beziehung zu zerstören.

Es hilft auch nicht im mindesten, das schleichende Gift zu diagnostizieren. Die Diagnose wirkt dem Zersetzungsprozeß nicht entgegen, sondern fördert ihn noch. Ich zumindest konnte ihm keinen Einhalt mehr gebieten,[46] auch als ich schon ganz deutlich sah, wo er hinführen mußte: nämlich zu einer fürchterlichen Vereinsamung und Verarmung, zu einer Freudlosigkeit sondergleichen. Ähnlich wie Magenkranke eine bestimmte Art von Speisen nicht zu sich nehmen können, ohne sich zu erbrechen, vertrug ich eine bestimmte Art von Gesinnungslosigkeit nicht mehr—gleichgültig, wie und wo sie sich äußerte. Die Stimme eines Sängers, in deren Genuß ich oft und oft geschwelgt hatte, hörte ich mit zwiespältigen Gefühlen, seit mir bekannt war, daß dieser Sänger sich von Hitler hatte empfangen lassen. Das neue Buch eines Schriftstellers, auf dessen Lektüre ich sehnsüchtig gewartet hatte, blieb ungelesen, weil dieser Schriftsteller sich plötzlich zum Aushängeschild einer von den Kommunisten aufgezogenen Aktion hergab.[47]

Dabei war ich mir klar darüber, daß dieser Sänger noch ganz genauso gut sang, dieser Schriftsteller noch ganz genauso gut schrieb wie zuvor. Ich hatte nur keine Freude mehr daran. Und nicht anders verhielt es sich mit Freunden und Bekannten, auf die ich im vollen Bewußtsein ihrer sonstigen Qualitäten verzichtete, weil ich außerstande war, ihre politische Verwaschenheit zu ertragen. Die Politik zwang mir ohnehin schon eine Menge von Unerträglichkeiten auf. Wenigstens sollte mir kein Mißton den reinlichen Einklang der letzten, privatesten Sphäre vergällen—wie sehr sie darob auch

---

[46] *Ich zumindest . . . gebieten:* I at least could no longer bring it to a standstill

[47] *weil dieser . . . hergab:* because this writer suddenly lent himself as a front to an activity promulgated by the Communists

schrumpfen mochte und wie schwer ich an dieser Schrumpfung auch trug.[48] Denn ich bin von Natur aus gesellig und den Menschen zugetan.[49] Aber ich zog die Gesellschaft eines einzigen Menschen, von dem ich mich keines politischen Ärgers zu versehen hatte, allmählich der amüsantesten Runde vor,[50] in der sich vielleicht einer befände, der den vorhin erwähnten Sänger oder Schriftsteller ohne Einschränkung lobpreisen würde. Ich konnte, kurzum, nur noch mit Menschen verkehren, deren Gesinnung zumindest im Negativen, in der Ablehnung des Abzulehnenden,[51] mit der meinen übereinstimmte.

Und nun versuchen Sie sich bitte vorzustellen, wie mir damals vor jener Telefonzelle zumute war, als ich überlegte, wen ich da eigentlich anrufen und um ein Taschentuch bitten könnte. Natürlich fielen mir zunächst meine Berufskollegen ein, meine Partei-und Parlamentsfreunde, an die ich in den vergangenen Tagen ohnehin am öftesten gedacht hatte. Aber die kamen keinesfalls in Frage. Soweit sie nicht schon verhaftet oder geflohen waren—von einigen wußte ich das sogar, weil Stepan es mir berichtet hatte—, mußten sie mit ihrer Verhaftung rechnen oder ihre Flucht vorbereiten, also sich entweder versteckt halten oder auf andre Weise dafür sorgen, daß sie unauffindbar blieben. Gleiches galt für die Redakteure unsres Parteiblattes, das vorläufig noch erscheinen durfte oder eigentlich mußte; ich konnte nicht wissen, wer da jetzt zum Telefon käme, und ich konnte die Möglichkeit nicht ausschließen, daß man auf meine Bitte zum Schein eingunge und daß mich dann irgendeiner, der sich eine kleine Kopfprämie[52] verdienen wollte, am festgesetzten Ort verhaften ließ. Somit

---

[48] *wie schwer ... trug:* how painfully I suffered from this contraction
[49] *den Menschen zugetan:* fond of people
[50] *Aber ich ... vor:* But I gradually came to prefer the company of one single person from whom I could expect no political vexation to the most amusing circle (of people)
[51] *Ablehnung des Abzulehnenden:* rejection of that which must be rejected
[52] *Kopfprämie:* bounty

war auch dieser Weg nicht gangbar. Blieben noch die Freunde, die wenigen Getreuen und Eindeutigen, die bis in die letzte Zeit den Verkehr mit mir aufrechterhalten hatten—und die eben dadurch schon kompromittiert waren. Nach allen bisherigen Erfahrungen bestand kein Zweifel, daß die neuen Machthaber über ein ausgedehntes, seit langem funktionierendes Spitzelnetz verfügten. Sollten die Freunde, deren Namen mir da einfielen, bisher noch nicht überwacht worden sein—jetzt waren sie es. Das hieß, daß ich sie durch einen Telefonanruf möglicherweise gefährdet hätte. Das hieß, daß ich sie nicht anrufen durfte. Und die von Stepan angebahnten Kontakte durfte ich erst recht nicht aufnehmen. Ich konnte mir kein Taschentuch verschaffen. Übrigens hätte ich mir auch zu einer günstigeren Stunde keines verschaffen können. Ich hätte—verwahrlost und dennoch zu erkennen, wie ich war—bei Tageslicht sowenig in ein Geschäft gehen können, um mir eines zu kaufen, wie ich jetzt etwa im nächsten Kaffeehaus oder vom nächsten Passanten eines erbitten konnte. Es war aussichtslos.

Im Angesicht der Telefonzelle machte ich kehrt.[53] Während ich wieder meinem Versteck zustrebte, fühlte ich mich so niedergeschlagen wie schon lange nicht—geschlagen in einer Schlacht, deren Absurdität ich erst an der Niederlage erkannte. Der ganze Jammer, der ganze Fluch, die ganze Kläglichkeit unsres Daseins schien sich mir in diesem Taschentuch zu offenbaren, das ich mir nicht verschaffen konnte.

Ich sperrte das Haustor auf. Langsam und in völliger Dunkelheit erklomm ich die sieben Stockwerke—einen Liftschlüssel besaß ich ja nicht, und die Treppenbeleuchtung wollte ich nicht benützen.

Als ich in den schmalen Seitengang zu meinem Dachverließ[54] einbog, löste sich von der Türe eine Gestalt und trat auf mich zu. Erst aus nächster Nähe erkannte ich Stepan. Er

---

[53] *machte ich kehrt:* I did an about face
[54] *Dachverließ:* dungeon in the attic

war, wie sich herausstellte, vor einer halben Stunde gekommen, und hatte nach mehrmaligem Klopfen zu warten beschlossen—in einiger Sorge, wie er mir mit rührend verhaltenem Tadel zu verstehen gab: denn die Razzien [55] seien gerade heute in verstärktem Umfang aufgenommen worden, besonders die Moldau-Ufer würden scharf durchgekämmt, und man könne nie wissen.

Die für mich vorbereitete Verbindung sei jedoch völlig gesichert, und morgen nachts erwarte man von mir zu hören. Nur heute—er schüttelte abermals tadelnd den Kopf, was im fahlen Lichtkegel der inzwischen angeknipsten Taschenlampe ein wenig unheimlich aussah—heute hätte ich nichts dergleichen versuchen sollen.

Allmählich wurde mir klar, daß Stepan, wie es ja auch nahelag, meine Abwesenheit mißdeutete. Ich beruhigte ihn sogleich und gab ihm des größeren Nachdrucks halber den wahren Grund meines Fortgehens an. Ob ich das nun mit allzu großem Nachdruck getan hatte—ob mir die Depression oder der Ärger über das vergebliche Unternehmen anzumerken war—ob Stepan seinerseits, etwa aus einem Gefühl der Beschämung über seinen unbegründeten Verdacht, ein wenig übertrieben reagierte—: meine Mitteilung hatte jedenfalls eine völlig unerwartete und von mir keineswegs beabsichtigte Wirkung auf ihn. Er machte sich die heftigsten Vorwürfe, daß er nicht schon längst daran gedacht hatte, mich mit etwas so Unentbehrlichem zu versorgen, und daß ich nun schon vier Tage lang verurteilt sei, unter seiner Vergeßlichkeit zu leiden— nein, fünf, denn den löchrigen Fetzen, den er bei sich trüge und der von Schmutz und Druckerschwärze starre, könnte er mir doch unmöglich anbieten—und wie wäre ihm das denn nur passiert.

Immer aufs neue begann er davon.[56] Seine Verzweiflung hätte nicht größer sein können, wenn er einen schweren poli-

---

[55] *Razzien:* razzias (organized searches for the capture of criminals)
[56] *Immer aufs . . . davon:* He began again and again (to speak) of it

tischen Fehler begangen hätte. Aber als ich ihm das scherzhaft vorhielt, nickte er nur und meinte: Ja ja, nächstens würde es dann schon ein wirklicher Fehler werden, er sei eben zu alt und für die illegale Arbeit nicht mehr brauchbar, heute ein Taschentuch, morgen ein Losungswort, übermorgen ein Paket mit Flugblättern . . . ich konnte ihn schließlich nur mit Mühe davon abhalten, sofort etwas zu unternehmen. Es hätte wirklich Zeit bis zum nächsten Mal, beteuerte ich ihm, und er sollte sich nicht einfallen lassen, deshalb auch nur einen einzigen überflüssigen Schritt zu machen oder gar noch heute wiederzukommen.

Stepan kam nicht wieder, nicht an diesem Abend und nicht am nächsten und überhaupt nicht mehr. Wann und unter welchen Umständen er verhaftet wurde, habe ich nie erfahren. Nichts spricht dafür, daß es in irgendeinem Zusammenhang mit den Taschentüchern geschehen wäre. Aber es spricht auch nichts dagegen. Und da ich keine große Aussicht habe, Stepan lebend wiederzusehen, werde ich niemals feststellen können, ob ich an seiner Verhaftung schuldig oder schuldlos bin.

Bitte versuchen Sie nicht, mir meine Schuldlosigkeit zu beweisen. Es gibt keinen solchen Beweis. Wenn es überhaupt einen gibt, der sich erbringen ließe, dann wäre es immer nur der Beweis meiner Schuld. Einer höheren Schuld, wenn Sie wollen, die von Taschentüchern ganz und gar unabhängig ist. Oder, im Gegenteil, einer vordergründigen,[57] einer ganz primitiven Schuld: der Mitschuld an einem Zustand, in dem die Herbeischaffung eines Taschentuchs zu einer Frage von Leben und Tod werden kann."

Mitternacht war lang vorbei, als wir das nahe dem Rond Point[58] gelegene Hotel verließen; ich schloß mich Dr. M., in

---

[57] *vordergründigen:* more basic
[58] *Rond Point:* the end of the Champs-Elysées, a wide boulevard in Paris, where several broad avenues converge

dessen Nachbarschaft ich wohnte, für den Heimweg an. Es hatte mittlerweile stark zu schneien begonnen, so daß unser Tritt im streckenlang noch unberührten Neuschnee hörbar knirschte.

Das kleine, schweigsam umgitterte Zauber-Rondeau der Place François Ier [59] lag silbrig überzuckert vor uns. Wir durchschritten es stumm. Der abgedämpfte Motorenlärm, der dann und wann von den Champs Elysées durch das Schneetreiben herüberklang, schien von weiter her zu kommen als sonst.

„Ich fürchte, daß Sie sich da wirklich einen unwiderleglichen Schuldkomplex aufgeladen haben", sagte ich zögernd. „Dabei wissen Sie so gut wie ich, daß Stepan in jedem Fall verhaftet worden wäre. Sie sagten ja selbst, daß er einer von der alten Garde war. Die sind doch vorgemerkt."

Dr. M. sah mich nicht an, und er sprach sehr langsam.

„Es ist möglich, daß Sie recht haben. Aber dann wäre es höchst verantwortungslos von mir gewesen, mich gerade von ihm verstecken zu lassen und gerade mit ihm Kontakt zu halten. Damit hätte ich ihn und mich gefährdet. Und ich, wie Sie sehen, bin herausgekommen. Stepan nicht. Der alte Stepan nicht."

„Das sagt doch nichts", beharrte ich, wenn auch ein wenig unsicher geworden. „Einem von der alten Garde, wie er es war, dürfen Sie zumindest zutrauen, daß er keine Dummheiten macht und sich nicht wegen eines Taschentuchs in Gefahr begibt."

Dr. M. blieb stehen. Noch immer sah er an mir vorbei.

„Es ist möglich, daß Sie recht haben. Aber ich hätte ihn trotzdem zwingen müssen, mir den löchrigen Fetzen dazulassen. Wie schmutzig er auch war. Ich hatte ja Wasser. Ich konnte ihn ja waschen, den löchrigen Fetzen, den mir der alte Stepan nicht geben wollte."

[59] *Zauber-Rondeau . . . François Ier:* magic fountain in the Square of Francis the First

Er hatte zum Schluß ganz leise gesprochen. Jetzt wandte er sein Gesicht aufwärts in das Schneetreiben und nahm die Brille ab, als wollte er sie gegen das Licht halten. Dann holte er das blütenweiße Taschentuch hervor, das er sich entliehen hatte, und begann seine Brille umständlich zu putzen. Dann setzte er sie auf, nahm sie wieder ab, putzte aufs neue und diesmal noch hartnäckiger an den Gläsern herum, schien abermals unzufrieden und begann die ganze Prozedur nochmals.

Jetzt erst merkte ich, daß nicht seine Brillengläser blind von Schneeflocken waren, sondern seine Augen blind von Tränen.

FRAGEN

DER HAUSLEHRER

1. Warum geht das Kind nicht zur Schule?
2. Was tut der Kleine, nachdem seine Eltern fortgegangen sind? Worauf hat er sich gefreut?
3. Was fragt der Hauslehrer den Kleinen, während sie lesen?
4. Beschreiben Sie das Spiel des Hauslehrers und des Kindes!
5. Warum schreit die Mutter?
6. Warum mißtraut der Kleine den Erwachsenen?

MORGEN REGNET ES IN DEN BERGEN

1. Was sieht der Erzähler dieser Geschichte von seinem Fenster aus?
2. Was sagen die Wirtin und der Bürgermeister von der Insel und deren Bewohnern?
3. Beschreiben Sie die Umgebung des Flußarmes!
4. Was geschieht dem Erzähler, als er zur Insel hinüberrudern will?
5. Warum sagt der Inselbewohner, daß man schnell wieder ins Boot einsteigen solle?
6. Was will der Inselbewohner dem Erzähler zeigen?
7. Welchen Eindruck machen die Inselbewohner auf den Erzähler?
8. Beschreiben Sie das Haus auf der Insel!
9. Welche Arbeit hat der Erzähler?
10. Wie kommt es, daß er in dieser Gegend ist?
11. Worüber sprechen die Frau und der Erzähler?
12. Was hören wir vom früheren Leben der Inselbewohner?
13. Wie war es möglich, daß die Inselbewohner die Insel haben kaufen können?
14. Was versteht der Erzähler auf einmal?
15. Was hört der Erzähler während der Nacht?
16. Wie ist die Insel entstanden?
17. Was ist vor kurzem geschehen?
18. Wie versucht der Mann, seine Insel zu retten?
19. Warum denkt der Erzähler, daß der Inselbewohner ein Idiot ist?

20. Warum sagt der Erzähler zu dem Inselbewohner, daß seine Pfähle und Faschinen halten werden?
21. Warum hätte der Erzähler gern den Hut vor der Frau abgenommen?
22. Welche Stellung nimmt man dem Inselbewohner gegenüber im Gemeinderat ein?
23. Warum will der Inselbewohner seine Insel retten?
24. Haben Sie diese Geschichte interessant gefunden? Warum?

DER MANN MIT DEN MESSERN

1. Welche Nummern sehen nach Jupps Meinung die Leute, die ins Varieté gehen, am liebsten?
2. Was tut Jupp mit dem großen Messer und dem Holzklotz?
3. Warum glaubt Jupp, daß seine Nummer zu schlicht ist?
4. Was für Messer hat Jupp in dem Etui? Wie hatte er sie bekommen?
5. Beschreiben Sie das Messerwerfen, wie Jupp es in seinem Zimmer seinem Freunde vorführt!
6. Wie weiß Jupp, wieviel Uhr es ist?
7. Was ist die Bedeutung des Absatzes, der mit den Worten anfängt: „Es ist so . . ."? (Seite 35)
8. Welche Frage hat Jupps Freund lange erwartet? Warum? Was ist seine Antwort auf diese Frage? Was ist die Bedeutung dieser Antwort?
9. Beschreiben Sie, wie der Freund auf die Bühne kommt!
10. Welchen Eindruck hat der Erzähler von den Zuschauern?
11. Wie beweist Jupp, daß er nur mit scharfen Messern wirft?
12. Welcher Ausdruck kommt in Jupps Gesicht, ehe er mit den Messern auf seinen Freund wirft?
13. Beschreiben Sie die Gefühle und Empfindungen des Erzählers, während Jupp auf ihn mit seinen Messern wirft!
14. Ist diese Geschichte nur eine Erzählung von einem erschütternden Erlebnis, oder hat sie eine tiefere Bedeutung? Begründen Sie Ihre Antwort!

SIE SEHEN DEN MARMOR NICHT

1. Was haben die Straßenjungen von Rom und die deutschen Jungen gemein?

FRAGEN

2. Beschreiben Sie die Wirkung der Kälte und der klaren Luft auf den Schutt!
3. Wohin geht der Junge? Was sieht er?
4. Wozu dient seine Luftpumpe?
5. Was machen die Soldaten, als sie die Musik des Jungen hören?
6. Was geschieht, als der eine Soldat versucht, über das Loch in der Luftpumpe zu blasen?
7. Welche Wirkung hat das Musizieren des Jungen auf die Soldaten?
8. Welche Bedeutung hat diese Geschichte Ihrer Meinung nach?

DER EDELSTEIN

1. In welcher Stimmung war Izaak Walton, als er im Itchen angelte? Was betrübte ihn? Warum?
2. Welche Nachrichten hörte er aus den Gesprächen der Vorübergehenden?
3. Beschreiben Sie den Mann, dem Walton begegnete! Was fragte dieser Mann Walton?
4. Was bemerkten Walton und der Fremde in der Wirtsstube?
5. Was taten die Gäste in der Wirtsstube, als der Soldat den König beschrieb? Warum?
6. Was sagte Walton zu dem Fremden oben im Schlafzimmer?
7. Erzählen Sie die Ereignisse des folgenden Morgens!
8. In welcher Stimmung war die Menge, als der König in die Stadt zog? Wie sah der König aus?
9. Was gab Walton dem König? Was sagte der König zu dem Alten?
10. Wo trafen sich der König und Walton am anderen Tage?
11. Unter welchen Umständen würde der König nach Waltons Meinung ein gutes, glückliches Volk haben?
12. Fassen Sie kurz zusammen, was Walton von Cromwell sagte!
13. Was sagte der König, nachdem er den Ring wieder verschenkt hatte?
14. Was sagte der Bischof am anderen Morgen zu seinem Freunde Walton?
15. Warum trauerte Walton um den König?
16. Was für Menschen werden in dieser Geschichte sehr gespriesen?
17. Glauben Sie, daß der Bischof und Walton die Wahrheit sprechen? Begründen Sie!

SPANISCHE SUITE

1. Was machte Frau Frese während des Konzerts?
2. Welche Haltung nahm Winter dem jungen Komponisten gegenüber ein, ehe die *Spanische Suite* anfing? Wie war seine Haltung während des Spielens? Woran dachte er? Wie war seine Einstellung nachher?
3. In welchem Verhältnis stand Konsul Bulthaupt zu seinem Sohn? Wie standen Juan und seine Mutter zueinander? Welche Wirkung hatte Juans Musik auf seine Eltern?
4. Beschreiben Sie die Musik der vier Sätze der *Spanischen Suite!*
5. Woran dachten Herr und Frau Mertens während der *Spanischen Suite?* Welche Wirkung hatte die Musik auf sie?
6. Woran dachte Lili Bracksieck, während sie die Musik hörte?
7. Welche Wirkung hatte der erste Satz auf Fräulein Brandes? Welche der dritte?
8. Welches Urteil fällte der Musikkritiker Dr. Hellmers über Juans Musik?
9. Warum wollte Herr Wilkens den Philharmonie-Saal umbauen lassen?
10. Welche Rolle spielt der Bürgermeister in dieser Geschichte?
11. In welcher Stimmung war Juan, als er am Ende allein war?
12. Haben Sie den Stil und die Form dieser Geschichte interessant gefunden? Warum?

DER SOHN

1. Was für ein Leben hatte Friedrich von Bünsow geführt, ehe er als Arbeiter zum Hüttenwerk gekommen war?
2. Wie vertragen sich der Herr und seine Arbeitsgenossen?
3. Welche Gedanken und Gefühle hat Herr von Bünsow, als er von der Arbeit nach Hause geht?
4. Was soll sein Sohn an diesem Tage tun? Welche Folgen wird das haben?
5. Was für ein Junge ist Arnim?
6. Wo wohnt die Familie von Bünsow?
7. Was berichtet Frau von Bünsow? Welche Wirkung hat das auf ihren Mann?
8. Wohin ist Arnim gegangen?

9. Was tat die Mutter in dem Garten? Welche Wirkung hatte das auf das Gespenst?
10. Haben Sie diese Geschichte interessant gefunden? Warum?

PAX

1. Welches Unglück ist geschehen?
2. Beschreiben Sie den Friedhof!
3. Warum empfand Carla einen Schrecken?
4. Woher ist der Tote gekommen?
5. Warum wußte der Tote nicht, wovon seine Tochter sprach?
6. Warum war Carla enttäuscht?
7. Was erzählte Carla dem Vater vom Leben auf dem Gut?
8. Was sagte Carla vom Traktor?
9. Welche Wirkung auf den Toten hatte das, was seine Tochter ihm erzählte?
10. Warum meinte Carla, daß der Tote an allem schuld sei?
11. Welche Wirkung hatte Carlas Anschuldigung auf den Vater?
12. Fassen Sie das Ende dieser Geschichte kurz zusammen!
13. Welche Bedeutung hat der Titel dieser Geschichte?
14. Welche Bedeutung hat die Geschichte Ihrer Ansicht nach?

DU SOLLST NICHT STEHLEN

1. Wie war die Figur Halimede zu der RAWA gekommen?
2. Warum wollte der Bildhauer sein Werk für 2400 Mark versichern?
3. Erzählen Sie, was geschah und was gesagt wurde, als der Fremde am Abend zu dem Verwalter kam!
4. Was erzählte der Direktor der Versicherungsgesellschaft dem Vorstand der RAWA?
5. Was hatte der Verwalter dem Direktor und dem Vorstand zu berichten?
6. In welcher Beziehung zu einander standen Verwalter und Bildhauer?
7. Warum meinte der Verwalter, daß seine Tat keine Unterschlagung sei?
8. Wie hat der Bildhauer den Rohstoff für sein Werk bekommen?
9. Erzählten Sie, wie Halimede zum zweiten Male gestohlen wurde!

FRAGEN

9. Welche Gedanken hat Herr von Bünsow, nachdem e
   nung verlassen hat?
10. Warum ist er auf einmal nicht mehr zornig?
11. Wie sieht der Herr aus, als er seinen Sohn sucht?
12. Wo findet der Vater seinen Sohn? Wie sieht dieser a
13. Warum finden Vater und Sohn am Fluß draußen v
    Frieden?
14. Welche Bedeutung hat der letzte Satz dieser Geschicht

PUPSIK

1. Wann spielt diese Geschichte?
2. Beschreiben Sie Dunja! Welches sind ihre Hauptcha
3. Wer war Matwej Matwejitsch und wie bekam er s
   namen?
4. Was hören wir von Pupsiks Leben, ehe er zur Mitau
   versetzt wurde?
5. Wie behandelte Dunja Pupsik am Anfang?
6. Was sagte man am Anfang der Geschichte von der
   eines Krieges?
7. Von wem bekam Pupsik seinen Ring? Warum ist
   wichtig in der Geschichte?
8. Erzählen Sie, wie Pupsik die Weckeruhr bekam!
9. Unter welchen Umständen wollte sich Dunja mit l
   loben?
10. Was mußte Pupsik tun, als der Krieg ausbrach?
11. Wie kam der Wecker in Dunjas Hände?
12. Warum glaubte Dunja, daß ihrem Verlobten ein U
    schehen sei?
13. Was schrieb der Adjutant? Welchen Entschluß faßte ma
14. Warum konnte die Beerdigung Pupsiks nicht wie ge
    finden?
15. Warum hatte der Wecker viermal gespielt, während di
    Witebsk waren?
16. Welches Verhältnis entwickelte sich zwischen Dunja
    Pflegetochter?
17. Was sagte die Pflegetochter in ihrem Briefe? Was sagte
    über diesen Brief?
18. Beschreiben Sie, was der Junge im Garten sah!
19. Welche Leute sahen das Gespenst?

FRAGEN

10. Was ist mit der Plastik am Ende geschehen?
11. Warum konnte Mette nach Wassergellheim fahren?
12. Woher stammt der Titel dieser Geschichte?
13. Ist der Verwalter nach Ihrer Meinung ein Verbrecher? Warum?
14. Welche Rolle spielt das Schicksal in der Geschichte?

DER MITSCHULDIGE

1. Was ist dem Korbinian und seinem Sohne Benedikt geschehen?
2. Welche Haltung zeigten am Anfang die jungen Soldaten dem Krieg gegenüber?
3. Warum haben sich Korbinian und Benedikt gezankt?
4. Was sagte Korbinian über das Soldatenleben im zweiten Weltkrieg?
5. Was schrieb Korbinians alter Leutnant an ihn?
6. Warum hat man sich gefreut, als der Krieg in West- und Nordeuropa losgegangen ist?
7. Was hat Korbinian nicht verstehen können?
8. Warum hat man den Loderer Georg ausgelacht?
9. Was hörte man, als der Krieg mit Rußland ausbrach?
10. Was erzählte Korbinian von seinem Großvater?
11. Wann und wo fand der große Streit zwischen Vater und Sohn statt?
12. Was sagte Benedikt den Freunden in der Wirtsstube?
13. Was antwortete darauf Korbinian?
14. Was hat Benedikt dann getan? Warum?
15. Wo wohnen die Menschen, die in dieser Geschichte vorkommen?
16. Erklären Sie den Titel der Geschichte!

DAS GASTSPIEL DES VERSICHERUNGSAGENTEN

1. Welchen Eindruck macht Frantisek Hrdla auf den unbefangenen Konzertbesucher?
2. Warum hatte der junge Hrdla Schuldgefühle?
3. Wovon versucht der Erzähler zu reden, als er Hrdla besucht?
4. Was gelingt Hrdla?
5. Was will der Pianist tun, nachdem sein Bekannter ihn verlassen hat?
6. Worin liegt der Humor dieser Geschichte?

NICHTS LEICHTER ALS DAS

1. Welche Spekulationen stellte man in der Abendgesellschaft über die Gebärden des Dr. M. an? Warum?
2. Welche Wirkung hatten die Worte „Nichts leichter als das" auf Dr. M.?
3. Welche Vorwürfe machte man der Frau des Gastgebers? Warum?
4. Erklären Sie, was Dr. M. meinte, als er von „den Bedingungen des Lebens" sprach!
5. Warum mußte sich Dr. M. verstecken? Beschreiben Sie das Versteck!
6. Wer war Stepan? Welche Rolle spielt er in der Geschichte?
7. Warum schien ein Taschentuch dem Dr. M. so wichtig, als er sich in dem Versteck befand?
8. Welche Gedanken und Gefühle hatte Dr. M. während der ersten drei Tage im Versteck?
9. Erklären Sie, was Dr. M. mit „Untergrund-Koller" meinte!
10. Wann verließ Dr. M. zum ersten Mal das Versteck? Warum? Erzählen Sie, was er machte, als er auf der Straße war! Welche Gedanken hat er jetzt?
11. Warum hatte er seine Freunde nicht anrufen oder besuchen wollen?
12. Was war der Zersetzungsprozeß, wovon Dr. M. sprach?
13. Was sagte Dr. M. von dem Sänger, den er sehr gern gehört hatte, und von dem Schriftsteller, dessen Werke er gern gelesen hatte?
14. Was berichtete Stepan dem Doktor, als dieser zu dem Versteck zurückkehrte?
15. In welcher Stimmung war Stepan, nachdem er gehört hatte, warum der Doktor das Versteck verlassen hatte?
16. Warum weinte Dr. M. am Ende der Geschichte?
17. Was ist Ihnen an dieser Geschichte interessant? Geben Sie Ihre Gründe!

VOCABULARY

The vocabulary is not intended to be all-inclusive. Many, but not all, of the words in the following categories have been omitted:
1. common words of high frequency in first-year books and the most elementary compounds and derivatives of these words
2. articles, pronouns, numerals, days of the week and months of the year
3. diminutives, feminine nouns in **–in,** compounds with **un–** and **–los,** agent nouns in **–er,** nouns formed from infinitives and adjectives, present and past participles used adjectively or substantively when the basic forms of these words are listed
4. obvious cognates and a few other words which in context should be readily understandable to average students in second-year classes
5. unusual words, geographical names and places, and proper names which are translated in the footnotes. (Many of the more common words and phrases which are used idiomatically in the text and appear in idiomatic translations in the footnotes are listed in the vocabulary in their basic or unidiomatic meanings so that the interested student may, if he wishes, find out what makes these idioms "tick")

The nominative plural of masculine, feminine, and neuter nouns and the genitive singular of weak and irregular masculine and neuter nouns are indicated in the customary manner **(der Meister, –; die Stadt, ⸚e; das Herz, –ens, –en).** Where no plural is given, it is nonexistent or rare. Adjectives are listed in their uninflected form, and their adverbial meanings are not usually given. The principal parts of simple strong, irregular, and mixed verbs such as **gehen, sein,** and **kennen** are given in full immediately following the infinitive. When these verbs occur in compound form or in idiomatic constructions, they are designated with an asterisk **(erkennen*).** Separable prefixes are set off by hyphens **(nach-gehen*),** and verbs which require **sein** as the auxiliary are followed by **(sein).**

A

ab off, away; **ab und zu** now and then
ab-bauen remove, take down
ab-beißen* bite off
ab-bilden portray
ab-bitten* ask (*a person's*) pardon
ab-brechen* break off, dismantle
ab-dämpfen tone down, soften
ab-drehen turn off
der Abend, –e evening; **abends** in the evening; **heute abend** this evening; **die Abendgesellschaft, –en** evening party
abermalig repeated
abermals again, once again
ab-finden* satisfy, compensate; **sich mit etwas ab-finden*** come to terms with something, make do with something, resign one's self to something
ab-geben* hand over
abgehackt abrupt, cut off
abgehärmt careworn
ab-gehen* (sein) depart
abgekämpft worn out, exhausted
abgelegen remote, distant
abgeneigt disinclined
der Abgeordnete, –n –n delegate, political representative
abgewrackt broken up, wrecked
ab-gleiten* (sein) slide off, slide away
der Abgrund, ⸚e abyss
ab-halten* hold off, detain, hinder
ab-hängen* depend, uncouple, detach; **die Abhängigkeit, –en** dependence
ab-horchen listen to, ascertain by listening to
ab-kommandieren detail, detach; **die Abkommandierung, –en** detachment
ab-koppeln uncouple
ab-kürzen shorten
ab-lehnen refuse, reject, avert; **die Ablehnung, –en** rejection
ab-nehmen* take off, decrease
sich ab-rackern toil hard, fatigue by hard labor
die Abreise, –n departure; **ab-reisen (sein)** depart
ab-reißen* tear down, break off, tear off; **ab-reißen*** (sein) break off, tear off
ab-rollen (sein) roll down
ab-rufen* call away
der Absatz, ⸚e paragraph
ab-schalten switch off (*as a light*)
der Abschied, –e departure, leavetaking; **Abschied nehmen*** take leave; **zum Abschied** in parting
ab-schließen* lock, lock up
ab-schneiden* cut off
ab-schrauben unscrew, snitch
abseits to the side, aside
ab-setzen deposit, put down
die Absicht, –en intention
der Abstand, ⸚e interval, distance
ab-stellen shut off
ab-teilen divide
ab-treiben* drive away; **ab-treiben*** (sein) drift off
ab-warten wait for, wait and see, await, wait for the termination of
abwechselnd alternate, by turns
ab-weisen* repulse, rebuff
sich ab-wenden* turn away
die Abwesenheit, –en absence
ab-winken warn off by a gesture
ab-ziehen* (sein) withdraw, march away
achten pay attention; **die Achtung** respect, attention; **acht geben* (auf)** watch out for, pay attention
ächzen groan
ähneln resemble, be similar; **ähnlich** similar
die Ahnung, –en presentiment, suspicion, idea
die Aktie, –n stock
aktionsfähig capable of action
albern absurd, silly, foolish

VOCABULARY

allein alone, but
allerdings to be sure
allergeringst slightest of all
allerlei all sorts of
allerletzt very last, last of all
die Allerseelenblume, –n All Souls' Day flowers
alles all, everything, all that; **alles Gute** good luck; **vor allem** above all
allgemein general; **im allgemeinen** in general
alljährlich annual
allmählich gradual
alltäglich everyday, commonplace
alt old; **der Alte, –n, –n** old man; **das Alter** age; **die Altersgrenze, –n** age limit
der Althändler, – junk dealer
an-bahnen pave way for, open up
an-befehlen* enjoin, urge upon, order
an-bieten* offer
der Anblick, –e sight; **an-blicken** look at, glance at
an-bringen* bring, settle, dispose of, place, apply; **gut angebracht** appropriate
das Andenken, – keepsake, remembrance, souvenir
ander other, different; **anders** differently; **nichts anderes** nothing else; **etwas anderes** something else; **am anderen Morgen** on the next morning; **andermal** another time; **andernfalls** otherwise; **andernorts** at another place; **anderseits** on the other hand
ändern change; **sich ändern** change
sich aneinander-drängen press together
an-erkennen* acknowledge, recognize, appreciate
der Anfang, ⸚e beginning; **an-fangen*** begin; **anfangs** at (or in) the beginning
die Anforderung, –en demand, claim

an-fressen* gnaw at, corrode
an-geben* mention, state, indicate
an-gehen* (sein) commence, get going, begin; **was ihn angeht** as far as he is concerned
der Angehörige, –n, –n member
angeln fish, angle; **der Angler, –** angler, fisherman; **der Angelhacken, –** fish hook; **der Angelkasten, –** box of tackle, fishing box; **die Angelkunst, ⸚** art of angling
angemessen suitable
angenehm pleasant, agreeable
das Angesicht, –er face; **angesichts** considering, in view of; **im Angesichte** in view of
der Angestellte, –n, –n employee
sich an-gewöhnen accustom one's self to
der Angriff, –e attack
die Angst, ⸚e anxiety, anguish, fear, fright; **Angst machen** make afraid; **Angst haben (vor)** be afraid (of); **der Angsthase, –n, –n** timid creature (hare); **ängstlich** uneasy, timid, anxious; **angstvoll** full of fear
an-gucken look at
an-haften stick to
an-halten* continue, comply with, stop
an-hängen* attach; **die Anhänglichkeit, –en** attachment
an-häufen heap up, accumulate
der Anker, – anchor; **ankern** anchor
an-klagen accuse
an-kleben paste on, stick on
an-kleiden dress; **das Ankleidezimmer, –** dressing room
an-klopfen knock
an-knipsen snap on
an-kommen* (sein) arrive, come to
an-kündigen announce, proclaim
an-lächeln smile at

an-langen (sein) arrive
der Anlaß, ⸚e cause, reason, occasion
an-legen put to, put against, lay out
die Anlieger those living adjacent
an-merken observe, notice
an-messen* fit, measure
an-nehmen* take on, assume, suppose, accept; **annehmbar** acceptable
anno in the year
an-rechnen rate, count; **jemandem etwas anrechnen** attribute something to a person
an-reden speak to; **der Angeredete, —n, —n** the person addressed
an-rücken (sein) move in, hurry in
an-rufen* call up, telephone
an-rühren touch
der Ansatz, ⸚e start, beginning; **der Ansatz des Haares** hairline
an-schaffen procure, buy
an-schauen look at
der Anschein, —e appearance; **anscheinend** apparently, seemingly
sich an-schicken prepare; **sich zu etwas anschicken** prepare one's self for something
der Anschlag, ⸚e touch, stroke; **an-schlagen*** nail to, strike against
an-schließen* connect, couple; **sich an-schließen*** attach one's self to; **das Anschlußloch, ⸚er** connection hole
an-schneiden* cut in, give the first cut to
an-schreien* shout to
die Anschrift, —en address
die Anschuldigung, —en accusation
an-schwellen* (sein, haben) rise, increase, swell
an-sehen* look at, consider, regard, respect
an-setzen try, take a short run before jumping

die Ansicht, —en opinion, point of view; **ansichtig werden*** catch sight of
das Ansinnen, — request, pretension, demand
die Anspannung, —en tension, strain
die Ansprache, —en appeal, address; **an-sprechen*** address; **der Anspruch, ⸚e** claim; **in Anspruch nehmen*** take up, lay claim to; **anspruchslos** modest, unpretentious, unassuming
anständig respectable
an-starren stare at
an-stecken light (*cigarette*)
an-stellen make, undertake, set up
die Anstellung, —en position, employment
an-stiften incite, plot, cause
an-strahlen shine on, floodlight
an-streichen* paint
an-strengen strain; **die Anstrengung, —en** exertion
der Ansturm, ⸚e rush, attack
die Anteilnahme sympathy
an-treten* set out on, start
an-tun* inflict, do to, show; **sich etwas antun** do violence to one's self, commit suicide
das Anwesen, — property, estate
die Anwesenheit, —en presence
an-widern disgust
die Anzeige, —n notice; **an-zeigen** advertise, announce
an-ziehen* draw, put on
der Anzug, ⸚e suit; **die Anzugtasche, —n** pocket of a suit
an-zünden light, ignite
arabisch Arabian
die Arbeit, —en work; **arbeiten** work; **in Arbeit stehen** be employed; **der Arbeitsgenosse, —n, —n** fellow worker; **die Arbeitsjacke, —n** work jacket; **der Arbeitsplatz, ⸚e** place of work, job
das Areal area, surface

VOCABULARY

arg sad, bad, wretched, severe, miserable; **der Ärger,** – annoyance, vexation; **ärgerlich** annoying, vexatious, cross, put out; **ärgern** annoy; **sich ärgern** be annoyed, take offense
die Arglosigkeit, –en innocence, harmlessness
das Armschwenken waving the arms to and fro
armselig miserable, wretched
die Art, –en kind, type, manner, way, sort
die Artillerieabteilung, –en artillery division
der Arzt, ̈-e doctor
die Aschenstelle, –n spot of ashes
der Atem breath; **Atem holen** take a breath; **atemberaubend** breathtaking; **atmen** breathe
auf on, onto, at, by, to, upon, after, for; **auf und ab** up and down; **aufeinander** one against the other
auf-atmen breathe again, utter a sigh, draw a deep breath (*of relief*)
auf-bauen set up, erect, build up; **der Aufbau, –ten** building, construction
auf-bewahren keep, store
auf-blicken look up
auf-bringen* introduce, bring up
der Aufbruch, ̈-e departure, break-up
auf-brüllen roar up, roar into life
auf-drängen: sich einem auf-drängen force itself upon one
auf-erlegen: einem etwas auf-erlegen impose something on a person
auf-fallen* (sein) strike (*with amazement*); **es fiel uns allen auf** it struck us as
auffällig apparent, conspicuous
auf-fangen* catch (up)
die Auffassung, –en interpretation
auf-finden* pick up, discover, trace

auf-fordern summon, ask, invite
auf-führen perform
auf-geben* give up
auf-gehen* (sein) open, begin, get going, start, rise, go on; **der Aufgang, ̈-e** staircase, ascent
auf-gießen* pour (*water*) on (*tea*), infuse
auf-gleiten* (sein) slide open
auf-glimmen* (sein) gleam up
auf-halten* stop, stem
auf-hängen* hang up
auf-häufen pile up
auf-heben* raise, keep
auf-hetzen stir up, incite
auf-hören cease
auf-knöpfen untie, unbutton, open
auf-kommen* (sein) get up, come up, arise, recover; **auf-kommen* für** be responsible for; **auf-kommen* gegen** be a match for
auf-lachen laugh out
auf-laden* load up; **sich auf-laden*** take upon one's self
auf-legen impose, put on; **gut aufgelegt** in a good humor
auf-lesen* gather
auf-leuchten light up
auf-machen open; **sich auf-machen** arise, get up, set out
aufmerksam attentive; **auf sich aufmerksam machen** draw attention to one's self
die Aufnahme, –n photograph, snapshot
die Aufnahmeprüfung, –n entrance examination
auf-nehmen* take in, appraise, estimate, take up, pick up, accept
auf-passen look out, pay attention, watch
auf-ragen tower up
auf-rauschen (sein) rise up with a rushing noise
aufrecht upright
aufrecht-erhalten* maintain

auf-regen excite; **die Aufregung, –en** excitement
auf-reißen* tear open
auf-reizen inflame, excite
auf-richten raise, erect, right; **sich auf-richten** straighten up
der Aufruf, –e summons, appeal
aufrührerisch rebellious
auf-schieben* put off, delay
auf-schlagen* open
auf-schließen* open, unlock
der Aufschneider, – swaggerer
auf-schreien* cry out
auf-schwellen* (sein) swell up
auf-sehen* look up; **Aufsehen erregen** attract attention, cause a sensation; **der Aufseher, –** overseer, custodian; **der Aufseherdienst** custodial duty
auf-setzen set on, put on, set up
auf-sperren open, open wide
auf-spießen impale, run through
auf-springen* (sein) spring up, jump up, open, spring open
auf-stacheln goad
auf-stapeln stack up
auf-stehen* (sein) stand up, get up
auf-steigen* (sein) rise
auf-stellen form, set up; **die Aufstellung, –en** declaration, statement, list
auf-suchen seek out, look up, visit
auf-tauchen (sein) rise up, appear, emerge
der Auftrag, ⸚e commission, order
auf-treten* (sein) appear, occur; **der Auftritt, –e** scene, appearance
auf-trumpfen boast, trump, crow over
auf-tun* open up
auf-wachen wake up
auf-wachsen* (sein) grow up
aufwärts upward
auf-wirbeln whirl up
auf-wühlen stir up
auf-zählen enumerate

auf-zehren consume, exhaust, wear away, dissipate
auf-ziehen* (sein, haben) march up, wind up, draw up
auf-zwingen* force upon
der Augenblick, –e moment; **die Augenbraue, –n** eyebrow; **die Augenhöhle, –n** socket of the eye; **der Augenwinkel, –** corner of the eye
aus: von sich aus on his own
aus-atmen exhale
das Ausbleiben, – absence
aus-brechen* (sein) break out, escape
sich aus-breiten spread out, extend
aus-brennen* (sein) cease burning
der Ausbruch, ⸚e outbreak
aus-dehnen extend; **die Ausdehnung, –en** extension
der Ausdruck, ⸚e expression; **aus-drücken** express
auseinander-biegen* push aside
auseinander-setzen explain
auseinander-ziehen* pull apart, open
ausfindig machen discover, find
aus-fließen* (sein) flow out
aus-führen carry out, work out
der Ausgang, ⸚e exit
aus-gehen* (sein) go out, proceed
ausgemergelt emaciated
ausgenommen except
aus-glühen anneal
aus-halten* endure, hold out
aus-händigen hand over
der Aushängekasten, ⸚ showcase outside a building; **das Aushängeschild, –er** sign board
aus-harren wait out, hold out
aus-kommen* (sein) make do; **mit jemandem aus-kommen** get along with
auskömmlich sufficient
die Auskunft, ⸚e information
aus-lachen laugh at, deride
ausländisch foreign

VOCABULARY

die **Auslandstournee, –n** guest-star tour to foreign countries
aus-legen explain, interpret
aus-löschen* (sein) go out, die out
aus-machen settle, decide
aus-malen paint, color
das **Ausmaß, –e** degree, measure
sich **aus-nehmen*** look
aus-pendeln swing back and forth until stopping
aus-reden talk out of, dissuade, finish talking
aus-richten deliver, execute, arrange
aus-rufen* cry out
aus-säen sow
aus-sagen assert, state
sich **aus-schlafen*** have one's sleep out
aus-schließen* exclude, shut out
aus-schweben (sein) soar out
aus-sehen* look, look like, appear
aus-sein* (sein) be over
außen out, outward; **von außen her** from the outside
außer besides; **ausserdem** moreover
äußer outer, external
äußern express; die **Äußerung, –en** remark, utterance
äußerst extreme
außerstande incapable, unable
aus-setzen expose
die **Aussicht, –en** prospect, view; **aussichtslos** hopeless, without prospect
aus-sprechen* utter, pronounce; **ausgesprochen** decided, pronounced
aus-statten furnish
aus-steigen* (sein) climb out, alight
die **Ausstellung, –en** exposition
aus-strecken stretch out; sich **aus-strecken nach** reach out to
aus-strömen (sein) pour out
aus-tragen* carry out
aus-treten* (sein) step out, withdraw
aus-trinken* drink up, drain

aus-wählen select
auswärts outwards, out of town
der **Ausweg, –e** way out
auswendig by heart
aus-werfen* throw out
aus-zeichnen distinguish, mark out; **den Preis aus-zeichnen** quote the price
aus-ziehen* take off
der **Autogrammsammler, –** autograph collector
die **Axt, ⸚e** ax

B

der **Bach, ⸚e** stream, brook; das **Bächl, –** little brook
die **Backe, –n** cheek
backen (buk, gebacken, bäckt) bake
die **Bäckerei, –en** bakery
baden bathe, swim; die **Badewanne, –n** bath tub
die **Bahn, –en** path, track, railroad (track); der **Bahndamm, ⸚e** railway embankment; das **Bahngeleise, –** train tracks; der **Bahnhof, ⸚e** railway station; die **Bahnlaterne, –n** railroad lamp; die **Bahnverwaltung, –en** railway administration
bahnen clear a way; **sich einen Weg bahnen** force one's way (*through*)
der **Balken, –** beam, rafter
der **Balkon, –e** balcony
ballen clench, ball
banal banal, common-place; der **Banause, –n, –n** common-place or narrow-minded fellow, uncultured person
bändigen subdue, restrain
das **Bandmaß, –e** tape measure
bang(e) uneasy, alarmed, afraid; **bänglich** anxious, timid; die **Bängnis, –se** fear, anxiety
die **Bank, ⸚e** bank, bench
das **Bankhaus, ⸚er** banking establishment

die Baracke, −n barrack
barfuß barefoot
die Bartstoppel, −n beard stubble
der Bast, −e husk
der Bau, −ten building, edifice; bauen build; der Baustil, −e style of architecture
der Bauch, ⸚e stomach
der Bauer, −n, −n farmer; bäuerlich rural, countrified
der Baum, ⸚e tree; die Baumkrone, −n crown of a tree; der Baumwipfel, − tree top
der Bazillus, −len bacillus
beabsichtigen intend
beachten observe, notice
der Beamte, −n, −n civil servant, official
beängstigend disquieting
beantworten answer
bearbeiten work on; die Bearbeitung, −en arrangement, revision
beauftragen commission; instruct
beben quiver, tremble
bedächtig deliberate, circumspect
bedauern be sorry for, regret
bedecken cover, bedeck
die Bedeutung, −en meaning; bedeutungsvoll meaningful
sich bedienen help one's self
die Bedingung, −en condition
die Bedrohung, −en threat, menace
bedrucken imprint
bedrücken oppress, harass
bedürfen need; bedürfnislos frugal, unpretentious, having no wants
beerdigen bury; die Beerdigung, −en burial
das Beet, −e (*flower*) bed
befallen* befall
sich befassen mit occupy one's self with
befehlen (befahl, befohlen, befiehlt) order, command
befehligen command
befestigen fasten

sich befinden* stand, be, be located
befördern promote, advance, dispatch, transport
befragen question, interrogate
befreien free; die Befreiung, −en liberation
die Befremdung, −en estrangement
befreundet sein mit be friends with
befriedigend satisfactory
befühlen feel
sich begeben* betake one's self; sich in Gefahr begeben venture into danger
begegnen (sein) meet; die Begegnung, −en meeting, encounter
begehen* commit
begeistert enthusiastic
beginnen (begann, begonnen) begin
begleiten accompany; der Begleiter, − accompanist, companion
beglückwünschen congratulate
sich begnügen mit be satisfied with
die Begonie, −n begonia
begraben* bury; der Begräbnis, −se funeral, burial
begreifen* comprehend, understand; der Begriff, −e conception, notion, concept; im Begriff on the point of, about to
begrüssen greet
behaglich comfortable; die Behaglichkeit, −en comfort
behalten* keep; recht behalten be right in the end
behandeln treat; die Behandlung, −en treatment
der Behang, ⸚e drapery
beharren persevere, continue; beharrlich persistent
behaupten assert, maintain, claim
die Behinderung, −en impediment, encumbrance
die Behörde, −n authority
behutsam wary, cautious, careful
bei at, among, by, with, in, for, at the place of, at the house of, in

the case of; **bei uns** in our country, at our house
beichten confess
der Beifall applause; **der Beifallssturm, ⸗e** storm of applause
bei-kommen*: sich beikommen lassen* take into one's head, dare
die Beimengung, −en mixture, intermixture, admixture
beinahe almost
beisammen together
beiseite aside, to the side
beiseite-biegen* push aside
beiseite-schieben* push aside
bei-setzen bury; **die Beisetzung, −en** burial
beispielsweise for example
beißen (biß, gebissen) bite
bejahen assent
bekannt acquainted, known; **der Bekannte, −n, −n** acquaintance; **die Bekanntschaft, −en** acquaintanceship
bekennen* confess, acknowledge
bekleiden dress, clothe
bekränzt crowned with a wreath
sich bekreuzen make the sign of the cross
belebt lively, bustling
die Belebung, −en animation
belegen cover
belehren teach, enlighten
beleuchten illuminate; **die Beleuchtung, −en** lighting, illumination, light
belieben please, like
belohnen reward
belügen* lie to
sich bemächtigen take possession of, seize
bemerken notice
sich bemühen make an effort
benähen sew in, patch
benehmen* take away
benommen stupified, benumbed
benötigt needed, required

benützen use
das Benzin −e gasoline
beobachten observe; **die Beobachtung, −en** observation
berechtigt legitimate, justified, qualified
bereit ready; **bereits** already
bereiten give, cause, prepare
bereuen repent
bergan uphill
bergen (barg, geborgen, birgt) secure, put away
berichten report; **der Bericht, −e** report
berücken beguile, fascinate, charm
berücksichtigen take into consideration
der Beruf, −e profession; **beruflich** by vocation; **der Berufskollege, −n, −n** professional friend; **der Berufspolitiker, −** professional politician
beruhigen calm, comfort; **die Beruhigung, −en** comfort, reassurance; **das Beruhigungsmittel, −** sedative
berühmt famous
berühren touch
beschaffen get, procure
die Beschaffenheit, −en nature, quality, kind
beschäftigen occupy; **sich beschäftigen mit** busy one's self with; **die Beschäftigung** occupation, something to do
beschämt abashed, confused, ashamed; **die Beschämung, −en** (*feeling of*) shame
der Bescheid, −e accurate information, notice; **Bescheid wissen*** have knowledge of
bescheiden modest, unassuming
beschleunigen hasten, accelerate; **die Beschleunigung, −en** acceleration
beschließen* conclude, decide
beschneiden* clip, prune

sich beschränken auf restrict one's self to; beschränkt limited
beschreiben* describe
beschützen protect
beschwören (beschwur, beschworen) exorcise, raise (*spirits*), implore
beseitigen put aside, remove
besessen possessed
besetzen occupy
besiegen conquer, defeat
sich besinnen* recollect, remember, reflect, consider, think; die Besinnung, –en consciousness; zur Besinnung kommen* come to one's senses
besitzen possess; der Besitz, –e possession
besonder(s) special, especially
besorgen take care of, procure
bespannen span
bespötteln ridicule
die Besprechung, –en conference
der Besserwisser, – self-important person who claims to know everything better than anyone else; die Besserwisserei self-importance, learned conceit
der Bestand, ⸚e value, stock
bestätigen confirm
die Bestattung, –en burial
bestehen* exist, be, pass; bestehen* aus consist of
bestehlen* steal from
besteigen* ascend, climb
bestellen order; die Bestellung, –en appointment, rendezvous, message, order, arrangment; Bestellungen ausrichten go on errands
die Bestie, –n beast
bestimmt definite, certain
bestrahlen shine upon, expose
besuchen visit; der Besuch, –e visit; die Besucher visitors, audience
betasten touch
beten pray
beteuern protest, assert, profess

der Beton concrete
betonen emphasize
der Betracht respect, consideration; betrachten consider, observe, look at, examine
der Betrag, ⸚e amount, sum
betreten* enter
betreten embarrassed; die Betretenheit, –en embarrassment, disconcertedness
der Betreuer one who takes care of
der Betrieb, –e management, plant, trade; in Betrieb in operation; die Betriebsleitung, –en management
betroffen confounded, taken aback, surprised, concerned
betrüben sadden, distress; die Betrübnis, –se grief, lowness of spirit; betrübt dejected, sorry, sad
betrügen (betrog, betrogen) deceive
die Bettdecke, –n bedcover
der Bettler, – beggar
sich beugen incline one's self, bow
beulenartig tumor-like, bump-like
beunruhigen upset, alarm, disturb
beurteilen judge
bevor before
bewachen watch over
bewachsen over-grown, covered with
bewahren protect; bewahren vor save from
sich bewähren stand the test
bewegen stir, move; sich bewegen move; die Bewegung, –en motion, movement; bewegt stirring
der Beweis, –e proof; beweisen prove
der Bewerber, – aspirant, candidate, suitor
bewirken effect, cause
der Bewohner, – inhabitant
bewundern admire; die Bewunderung, –en admiration
bewußt conscious of; das Bewußtsein consciousness
bezahlen pay, pay for

bezaubern charm, enchant, bewitch, fascinate
bezeichnen designate, mark
die Beziehung, –en relation, connection, reference; **sich beziehen* auf** pertain to, relate to
der Bezirksdirektor, –en district director
bibbern shake
biegen (bog, gebogen) bend, turn; **die Biegung, –en** turn, curve, bend
das Bier, –e beer; **der Biertisch, –e** beer table
bieten (bot, geboten) offer
bilden form, cultivate, educate
der Bildhauer, – sculptor; **das Bildwerk, –e** sculpture
billig, cheap, reasonable
billigen approve
binden (band, gebunden) tie, bind; **der Bindfaden, ⸚** string
die Birke, –n birch tree; **der Birkenzweig, –e** birch branch
die Bischofsstadt, ⸚e episcopal city
bisher up to now, previously, hitherto; **bisherig** of the time up to now
bißchen little; **ein bißchen** a little, a little bit
bisweilen sometimes
bitten (bat, gebeten) ask, beg; **bitten* um** ask for; **bitte** please; **die Bitte, –n** request, entreaty
bitter bitter, severe; **aufs bitterste** most bitterly; **die Bitterkeit, –en** bitterness
blaken smoke
blank bare, polished, bright
die Blase, –n bubble
blasen (blies, geblasen, bläst) blow
blaß pale
das Blatt, ⸚er leaf, sheet; **das Blättchen, –** slip of paper; **blättern** turn over the leaves (*in a book*)
bläulich bluish
blechern tinny; **der Blechnapf, ⸚e** tin bowl; **der Blechtopf, ⸚e** tin pot

bleiben (blieb, ist geblieben) remain, stay; **bleiben lassen*** leave alone
bleich pale
bleiern leaden
blenden dazzle, blind
der Blick, –e glance, look; **blicken** look, see
blindlings blindly
blinken flash
der Blitz, –e flash, flash of lightning; **blitzen** flash, shine; **blitzschnell** quick as a flash
der Block, ⸚e log, block
blöde stupid
bloß bare, mere, only
das Blut blood; **die Blutgier** bloodthirstiness; **blutjung** very young
die Blüte, –n bloom, blossom; **blütenweiß** blossom white
der Bogen, – arch, bend, bow
die Bohne, –n bean
borstig bristly
bösartig malicious, ill-natured
die Böschung, –en slope
boshaft spiteful, malicious
der Bote, –n, –n messenger
brackig brackish
der Brand, ⸚e conflagration
der Brauch, ⸚e use, custom; **brauchbar** useful; **brauchen** need, use
die Braue, –n brow
brausen hum, roar
der Bräutigam, –e fiancé, bridegroom
brav worthy, good
brechen (brach, gebrochen, bricht) break; **sich brechen*** be refracted
breit wide, broad; **die Breite, –n** breadth; **breiten** spread; **breitbeinig** straddle-legged
bremsen put on the brake
brennen (brannte, gebrannt) burn
die Bretterbude, –n booth made of boards
die Brille, –n spectacles; **die Brillengläser** eye glasses

bringen (brachte, gebracht) bring, report (*in newspaper*), take
der Brocken, – crumb; **bröckelig** crumbly
brodeln seethe, bubble, boil
das Brotmesser, – bread knife; **das Brotpapier,** –e bread wrapping; **der Brotrest,** –e remains of bread
brüchig full of cracks
brummen grumble, mumble, mutter
brünett brunet
die Brust, ⁼e breast, chest; **der Brustkasten,** – chest cavity; **die Brusttasche,** –n breast pocket
der Bube, –n, –n boy
die Buchführung, –en bookkeeping; **doppelte Buchführung** double-entry bookkeeping; **der Buchhalter,** – bookkeeper
die Buchseinfassung, –en boxwood border
der Buchstabe, –n, –n letter
die Bucht, –en bay, inlet
die Bude, –n booth, place, stall
das Büffet, –s sideboard, buffet
der Bug, –e bow
die Bühne, –n stage; **das Bühnenblut** stage blood
das Bündel, – pencil of light rays, bundle
der Bundesgenosse, –n, –n ally
der Bunkerpfosten, – post of a bunker
bunt variegated, gay, motley; **das Buntmetall,** –e bright-colored metal, non-ferrous metal
der Bürgerkrieg, –e civil war; **der Bürgermeister,** – mayor
der Büroschluß, ⁼e office closing time
der Bursch(e), –en, –en bat man orderly, fellow
der Busch, ⁼e bush; **buschbestanden** bush covered; **das Buschwerk** brushwood

C

charmant charming
chevaleresk chivalrous
der Chor, ⁼e chorus

D

dabei moreover, thereby, therewith, at the same time, near by
das Dach, ⁼er roof; **das Dachgemach,** ⁼er attic room; **das Dachverließ,** -e dungeon under the roof
dadurch by means of that, by that; **dadurch, daß** through the fact that
dafür for it, for them, for that
dagegen against, against it, in return for that, on the other hand
daheim at home
daher thence, from that, therefore
dahin thither, then, to that time
dahin-fließen* (sein) flow thither, flow along
dahin-schmelzen* (sein) melt away
dahinten behind it, behind them
da-lassen* leave there
damals at that time, then, formerly
dämmern, grow dusk; **die Dämmerung,** –en twilight
dämpfen subdue, tone down
danach thereafter
daneben in addition, beside it
dankbar thankful
dann und wann now and then
daran of that, on it, on that, in them; **es liegt jemandem daran** it is of importance to a person
darauf thereupon, thereto, on it, thereafter
daraus out of it
darben be in want, famish
darob on that account
dar-stellen represent
darüber about it, over it, over that, of it
darüber-treiben* drive over it
darum on that account, at that, therefore

VOCABULARY

darunter under it, among them
da-sein* (sein) be there, be present; **das Dasein** existence, life
dasig stupid, foolish
die Dattel, –n date (*fruit*)
das Datum, die Daten date, particular
dauern last, take (*time*); **dauernd** continuous, constant; **die Dauer** length, duration, permanence
davon-gleiten* (sein) glide away
davor before that
dazu for that, to it, in addition, with it
dazwischen in the midst of, amongst all, among them
decken cover; **die Decke, –n** ceiling, blanket, cover; **die Deckenmalerei, –en** ceiling painting
sich dehnen expand
der Deich, –e dike, embankment; **die Deichböschung, –en** slope of a dike
der Dekorateur, –e decorator, scene painter
demnächst soon, shortly
demütigen humiliate
denken (dachte, gedacht) think; **denken*** **an** think of; **sich denken*** imagine; **es liess sich gut denken** one could well imagine; **denkbar** conceivable
dennoch nevertheless, yet, for all that
dergleichen the like, something similar; **derjenige** that one; **derlei** that sort of thing; **derselbe** the same
deshalb for that reason
deswegen on that account
deuteln interpret in a sophistical manner, twist (*the meaning of*)
deuten interpret, point; **deuten auf** point at or to; **deutlich** distinct, clear; **die Deutlichkeit** clearness, clarity
dicht thick, close, dense
dickgebläht widely inflated

das Dickicht, –e thicket
der Dieb, –e thief; **der Diebstahl, ⸚e** theft
die Diele, –n floor, vestibule
dienlich proper, suitable, salutary, serviceable
der Dienst, –e service, employment; **dienstlich** official; **die Dienstwohnung, –en** company house
der Dilettant, –en, –en dilettante
das Dirigentenpult, –e director's podium or desk
dirigieren direct
das Donnerwetter, – thunder-storm; **Donnerwetter noch mal** hang it
doppelt double; **die Doppelung, –en** duplication; **die Doppelbegabung, –en** double talent
der Dorffriedhof, ⸚e village graveyard; **das Dorfgasthaus, ⸚er** village inn; **die Dorfstraße, –n** village street
dorthin thither, there
der Draht, ⸚e wire
drängen press, urge, hurry, force, crowd; **sich drängen** crowd, push
das Drangsal, –e distress, hardship
drauf (darauf) about that, thereafter
draußen outside, out there
dreckig foul, nasty, dirty
drehen turn, twist; **sich drehen** turn; **der Drehorgelmann, ⸚er** organ grinder; **die Drehung, –en** turn, revolution
dreijährig three-year-old
drein-reden oppose, talk against, interrupt
die Dreschmachine, –n threshing machine; **der Dreschschuppen, –** threshing shed
drin (darin) in there, within
dringen (drang, ist gedrungen) penetrate; **dringend** urgent; **der Dringlichkeitsfall, ⸚e** urgent situation
drinnen inside
drohen threaten, menace

dröhnen boom, roar
drüben over there; drüber over it
drücken press, weigh down; **der Druck, ⸚e** pressure
die Druckerei, –en printing works; **die Druckerschwärze, –n** printer's ink
der Duft, ⸚e fragrance; **duften** send forth fragrance
die Dummheit, –en foolishness, stupidity; **dümmlich** absurd, stupid
dumpf hollow, damp, musty, muggy
dunkel dark, mysterious, swarthy, obscure; **das Dunkel** obscurity, darkness; **die Dunkelheit, –en** darkness; **dunkeln** grow dark
dünn thin; **dünngeschliffen** thin-honed
der Dunst, ⸚e vapor, haze, fumes; **dunstig** hazy; **der Dunstschleier, –** veil of haze
durch-atmen breathe (*deeply*)
durchaus thoroughly, throughout, completely
durch-blicken look through; **durchblicken lassen** hint, detect
durch-brechen* break through
durchdringen* penetrate, pervade
durcheinander in confusion
durcheinander-flattern stream in disorder
durch-fallen* (sein) fail, fall through
durch-fluten (sein) flow through
die Durchführbarkeit, –en feasibility
durch-führen carry out, accomplish
durchgraben pierced through, grooved
durch-kämmen comb through
durch-kommen* (sein) come through
durchlöchert full of holes
durchqueren traverse, cross
durchscheinend transparent, translucent
sich durch-schlagen* rough it, fight one's way through

durch-schreiten* (sein) stride through, step through
durch-setzen achieve, put through; **etwas bei jemandem durch-setzen** carry one's point with a person
durchsichtig clear, transparent
durch-sickern (sein) trickle through
durchtränkt saturated
durchzucken flash through
dürfen (durfte, gedurft, darf) be permitted, need, dare
dürftig poor, insufficient, scanty, shabby
der Duschraum, ⸚e shower-room
düster dark, gloomy, dismal
das Dutzend, –e dozen

E

ebenfalls likewise
ebenmäßig evenly proportioned, symmetrical
echt genuine
die Ecke, –n corner; **eckig** rough, sharp
edelschön nobly beautiful; **der Edelstein, –e** precious stone
egal: **es ist ihm egal** it's all the same to him
ehe before; **ehedem** formerly
die Ehre, –n honor; **uns zu Ehren** in our honor; **ehrerbietig** respectful; **die Ehrfurcht** respect, awe; **ehrfürchtig** reverential, respectful; **ehrlich** just, honest, honorable; **ehrsam** respectable; **ehrwürdig** venerable
der Eifer eagerness; **eifern** be zealous; **eifernd** consuming; **die Eifersucht** jealousy; **eifrig** zealous, eager
eigenartig special, peculiar; **eigentlich** real, actual, really, exactly
das Eigentum, ⸚er property; **eigentümlich** peculiar, characteristic
die Eile haste; **eilfertig** hasty; **eilig** urgent, hurried, quick

VOCABULARY

einander one another
ein-atmen breathe in, inhale
ein-biegen* **(sein)** turn in
sich ein-bilden imagine, fancy, pretend
ein-bringen* bring in, retrieve
der Einbruch, ⸚e breaking in, setting in; **der Einbruch der Dämmerung** the approach of twilight; **beim Einbruch der Dunkelheit** at nightfall
eindeutig unequivocal, clear
ein-dringen* **(sein)** push in, penetrate; **eindringlich** penetrating, impressive, urgent
der Eindruck, ⸚e impression; **eindrücken** press in, crush
einfach simple
ein-fallen* **(sein)** fall in or down, join in; occur to
der Einfluß, ⸚e influence
ein-flüstern whisper to
der Eingang, ⸚e entrance; **ein-gehen*** **(sein)** go in, enter; **auf etwas ein-gehen*** agree to something
das Eingeweide, – bowel, intestine
der Eingriff, –e operation, interference
der Einhalt impediment, stop; **Einhalt gebieten*** bring to a stop
ein-holen obtain, bring in, collect
ein-hüllen envelop
der Einklang, ⸚e harmony
ein-laden* invite
ein-leiten arrange, make preparations for, introduce
ein-lernen force to learn, hammer in
einleuchtend evident, obvious
einmal once, even, sometime, for once; **auf einmal** suddenly, at once; **nicht einmal** not even; **noch einmal** again, once again
sich ein-mischen interfere
ein-nehmen* assume, take
sich ein-nisten establish, creep into
ein-packen pack up, pack

ein-reden persuade
ein-renken set right
ein-richten arrange, furnish; **sich einrichten** establish one's self; **die Einrichtung, –en** furnishings, accommodations, arrangement
ein-rücken (sein) march in, move in, join up, return from one's furlough; **ein-rücken (haben)** insert
einsam lonely
ein-schenken pour out
ein-schlafen* **(sein)** go to sleep
ein-schlagen* take (*a road or a path*); **eingeschlagen** wrapped up
ein-schleppen carry in, bring in
ein-schließen* lock up, include; **einschließlich** inclusive
die Einschränkung, –en restraint, reservation
ein-sehen* perceive, realize
ein-setzen set in
ein-sperren lock up, confine
ein-spinnen* surround with a web
ein-sprechen*: **auf jemanden ein-sprechen** try to make someone listen to reason
einst once; **einstig** former
der Einstand, ⸚e initiation (*fee*), entrance upon an office
ein-steigen* **(sein)** get in
die Einstellung, –en attitude
ein-stürzen (sein) fall in, collapse
ein-tauschen exchange
eintönig monotonous
ein-tragen* bring in, yield
ein-treffen* **(sein)** arrive
ein-treten* **(sein)** enter
ein-trichtern funnel in, hammer into a person's head
ein-winkeln tuck in
die Einzahlung, –en payment
einzeln particular, single, individual
ein-ziehen* **(sein)** march in
einzig only, single, sole, unique
der Einzug, ⸚e entry

das Eisen, - iron; der Eisendraht, ⸗e iron wire, cable; die Eisensäge, -n hack saw; das Eisenträgergerüst, -e iron trussing
der Eisenbahnbeamte, -n, -n railroad official
eisig icy
eitel vain
ekelhaft disgusting
das Elend misery, distress; elend miserable
der Ellenbogen, - elbow
empfangen* receive; der Empfang, ⸗e reception
empfinden* feel, experience; die Empfindung, -en feeling
empor-steigen* (sein) rise
empor-ziehen* draw up, lift up
endlich finally
entbehren spare, do without
entdecken discover; die Entdeckung, -en discovery
sich entfalten unfold
entfernen remove; entfernt distant; die Entfernung, -en distance
entgegen-brausen (sein) roar towards
entgegen-gehen* (sein) go to meet
entgegen-kommen* (sein) be accommodating, meet halfway
entgegen-schaukeln walk toward with a slouch or swing
entgegen-sehen* look forward to, look out for, await
entgegen-strecken stretch out toward
entgegen-stürzen (sein) rush toward
entgegen-treten* (sein) step up or toward
entgegen-werfen* hurl against
entgegen-wirken check, counteract
entgleiten* (sein) slip away, escape
enthalten* contain
die Entladung, -en eruption, discharge
entlang along; an etwas entlang gehen* go along (past) something
entlang-schreiten* (sein) stride along

entlassen* let go, release, let out, dismiss
entleihen* borrow
entmutigen discourage, dishearten
entnehmen* take out, take from
entreißen* snatch from
entrüsten provoke, make angry; entrüstet indignant
(sich) entscheiden* decide; die Entscheidung, -en decision
sich entschließen* decide; die Entschloßenheit decisiveness; der Entschluß, ⸗e resolution, decision
(sich) entschuldigen excuse, apologize
entsetzt horrified; entsetzlich frightful, horrible
sich entsinnen recall
die Entspannung, -en relaxation, release of tension
entsprechend corresponding
entstammen descend (from)
entstehen* (sein) arise, originate
enttäuschen disillusion, disappoint; die Enttäuschung, -en disillusion, disappointment
entwachsen* (sein) outgrow
entweder ... oder either ... or
entwenden* steal, pilfer
sich entwickeln develop; die Entwicklung, -en development
das Entzücken, - delight
entzünden light; sich entzünden become inflamed
sich erbarmen pity; erbarmungswürdig pitiable
erbeben shudder, tremble
erben inherit
erbeten request, solicit
sich erbieten* volunteer, offer
erbitten* beg, request
erblicken catch sight of, see, notice
erblinden blind
erbötig ready and willing to serve
sich erbrechen* vomit
erbringen* adduce, bring forward

VOCABULARY

der Erdboden, ⸗ ground; **der Erdrand, ⸗er** rim of the earth; **die Erdscholle, -n** clod of earth
erdulden endure
das Ereignis, -se event, incident
erfahren* find out, experience, learn; **die Erfahrung, -en** experience
erfinden* invent
der Erfolg, -e success
erfreulich satisfactory, gratifying
erfrieren* (sein) freeze to death
erfüllen fill
sich ergeben* result, turn out; **ergeben** devoted
sich ergießen* pour forth
ergrauen get gray
ergreifen* seize, grip, take hold of
erhalten* get, receive
erheben* lift, raise; **sich erheben*** get up, rise, arise
erhoffen hope for
erhöhen heighten, raise; **die Erhöhung, -en** swelling, protuberance
erhören give a favorable hearing
erinnern: sich erinnern (an) remember; **erinnern an** remind, remind of; **die Erinnerung, -en** reminiscence, recollection, memory
erkennen* perceive, recognize, see; **die Erkenntnis, -se** understanding, perception; **erkennbar** perceptible, recognizable
erklären declare, explain
erklimmen* climb
erklingen* (sein) resound, sound
die Erkrankung, -en illness
sich erkundigen inquire; **die Erkundigung, -en** inquiry
erkünstelt affected, feigned, artificial
erlassen* release from
erleben experience; **das Erlebnis, -se** experience
erleichtern facilitate, lighten, relieve
erleiden* suffer
der Erlenbusch, ⸗e alder bush

erlernen acquire, learn
der Erlös, -e proceeds
erlöschen* (sein) go out, be extinguished, cease to exist
ermahnen admonish; **die Ermahnung, -en** admonition
ermatten (sein) fade, grow weary
ermessen* infer, calculate, imagine
ermüdet exhausted
ernennen* appoint
erniedrigen humiliate, degrade
der Ernst earnestness, seriousness; **ernst** serious; **es ist mein Ernst** I am in earnest; **allen Ernstes** in all seriousness; **ernstlich** serious
ernten harvest; **die Erntezeit, -en** harvest time
die Eröffnung, -en opening
erraten* guess
erregen excite, provoke, stir up; **die Erregung, -en** excitement
erreichen reach, attain
erschallen* (sein) resound
erscheinen* (sein) appear, come out, seem; **die Erscheinung, -en** image, appearance, apparition; **die Erscheinungsform, -en** outward form
erschöpft exhausted
erschrecken* (sein) be frightened, startled, terrified, alarmed; **erschrecken (haben)** frighten, alarm; **es ist zum Erschrecken** it is horrifying
erschüttern upset, stagger, affect deeply; **die Erschütterung, -en** violent emotion
erschweren make difficult
ersparen save, spare
erst not until, only, first, just, at first; **zum ersten Mal** for the first time; **erst recht** all the more
die Erstarrung, -en numbness, torpor
das Erstaunen, - astonishment, amazement; **erstaunt** amazed

ersteigen* climb
ersticken choke, suffocate
erstreben strive for
ertragen* bear
erträumen dream of, imagine
erwachen (sein) wake up
erwachsen* (sein) accrue from, proceed from, grow up; die Erwachsenen grown-ups, adults
erwägen* consider
erwähnen mention
erwarten expect, await
erwecken awaken
(sich) erweisen* prove, prove oneself to be
erwerben* earn, obtain, acquire
erwidern answer, reply, return
erwischen catch
der Erzengel, – archangel
erziehen* raise, educate
erzittern (sein) tremble, shake
der Erz-Musiker, – arch-musician
der Esel, – ass
essen (aß, gegessen, ißt) eat; die Eßwaren provisions
etablieren establish
etlich some, several
das Etui, –s case
etwa perhaps, by chance, about
etwas something, somewhat, some; so etwas such a thing
die Ewigkeit, –en eternity

F

fabelhaft fabulous
die Fabrik, –en factory
der Fächer, – fan
fade dull, insipid, stale
die Fähigkeit, –en ability
fahl pale, faded
fahnden search for
die Fahne, –n flag; das Fahnerl, – little flag
fahren (fuhr, ist gefahren, fährt) go, travel, drive, journey, pass, sail; mit der Hand in die Tasche fahren* slide one's hand into one's pocket; der Fahrdamm, ⸚e roadway; das Fahrgeld, ⸚er fare; die Fahrradpumpe, –n bicycle pump; die Fahrt, –en journey; das Fahrzeug, –e vehicle
fahrig fidgety, uncontrolled
der Fall, ⸚e case, event, condition; auf jeden Fall in any case
fallen (fiel, ist gefallen, fällt) fall; fallen lassen* drop
fällen fell; ein Urteil fällen make a judgment
fällig loosely
die Falte, –n fold, crease, wrinkle; faltig in folds
der Falter, – butterfly, moth
das Familienstück, –e heirloom
famos splendid
fangen (fing, gefangen, fängt) catch, capture
die Farbe, –n color; Farbe bekennen* follow suit, be frank, show one's colors
färben color
das Fäßchen, – little cask, little barrel
fassen take hold of, seize, grasp, contain, form, take; sich fassen pull oneself together; einen Entschluß fassen make a decision
faul lazy
faulig rotting
die Faust, ⸚e fist
fehlen be missing, be lacking; es fehlt mir I lack
feiern honor, celebrate; der Feierabend, –e time for stopping work; feierlich solemn, ceremonious
feig cowardly
die Feile, –n file
das Feindesland, ⸚er enemy land
der Feldwebel, – sergeant-major
der Feldweg, –e lane
der Feldzug, ⸚e campaign
das Felsgestein, –e stone, rock

VOCABULARY

die **Fenstersprosse,** –n crossbar between the panes of a window
die **Ferien** (*pl.*) vacation
der **Ferientag,** –e holiday
fern distant, remote, far off; die **Ferne** distance; **fernsichtig** far-sighted
fertig-machen get ready
fertig-stellen finish, get ready
fesseln fasten, fetter
fest firm, fast, tight
festgelaufen run aground
fest-halten* hold fast, hold firm
festlich festive
die **Festnahme,** –n arrest
fest-setzen fix, stipulate
fest-stellen determine; **feststellbar** ascertainable
der **Fetzen,** – rag
feucht damp
der **Feuerschein,** –e fire light; die **Feuerung,** –en fuel, heating flame; **feurig** fiery
das **Fieber,** – fever; **fiebernd** feverish
finden (fand, gefunden) find; **sich finden* in** be present in; **es findet sich** there is to be found
finster dark, gloomy
die **Firma, die Firmen** firm, company
der **Fischer,** – fisherman; die **Fischotter,** –n fish-otter
flach flat, level; die **flache Hand** the palm of the hand
flackern flicker, flare; **flackernd** uncertain, unsteady
flammen flame, blaze; das **Flämmchen,** – little flame
flankieren flank
flattern flutter, wave
der **Fleck,** –en spot, patch
flehen implore
fleischfarben flesh-colored
fleißig diligent
fliegen (flog, ist geflogen) fly
fliehen (floh, ist geflohen) flee

fließen (floß, ist geflossen) flow, stream
flimmern glimmer, glitter, vibrate
flink quick, nimble, agile
der **Flitter,** – spangle, tinsel
die **Flocke,** –n flake
die **Flöte,** –n flute; der **Flötenton,** ⸚e flute tone
der **Fluch,** ⸚e curse
die **Flucht,** –en flight, escape; **flüchtig** fleeting; der **Flüchtling,** -e refugee, fugitive; die **Flüchtlingsmisere** wretchedness of being a refugee
das **Flugblatt,** ⸚er leaflet
der **Flügel,** – wing; **flügellahm** lame in the wing
der **Flur,** –e entrance hall, corridor; die **Flurtür,** –en hall door
flußabwärts downstream; der **Flußarm,** –e river arm; die **Flußinsel,** –n river island; das **Flußufer,** – river bank; **flußwärts** toward river
flüstern whisper
die **Flut,** –en flood, water
föhnig blown by the south wind
folgen (sein) follow; die **Folge,** –n result
fordern demand, require
fördern promote, advance
forsch smart, dashing, vigorous
forschen nach investigate
fort-bleiben* (sein) remain away
fort-bringen* remove, take away
fort-fahren* (sein) drive off; **fort-fahren* (haben)** continue
fort-gehen* (sein) go away
fort-müssen* have to (go) away
sich fort-pflanzen continue, grow, transmit
fort-reiten* (sein) ride away
fort-schicken send away
fort-schreiten* (sein) progress; **fortschrittlich** progressive
die **Fortsetzung,** –en continuation
fort-toben continue to rage

fort-tragen* carry away
fortwährend continuous
fort-werfen* throw away
die Fracht, –en freight; **das Frachtstück, –e** piece of freight
der Frack, –s dress suit, tail-coat
Frankreich France; **der Franzose, –n, –n** Frenchman; **französisch** French
frech impudent
frei-bekommen* clear
die Freiheit, –en freedom
freilich to be sure, indeed, of course
freimütig frank, candid
freiwillig voluntary, spontaneous
fremd strange, foreign; **fremdartig** strange, odd; **der Fremde, –n, –n** stranger
fressen (fraß, gefressen, frißt) eat (*like animals*)
die Fretterei, –en drudgery, vexation
freudig joyful, happy; **die Freudlosigkeit** joylessness
freuen please; **sich freuen** be happy; **sich freuen auf** look forward to with pleasure
freundschaftlich friendly
der Frevel, – sacrilege
der Friede peace; **friedfertig** peaceable
der Friedhof, ⸚e cemetery, church yard; **der Friedhofseingang, ⸚e** cemetery entrance
frieren (fror, ist gefroren) freeze
frisch fresh; **frischgemäht** freshly mowed
fristen: sein Leben fristen just manage to exist
fröhlich happy, merry, joyful
fromm pious
der Frosch, ⸚e frog
frösteln feel chilly, shiver
frostgrau frost-gray; **frostig-violett** frosty-violet
die Frucht, ⸚e fruit, product
früh early; **von früher her** from old;
in aller Früh very early in the morning
das Frühjahr, –e spring; **die Frühjahrsluft** spring air
das Frühstück, –e breakfast
fuchsteufelswild wild as a devilish fox, boiling with rage
die Fuge, –n joint, seam
fügen ordain; **sich fügen** give way, submit to; **sich in etwas fügen** accommodate one's self to something
die Führung, –en leadership
füllen fill; **die Fülle** abundance; **die Füllung, –en** panel; **die Füllfeder, –n** fountain pen
der Fünfzehnjährige, –n, –n fifteen-year-old boy
funkeln sparkle
die Furche, –n furrow
die Furcht fear, fright; **Furcht vor** fear of; **furchtlos** fearless; **furchtbar** frightful, terrible, dreadful; **fürchten** fear; **sich fürchten (vor)** be afraid (of); **fürchterlich** frightful; **furchterregend** terrifying; **furchtsam** fearful, faint-hearted
das Füreinandersein existing for one another
der Fußboden, ⸚ floor
die Fußspitzen: auf den Fußspitzen gehen* walk on tip-toes

G

die Gabel, –n fork
die Gage, –n pay, salary
der Gang, ⸚e action, motion, walk, passageway; **gangbar** passable
gänzlich entirely, completely
gar absolutely, even, fully; **gar nicht** not at all; **gar nichts** nothing at all; **gar nicht mehr** not any more at all; **gar nichts mehr** nothing more at all; **gar niemand** no one at all
die Garde, –n guard

VOCABULARY

die Garderobe, –n cloak room; der Garderobenständer, – cloak rack
die Gardine, –n curtain
die Garnison, –en garrison
gärtnern garden
der Gassenhauer, – popular song (*of the streets*)
der Gast, ⸚e guest; zu Gast as guests; der Gastgeber, – host; das Gasthaus, ⸚er inn, hotel; das Gastspiel, –e guest appearance, starring performance; die Gaststube, –n public room, bar room; das Gastzimmer, – public room, bar room
der Gatte, –n, –n husband
das Gebäck, –e pastry
die Gebärde, –n gesture, look
sich gebärden behave, carry on
gebären (gebar, geboren, gebiert) bear, give birth
das Gebäude, – building
geben (gab, gegeben, gibt) give, emit, show; es gibt there is, there are, there takes place; aus der Hand geben* give up, give away
das Gebet, –e prayer
das Gebilde, – creation, a thing formed
das Gebirge, – mountain range
das Gebiß, –e set of teeth
gebogen: gebogene Nase aquiline nose
geborsten (p.p. of bersten) burst
das Gebot, –e command; einem zu Gebot stehen* be at one's disposal
der Gebrauch, ⸚e use, custom; gebrauchen use; der Gebrauchsgegenstand, ⸚e useful article
das Gebrodel ebullition, bubbling
der Geburtstag, –e birthday
das Gebüsch, –e clump of bushes
das Gedächtnis, –se memory
der Gedanke, –en thought; in Gedanken while wrapped in thought
gedeihen (gedieh, ist gediehen) thrive
gedenken* intend, plan
gedrängt terse
die Geduld patience; geduldig patient
die Gefahr, –en danger; gefährden endanger; die Gefährdung, –en endangerment; gefährlich dangerous
der Gefährte, –n, –n companion
gefallen* please; es gefällt mir it pleases me
die Gefallenen those (*the soldiers*) who fell in the war
das Gefangenenleben prison life; die Gefangenschaft imprisonment; das Gefängnis, –se prison
das Geflecht, –e network
geflissentlich intentional, deliberate
die Gegend, –en vicinity, neighborhood, district
der Gegensatz, ⸚ contrast
der Gegenstand, ⸚e object
das Gegenteil contrary, opposite; im Gegenteil on the contrary
gegenüber across from, opposite, facing, in regard to
gegenüber-stehen* stand opposite
die Gegenwart present; gegenwärtig present, at present
gehässig malicious, spiteful
gehauen carved, chiselled
gehen (ging, ist gegangen) go, move, walk; das geht nicht that won't do; es geht ihm gut he is well; es geht ihn nichts an it is none of his concern; vor sich gehen* take place
geheim secret, hidden; das Geheimnis, –se secret; geheimnisvoll full of mystery
das Gehör ear, hearing
gehorchen obey
gehören belong; es gehört sich it is proper; gehören mit zu belong to
der Gehorsam obedience
die Geige, –n violin; der Geigenhals, ⸚e neck of a violin; der Geigen-

leib, –er body of a violin; **die Geigensaite, –n** violin string
die Geilheit sensuousness, wantonness
der Geist, –er spirit, soul, mind; **die Geistesabwesenheit** absent-mindedness; **geistig** intellectual, spiritual; **geistlich** clerical, religious
das Geklatsche clapping
das Gekrache crash
gekränkt injured, piqued, aggrieved
der Gekreuzigte, –n, –n crucified one
das Gelächter laughter
gelassen composed, calm; **die Gelassenheit** composure
gelblich yellowish
gelbsamten yellow velvet
der Geldschein, –e bank note, paper money
gelegen situated
die Gelegenheit, –en opportunity; **der Gelegenheitsarbeiter, –** occasional worker; **gelegentlich** on occasion
das Geleise, – track
gelingen (gelang, ist gelungen) succeed; **es gelingt mir** I succeed
gelten (galt, gegolten, gilt) be valid, be a matter of, be applicable; **gelten* als** be taken for; **das gilt für uns alle** that is valid for us all, that holds good for us all
gemein common, in common; **gemeinsam** mutual, common; **die Gemeinsamkeit, –en** common possession, mutuality; **die Gemeinschaft, –en** society, association
die Gemeinde, –n parish, community; **der Gemeinderat, ⸚e** community council; **die Gemeinderatssitzung, –en** town council meeting
das Gemurmel murmuring
das Gemüt, –er soul, mind; **die Gemütsart, –en** temperament; **gemütlich** cheerful, comfortable, full of good feeling, cozy

genau close, exact, precise, clear; **genauso** just so, just as
die Genehmigung, –en permission
genial ingenious, gifted
genug enough; **genügen** suffice
der Genuß, ⸚e enjoyment
das Gepäckstück, –e piece of luggage
das Gepräge stamp
geradeaus straight ahead
die Geradwegigkeit frankness, straighforwardness
das Gerassel clatter
das Gerät, –e tackle, implement, equipment; **die Geräteverwaltung, –en** materials administration
geraten (geriet, ist geraten, gerät) get into, get to, turn out, succeed
geräumig spacious
das Geräusch, –e noise
gerecht just, suitable, righteous
gereizt excited, irritated
das Gericht, –e court
gering small, slight; **die Geringschätzung** contempt, disdain
gerötet red-flushed
der Geruch, ⸚e smell
das Gerüst, –e scaffolding
der Gesang, ⸚e song
das Geschäft, –e store, business; **das Geschäftsgebäude, –e** office building; **der Geschäftsladen, ⸚** store
geschehen (geschah, ist geschehen, geschieht) happen
das Geschenk, –e present
geschickt easy, dexterous, clever
das Geschlecht, –er race, tribe
die Geschlossenheit, –en closeness, compactness, unity
der Geschmack, ⸚e taste, flavor
geschmeidig supple, pliant
das Geschnarr rattling
das Geschwätz, –e idle talk
geschwind rapid
gesellig sociable; **die Gesellschaft, –en** company, society
das Gesetz, –e law, rule, precept

gesetzt appointed, ordained
die Gesinnung, –en conviction, sentiment, way of thinking; **die Gesinnungslosigkeit** lack of principle
gespannt tense, eager, intent; **die Gespanntheit, –en** tension
das Gespenst, –er specter, ghost
das Gespinst, –e web
das Gespräch, –e conversation
die Gestalt, –en figure, form, stature
gestanden staid, discreet
gestatten permit
gestehen* confess, admit
das Gestein, –e stone
gestreng strict
das Gesuch, –e petition, request
die Gesundheit health, salubrity
getarnt concealed, camouflaged
das Getöse, – roar, din
getreu faithful
das Getriebe bustle, motion
getrost confident
gewahren ascertain, perceive, become aware of
die Gewalt, –en power, force
gewandt adroit
das Gewehr, –e gun, rifle, weapon
das Gewerbe, –e trade, business, industry; **die Gewerbehalle, –n** industrial exposition hall
der Gewerkschaftler, – trade unionist
das Gewesene what has been
das Gewicht, –e weight
gewinnen (gewann, gewonnen) win, obtain
das Gewissen conscience; **ins Gewissen reden** appeal to (*a person's*) conscience; **gewissenhaft** conscientious, scrupulous; **die Gewissensbisse** pangs of conscience
die Gewißheit, –en certainty, assurance
gewöhnen accustom; **sich gewöhnen an** become accustomed to; **gewöhnlich** customary, usual; **gewohnt** accustomed
gewölbt arched
das Gezupf plucking
gierig eager, covetous
gießen (goß, gegossen) pour, shed, cast
das Gift, –e poison
girren bill and coo
die Gittertür, –en grated door; **die Gitterpforte, –n** grated gate; **das Gittertor, –e** grated gate
der Glanz brightness, gleam, splendor, glow; **glänzen** gleam, shine
die Glaskugel, –n glass ball
glätten smooth, polish
die Glatze, –n bald head
der Glaube belief; **glaubwürdig** credible, reliable
gleich like, same, right away, equal, even, immediately; **mir ist alles gleich** it's all the same to me; **gleichen (glich, geglichen)** resemble, be like; **der Gleichgesinnte, –n, –n** person of like mind; **gleichgültig** indifferent, nondescript, unconcerned; **mir war alles gleichgültig** I was quite indifferent to everything; **die Gleichgültigkeit** indifference; **gleich-kommen* (sein)** be equivalent; **der Gleichmut** equanimity; **gleichsam** as it were; **gleichviel** no matter, all the same; **gleichzeitig** simultaneous
gleiten (glitt, ist geglitten) glide, slip, slide
glitzern glitter, glisten
die Glocke, –n bell
der Glockenschlag toll of a bell
glucksen gurgle, cluck
das Glücksgefühl, –e feeling of happiness
glühen glow
die Glut, –en glowing embers, glow, heat
gnädig gracious

der **Gockel,** – rooster
der **Goldbuchstabe, –n, –n** gold letter
das **Goldgeleucht** gold illumination
gönnen grant, not to grudge
der **Gottbegnadete, –n, –n** God favored person
Gotteswillen: um Gotteswillen for God's sake; **göttlich** divine; **gottlob** thank God
das **Grab, ⸚er** grave; das **Grabkreuz, –e** crucifix on a grave; das **Grabmal, –e** monument, tomb; der **Grabstein, –e** grave stone
graben (grub, gegraben, gräbt) engrave, dig; der **Graben, ⸚** ditch
grad just
der **Gram** grief; **sich grämen** fret, grieve; **sich grämen um** worry about; **gramvoll** gloomy, melancholy
der **Granit, –e** granite; **granit** granite
der **Grasbüschel, –** tuft of grass
gräßlich horrible
gratulieren congratulate
grau gray
grauenhaft horrible, dreadful; **grausam** cruel
greifen (griff, gegriffen) grasp, snatch at, seize, reach; **greifbar** tangible, palpable
grell hard, glaring, shrill, garish
die **Grenze, –n** border, boundary; der **Grenzzwischenfall, ⸚e** border incident
Griechenland Greece; **griechisch** Greek
griesgrämig morose, sullen
der **Griff, –e** handle
grob coarse, rough
der **Groll** resentment, ill-will
grollen roar, rumble
das **Gros** majority
großartig grand, sublime, magnificent
die **Größe, –n** size

das **Großmaul, ⸚er** big-mouth, braggart
grübeln brood
der **Grund, ⸚e** ground, basis, foundation, bottom, reason; **auf Grund** on the basis; **im Grunde** at the bottom, after all, basically; **zu Grund gehen*** be ruined, perish; **gründlich** thorough, complete; das **Grundstück, –e** piece of land
grüngestrichen green-painted
die **Gruppe, –n** group
das **Guckloch, ⸚er** peephole
gültig legitimate, valid
die **Gummidichtung, –en** rubber gasket
günstig favorable
gurgeln gurgle; **gurgelnd** guttural
das **Gut, ⸚er** farm, estate; das **Gutshaus, ⸚er** manor house; der **Gutsherr, –n, –en** lord of the manor, landowner
der **Gutgesinnte, –n, –n** loyal man
gütigst most graciously
der **Gütler, –** landholder
gutmütig good-tempered; die **Gutmütigkeit** good-naturedness
die **Gymnasialkasse, –en** class of the Gymnasium; der **Gymnasiast, –en, –en** secondary school boy

H

haarscharf very exact
haben (hatte, gehabt, hat) have, hold; **bei sich haben*** have about one or with one
die **Haft** custody, arrest
haften stick to, cling to
der **Hagel** hail
hager haggard, lean
der **Haihauptmann** captain of the Sharks
das **Halbdutzend, –e** half dozen; **halbnackt** half naked
halber for the sake of
die **Hälfte, –n** half

VOCABULARY

die Halle, –n hall
hallen echo, sound
der Hals, ⸚e neck
halt in my opinion
halten (hielt, gehalten, hält) keep, hold, stop; **sich an etwas halten*** adhere or stick to something; **halten* für** consider, take for; **haltbar** tenable; **die Haltung** attitude, mien, carriage, deportment, self-control
hämisch malicious
der Hammerschlag, ⸚e hammer blow
die Handbewegung, –en gesture, movement of the hand; **der Handgriff, –e** manipulation; **das Händeklatschen** clapping of hands; **der Handkoffer, –** suitcase; **der Handlanger, –** handy man, flunky; **der Handrücken, –** back of the hand; **der Handschuh, –e** glove; **der Handteller, –** palm of the hand; **das Handumdrehen** turn of a hand
handeln act, proceed; **es handelt sich um** it has to do with, it concerns; **das Handeln** action, procedure
hängen (hangen) (hing, gehangen, hängt) hang
hantieren keep busy, move around busily; **die Hantierung, –en** business, manipulation
die Harfe, –n harp; **die Harfinisten, –nen** harpist
hartgesotten hard-boiled; **hartmäulig** hard-mouthed, hard-bitten; **hartnäckig** obstinate, stubborn
der Harzgeruch, ⸚e smell of resin
hassen hate; **haßerfüllt** filled with hate; **häßlich** ugly
die Hast haste; **hastig** hasty
das Häubchen, – little cap
hauchen breathe; **der Hauch, –e** breath
hauen (hieb, gehauen) beat, hew, break

der Haufe(n), –ns, –n heap; **das Häuflein, –** cluster; **häufig** frequent; **sich häufen** increase
das Haupt, ⸚er head; **der Hauptcharakterzug, ⸚e** chief character trait; **der Haupthai, –e** chief Shark; **der Häuptling, –e** chieftain
der Hauseingang, ⸚e house entrance; **hausen** live peacefully with, house; **der Hauslehrer, –** private tutor; **der Hausmeister, –** house steward; **das Haustor, –e** house door; **die Haustorschlüssel, –n** house door key; **der Hausverwalter, –** superintendent, custodian; **die Hauswand, ⸚e** house wall
die Haut, ⸚e skin, hide
heben (hob, gehoben) lift, raise
die Hecke, –n hedge
das Heer, –e army
heften fasten
die Heftigkeit, –en violence, vehemence; **heftig** violent, vehement, forcible, strong
die Heide, –en heath
die Heilkunst, ⸚e medical science
heillos profligate, wretched
heim home, homeward; **das Heim, –e** home, domicile; **die Heimat** home, homeland; **heim-kehren (sein)** return home; **die Heimkehr** homecoming; **heimwärts** homeward; **der Heimweg, –e** way home, return
heimlich furtive, secret
heiraten marry
heiser hoarse
heißen (hieß, geheißen) call, be called, be named, mean, order; **sich heißen*** call itself; **das heißt** that is to say, that is; **es hieß** they said, it was said
heiter cheerful, serene; **die Heiterkeit** cheerfulness
der Heizkörper, – radiator
der Held, –en, –en hero

helfen (half, geholfen, hilft) help
die Helligkeit brightness
das Hemd, –en shirt
die Hemmung, –en inhibition, restraint
henken hang (*on the gallows*)
her here, hither; **vom Vater her** from his father's side
herab-hängen* hang down
herablassend condescending
heran-drängen (sein) press on; **sich heran-drängen** push up to, push forward
heran-fressen* **an** gnaw at, eat into
heran-gehen* **(sein)** approach, go near
heran-rücken (sein) draw near
heran-schleppen drag up, drag on
heran-treten* **(sein)** step up
herauf-fahren* **(sein)** drive up
heraus-bringen* find out, elicit
heraus-fordern challenge, defy, provoke
heraus-führen lead out
heraus-holen take out
heraus-hören get or learn by hearing
heraus-rücken come out with; **einen Schnaps heraus-rücken** treat to a brandy
heraus-sagen speak out
heraußen out here
heraus-stellen set out; **sich heraus-stellen** turn out
heraus-ziehen* pull out, draw out
die Herbeischaffung, –en procurement
die Herde, –n herd, flock
das Herdfeuer, – hearth fire
herein-brechen* **(sein)** break in, set in
herein-drängen (sein) crowd in
herein-legen take in, get a person into trouble, do a person in
herein-streichen* **(sein)** rush in
her-fallen* **(sein): über einen her-fallen*** assail, pounce upon a person
der Hergang, ⸚e occurrence, course of events
sich her-geben* be a party to, lower one's self to
hergebracht customary, traditional
her-gehen* **(sein)** come to pass, go on, go here
her-kommen* **(sein)** come here
die Herkunft, ⸚e origin
hernach afterwards
herrisch lordly, imperious
herrlich splendid
die Herrschaft, –en power, dominion; **die Herrschaften** ladies and gentlemen
her-schauen look, seem
her-stellen produce
her-traben (sein) trot along
herüber over, to this side
herüber-klingen* resound, sound through
herum around
sich herum-drängen crowd around
herum-laufen* go or run around
herum-lungern loaf around
herum-putzen wipe around
herum-reißen* pull around, tear
herum-stochern poke around
herunter down
herunter-rasen (sein) speed down
herunter-sausen (sein) dash down
herunter-würgen choke down
hervor-bringen* bring forth
hervor-dringen* **(sein)** gush forth
hervor-holen take out
hervor-springen* **(sein)** jump forth
hervor-stoßen* gasp out
hervor-ziehen* pull out, draw forth
hervor-zupfen pluck out
das Herz, –ens, –en heart; **übers Herz bringen*** have the heart to; **ums Herz** in my heart; **herzhaft** hearty

VOCABULARY

herzu-eilen (sein) hasten near or forward
das Heu hay
heutig present, present day; **heutzutage** nowadays
die Hexerei witchcraft
hierher hither, here; **hierhin** here, hither; **hierüber** about this; **hiervon** about this; **hierzulande** in this country
die Hilfe, –n help; **die Hilfeleistung, –en** aid, relief; **die Hilflosigkeit** helplessness; **hilfreich** helpful
hin thither, along, away; **hin und her** back and forth; **hin und wieder** now and then
hinab-gleiten* (sein) glide down
hinab-klettern (sein) climb down
hinab-rennen* (sein) run down
hinab-steigen* (sein) climb down
hinab-stolpern (sein) stumble down
hinauf-greifen* reach up
hinauf-klettern (sein) climb up
hinauf-laufen* (sein) run up
hinauf-schauen look up
sich hinauf-schrauben spiral, twist upward
hinauf-steigen* (sein) rise up, climb up
hinauf-ziehen* pull up
hinaus-halten* hold out
hinaus-müssen* have to (go) out
hinaus-schaffen move out
hinaus-schauen look out
hinaus-schießen* shoot out
hinaus-schleichen* (sein) slink out
hinaus-stürzen (sein) rush out
hinaus-wachsen* (sein): über etwas hinaus-wachsen* grow above and beyond something
hinaus-zerren drag out
sich hin-bewegen move along
hin-bringen* take there
hindern impede, obstruct; **das Hindernis, –se** obstacle, hindrance
hindurch through, across, throughout
hindurch-gehen* (sein) go through
hinein-fressen* eat into
hinein-greifen* reach into
hinein-laufen* (sein) run into
hinein-schauen look in
hinein-stechen* stick in, pierce
hinein-wachsen* (sein) grow into, adjust to
sich hin-geben* devote oneself, indulge in
hin-halten* hold off, keep in expectation
hin-hängen* hang up
hin-kommen* (sein) get to
hin-legen put down, place before
hin-nehmen* put up with
hin-pfeifen* blow over
sich hinreiben lassen* allow one's self to be provoked
hin-reichen reach, suffice
hin-reißen* charm, carry along
hin-schieben* shove toward
hin-sehen* look toward, look at
sich hin-setzen sit down
hin-starren stare out
hin-stellen put down; **sich hin-stellen** put one's self into position
hin-strecken: die Hand hin-strecken hold out one's hand
hin-strömen (sein) flow along
hin-tänzeln (sein) caper away
hinten at the back, behind
hinterdrein after, afterwards
hintereinander one after the other
hinter-lassen* leave behind
hintersinnig crazy, deranged, depressed
hin-treiben* (sein) drift along
hinüber-hüpfen (sein) hop over
hinüber-rudern (sein) row over
hinunter-fahren* (sein) drive down
hinunter-helfen* help down
hinunter-klettern (sein) climb down
hinunter-sausen (sein) whiz down

hinunter-steigen* (sein) climb down, descend
hinunter-stoßen* push down
hinweg away
hinweg-blicken look over
hinweg-schauen look over
hin-weisen* point, direct
sich hin-wenden* turn
hin-ziehen* (sein) move along
hinzu-fügen add
hinzu-gehen* (sein) approach, go near
der Hirsch, –e stag
hitzig hot, vehement
hoch high; **höher** higher; **höchstens** at best, at most; **hochgewachsen** high grown; **der Hochofen, ⸚** smelting furnace; **hochrot** bright red, blushing deeply
hoch-fahren* (sein) rise up, be startled
hoch-heben* lift high, raise
hoch-klappen flap up
hoch-kommen* (sein) rise
hochmütig arrogant
hoch-sausen (sein) whiz upwards
hoch-schlagen* turn up
hoch-werfen* throw upwards
hoch-ziehen* pull up
der Hof, ⸚e farm, court yard, halo
die Hoffart haughtiness, arrogance
hoffen hope; **hoffentlich** it is to be hoped; **die Hoffnung, –en** hope
die Höhe, –n height, elevation; **der Höhepunkt, –e** high point, climax
hohl hollow, dull; **die Höhlung, –en** cavity
höhnisch scornful, sneering
das Holz, ⸚er wood; **hölzern** wooden; **das Holzgestell, –e** wooden frame, wooden trestle; **der Holzpfahl, ⸚e** wooden post; **der Holzklotz, ⸚e** block of wood; **der Holzstall, ⸚e** wood shed; **das Holzteilchen, –** little piece of wood; **die Holzwolle, –en** wood-wool, excelsior

hörbar audible
horchen listen, harken
hörnern bone
hübsch charming, nice, pretty, good looking
der Hufschlag, ⸚e hoof beat; **die Hufspur, –en** hoof print
die Hüfte, –n hip
der Hügel, – hill
hüllen wrap
die Humusschicht, –en layer of humus
hungern hunger
hüpfen hop, skip, jump
die Hütte, –n hut
das Hüttenwerk, –e foundry

I

der Ignorant, –en, –en ignoramus
ihretwegen for her sake; **Ihretwegen** because of you
illustrieren illustrate
immerfort continually, constantly; **immerhin** for all that, yet, nevertheless
imstande in a position to, able
inbrünstig ardent
indem in that, while, on or by (*doing*)
indessen meanwhile
ineinander entwined, in each other
infolgedessen consequently, because of that
der Ingenieur, –e engineer
der Inhalt, –e contents
inmitten in the midst of
inne-halten* pause, cease; **Bedingungen inne-halten*** stick to the conditions
innen within
inner interior, inner; **das Innere** the inner self, heart, soul, interior; **das Innerste** the innermost self or being
der Insasse, –n, –n inhabitant, inmate

keinesfalls in no case; **keineswegs** in no way

der Keller, – cellar

kennen (kannte, gekannt) know; **kennen-lernen** become acquainted with; **kenntlich** discernible; **die Kenntnis, –se** knowledge, information; **etwas zur Kenntnis nehmen*** take note of something

der Kerl, –e fellow

der Kern, –e kernel

die Kette, –n chain

keuchen pant, puff, gasp

der Kies gravel; **der Kieselstein, –e** pebble; **der Kiesweg, –e** gravel way or path

das Kilo, –s kilogram

der Kindername, –ns, –n pet name; **der Kinderschritt, –e** child's step; **kindlich** childlike

das Kinn, –e chin

das Kino, –s motion picture, movie theater

die Kiste, –n chest, crate

der Kitt putty

kitzeln tickle; **der Kitzel** titillation

die Klage, –n complaint, lament; **klagen** lament, say plaintively; **kläglich** deplorable, wretched; **die Kläglichkeit, –en** wretchedness

der Klang, ⸚e ring, sound; **die Klangfarbe, –n** tonal color

klappern click, clack

klarmachen make clear

klarwerden* become clear, become clarified

klatschen smack, clap, clatter

klauen steal, pilfer

das Klavier, –e piano; **der Klaviersessel, –** piano stool

kleben stick; **klebrig** sticky

das Kleid, –er dress, (*pl.*) clothes; **kleiden** clothe, suit, be fitting; **der Kleiderständer, –** hat and coat rack

die Kleinigkeit, –en trifle; **kleinlich** paltry

Kleinrußland Little Russia

klettern (sein) climb

klimmen (klomm, ist geklommen) climb

klimpern jingle, tinkle or strum (*on a musical instrument*)

klingeln ring; **das Klingelzeichen, –** signal of the doorbell

klingen (klang, geklungen) sound, ring

die Klinik, –en clinic, clinical hospital

klirren jingle, clank, clatter

klopfen beat, clap, knock, break (*stone*); **das Klopfzeichen, –** signal by knocking

der Klotz, ⸚e block

klug clever

der Knabe, –n, –n boy

knacken crackle

knallen snap, crack; **der Knall, –e** bang, crash; **knallrot** sharp red, bright red

knapp neat, exact, scarce

knarren creak

der Knecht, –e hired hand, man at arms, soldier, servant

kneifen (kniff, gekniffen) pinch, nip

das Knie, –e knee; **der Knieschuß, ⸚e** shot in the knee

knirschen crunch, crack

der Knochenfraß caries, rottenness of the bones

der Knopf, ⸚e button

die Knospe, –n bud

der Knotenpunkt, –e junction

knüllen crumple

kochen cook

der Koffer, – chest, trunk, suitcase

die Kohle, –n coal

der Kolben, – piston

der Koller, – rage, frenzy, madness

die Kolonne, –n column

komisch comic, comical

das Kommando, –s command

VOCABULARY

insbesondere especially
die Insel, –n island; **der Inselbaum, ⸚e** tree on an island; **der Inselbewohner, –** inhabitant of an island; **die Inselspitze, –en** point of an island; **das Inselufer, –** bank of an island
das Interesse, –en interest; **sich interessieren** interest
das Intimste, –n the most intimate being
inwendig inward
inzwischen in the meantime
irgend any, some, at all; **irgendein** some sort of, any, some; **irgendeiner** someone or other; **irgendetwas** something or other; **irgendwann** sometime or other; **irgendwie** somehow; **irgendwo** somewhere or other; **irgendwoher** somewhere or other; **irgendwohin** to somewhere or other
irren err, act wrongly; **der Irre, –n, –n** madman; **die Irrfahrt, –en** going astray, wandering about; **der Irrtum, ⸚er** mistake, error

J

die Jacke, –n jacket; **die Jackentasche, –n** jacket pocket
die Jagd, –en hunt; **auf etwas Jagd machen** hunt something
jäh sudden, rapid; **jählings** suddenly, abruptly
das Jahr, –e year; **im sechzehner Jahr** in the year '16; **die Jahreszeit, –en** season; **das Jahrhundert, –e** century; **das Jahrzehnt, –e** decade
der Jammer misery
je each, ever; **je ... desto** the ... the; **je drei** three together; **je zwei** two at a time, two together
jedenfalls in any case, at any rate
jedoch however, nevertheless
jemals ever

jenseits on the other si opposite, on the oth
jetzig present
der Jubel, – jubilati joice, shout with j
die Jugend youth; da sal, –e youthful lo
der Junge, –n, –n b
der Jüngling, –e you

K

die Kabine, –n cub
die Kachel, –n stov
das Kadettenkorps
der Käfig, –e cag
kahl bare, bald
die Kälte cold, co
kaltherzig cold he
die Kammer, –n
der Kampf, ⸚e s
  kämpfen fight,
  fermotiv, –e
  Kampfzeit, –e
der Kanal, ⸚e c
die Kapelle, –n
kapriziös capric
karg skimpy, s
das Kartenspie of cards
die Kartoffel, felkraut, ⸚e
die Karyatide
die Kasse, –n till
das Kastell,
der Kasten,
der Kauf, mann, (p chants
der Kaugun
kaum scarc
die Kehle,
der Kehri refuse
kehrt-mac
der Keim,

VOCABULARY

kommen (kam, ist gekommen) come, happen; **es kommt nicht darauf an** it matters little
die Kommode, –n bureau, chest of drawers
der Komödiant, –en, –en comedian
komponieren compose; **der Komponist, –en, –en** composer
kompromittieren compromise
das Konfekt, –e sweets, confections
der König, –e king; **königlich** royal; **das Königsamt, ⸚er** duty or office of a king
können (konnte, gekonnt, kann) be able, know (how to)
konsequent consistent
die Konserve, –n canned goods
das Konzentrationslager, – concentration camp
der Konzertbesucher, – concert goer
konziliant conciliatory
köpfen behead
das Kopfende, –n head end; **die Kopflosigkeit, –en** stupidity; **die Kopfprämie, –n** bounty; **das Kopftuch, ⸚er** head shawl, kerchief
der Korb, ⸚e basket
der Körper, – body; **die Körpergröße, –n** stature
kosmisch cosmic
kosten cost
kotzen vomit
krachen creak, crack
die Kraft, ⸚e power, strength, validity, efficacy; **kräftig** strong, robust, vigorous
der Kragen, – collar
sich krampfen clench, contract; **krampfhaft** convulsive, spasmodic
kränken offend, provoke
die Krankheit, –en illness
der Kranz, ⸚e wreath; **der Kranzgeschmückte, –n, –n** one adorned with a wreath
kraß gross, crass

kratzen scratch
das Kraut, ⸚er cabbage, herb, plant
der Kreis, –e circle
kreischen screech, creak, scream
das Kreuz, –e crucifix, cross; **kreuz und quer** in all directions; **kreuzigen** crucify
kriechen (kroch, ist gekrochen) creep
kriegen get
das Kriegsende, –n end of the war; **kriegsmäßig** having to do with the war, warlike; **der Kriegsschmuck, –e** war decoration
die Krise, –n crisis
kristallisch crystalline
der Kritiker, – critic
die Krone, –en crown; **krönen** crown; **der Kronleuchter, –** chandelier
krümeln crumble
die Krümmung, –en winding, contortion, curve
die Küche, –n kitchen
die Kuh, ⸚e cow
die Kühle coolness
die Kulissentür, –en coulisse door
kümmern worry, concern, distress; **sich um jemanden kümmern** care about someone, take pains about someone; **kümmerlich** needy, pitiful, wretched, scanty, miserable; **die Kümmernis, –se** anxiety, care
die Kunde, –n news, information
kund-geben* make known; **die Kundgebung, –en** disclosure, demonstration, manifestation
künftig future
die Kunst, ⸚e art, trick; **der Künstler, –** artist; **die Künstlermähne, –n** mane of an artist; **künstlich** artificial; **das Kunststück, –e** trick
das Kupfer copper
die Kuppel, –n dome, cupola
kurz short; **vor kurzem** recently; **kurzum** in short
küssen kiss

L

lächeln smile; **lächerlich** ridiculous
laden (lud, geladen, lädt or **ladet)** load
die Lage, –n situation, condition
das Lager, – camp, bed
lahm lame; **lähmen** lame; **die Lähmung, –en** lameness; paralysis
lallen babble, stammer
das Lamm, ̈-er lamb
die Lampe, –n lamp, light
der Landmann, (*pl.*) **die Landleute** peasant, farmer; **die Landschaft, –en** landscape; **der Landstreifen, –** strip of land; **die Landzunge, –n** tongue (*neck*) of land
lang long; **lange** for a long time; **drei Tage lang** for three days; **längst** long since, ever so long; **länglich** longish, elongated
langsam slow
langweilen bore, weary; **die Langeweile** boredom, weariness of mind
läppisch silly, foolish
der Lärm noise
lassen (ließ, gelassen, läßt) let, leave, allow, permit, have (*something done*), cause to, cease
lässig lazy, nonchalant, careless
die Last, –en burden, charge; **zur Last fallen*** charge to, be a burden to; **der Lastzug, ̈-e** lorry; **lästig** burdensome, annoying
das Laub foliage
lauern lurk, lie in wait for
laufen (lief, ist gelaufen, läuft) run; **der Lauf, ̈-e** course, track, run; **in Lauf bringen** get started
lauschen listen to, eavesdrop
der Laut, –e sound; **lauten** sound, read, run; **das Lautgeben** sounding
läuten ring; **das Läutwerk, –e** mechanism which produces a ring
lauter pure, nothing but, mere
der Lavendel, – lavender
das Lazarett, –e military hospital

lebendig living, alive; **der Lebensbaum, ̈-e** tree of life; **die Lebensbedingung, –en** condition of life; **die Lebenserfahrung, –en** life experience; **die Lebensgefahr, –en** danger to life; **lebenswert** worth living; **lebhaft** lively; **die Lebtage** all the days of my life
die Leberwurst, ̈-e liver sausage
lecken lick
der Lederkoffer, – leather chest; **der Lederpfropfen, –** leather stopper or plug
leer empty; **die Leere** emptiness; **sich leeren** empty
legen lay, put, set; **sich legen** lie down
der Lehm, –e mud, clay; **lehmig** clayey, muddy
lehnen lean; **der Lehnstuhl, ̈-e** easy chair
der Leib, –er body; **leiblich** corporal, natural, one's own
die Leiche, –n body, corpse
der Leichnam, –e corpse
die Leichtigkeit, –en lightness, ease; **die Leichtfertigkeit, –en** frivolity
leiden (litt, gelitten) suffer, put up with; **leiden* an** suffer from; **leid tun** be sorry; **es tut mir leid** I am sorry
die Leidenschaft, –en passion; **leidenschaftlich** passionate
leider unfortunately
leidlich tolerable, passable
leihen (lieh, geliehen) lend
der Leim, –e glue
das Leinen, – linen
leise soft, quiet
leisten perform, do
die Leitung, –en conduit, wire, direction
die Lektüre, –n reading
lesen (las, gelesen, liest) read
letzt last, recent
leuchten shine; **das Leuchten** glow

VOCABULARY

leugnen deny
der Lichtkegel, – beam of a searchlight; **die Lichtreklame, –n** illuminated advertisement
die Liebe, –n love; **lieb** dear; **mein Lieber** my dear fellow; **liebäugeln** ogle; **liebenswürdig** amiable, likeable; **der Liebhaber,** – fancier, lover; **lieblich** lovely, sweet; **der Lieblingsbesitz, –e** most cherished possession; **das Lieblingskind, –er** favorite child
lieber rather, sooner, more willingly; **mir wäre lieber** I'd prefer; **etwas am liebsten tun*** like most of all to do something
das Lied, –er song
liegen (lag, gelegen) lie; **liegen* an** be attributable to; **es liegt jemandem daran** it is of importance to a person; **die Liegestatt, ⸚en** couch, cot
der Lift, –e elevator; **der Liftschlüssel,** – elevator key
lila lilac colored
die Linie, –n line; **in erster Linie** primarily
linkisch awkward, left-handed
die Lippe, –n lip
loben praise; **lobpreisen** praise, extol
das Loch, ⸚er hole; **löchrig** full of holes
die Locke, –n lock (*of hair*)
der Löffel, – spoon; **löffeln** spoon
die Loge, –n loge, box (*in a theater*)
der Lorbeer, –en laurel
los loose; **los!** get going!; **los-werden*** **(sein)** get rid of; **was ist los?** what's wrong?
löschen (losch, ist geloschen, lischt) go out
lösen loosen, dissolve, solve, detach; **sich lösen** untwine
los-gehen* (sein) begin, set out
los-marchieren (sein) march straight toward something, start marching
los-reißen* tear away
los-schießen* fire away, speak one's mind
das Losungwort, –e password
die Luft, ⸚e air; **etwas Luft machen** give vent to something; **der Luftdruck, –e** air pressure; **die Luftpumpe, –n** air pump; **der Luftzug, ⸚e** draft of air, current of air
lügen (log, gelogen) (*tell a*) lie
der Lump, –en, –en scoundrel
die Lust, ⸚e desire, inclination, pleasure
lüstern greedy, lascivious
lustig happy, merry; **sich über jemanden lustig machen** make fun of someone

M

machen make, do, carry on, arrange; **sich auf den Weg machen** set out
die Macht, ⸚e might, force, power; **der Machthaber,** – ruler, one in power; **mächtig** strong, mighty, enormous, powerful, huge
das Magazin, –e storage loft, warehouse; **der Magazingehilfe, –n, –n** helper in a warehouse
der Magenkranke, –n, –n person sick at the stomach
mager meager, poor, thin
die Mahlzeit, –en mealtime, meal
das Mal, –e time; **mal** once; **mit einem Male** all at once, suddenly; **noch mal** again; **zum erstenmal** for the first time
manchmal sometimes
das Mandelauge, –n almond-shaped eye
der Mangel, ⸚ lack
die Männerstimme, –en man's voice; **die Mannsleute** men-folk; **mannstief** deep as a man; **männlich** manly
der Mantel, ⸚ coat, cloak

die Mark, -stücke mark (*monetary unit*)
der Marmor, -e marble; **der Marmorschein** marble sheen, marble glow; **marmorschimmernd** glistening like marble
die Marsch, -en marsh, bog
der Marsch, ⸚e march
das Maß, -e measure, degree, proportion, extent; **maßlos** without measure, boundless
die Masse, -n quantity, mass, substance
sich mäßigen restrain one's self
matt feeble, faint
die Mauer, -n wall; **der Mauerklotz, ⸚e** fragment of wall; **mauern** wall up, i.e. not risk anything
das Maul, ⸚er mouth (*of an animal*)
maurisch Moorish
die Meertochter, ⸚ daughter of the sea, nixie
mehrere several; **mehrmalig** repeated; **mehrmals** several times, again and again
meiden (mied, gemieden) avoid
meinen say, mean, intend, think, claim, believe, suppose, feel, signify, be of the opinion; **die Meinung, -en** opinion; **ihrer Meinung nach** in her opinion
meinetwegen for all I care, on my account
der Meister, - master
melden report, announce, inform
die Menge, -n great deal, crowd, quantity
das Menschengedenken human memory; **das Menschengedränge** crowd of people; **die Menschenwürde** human dignity
merken notice; **das Merkzeichen, -** mark, characteristic; **merkwürdig** noticeable, remarkable, strange; **merkwürdigerweise** strange to say

messen (maß, gemessen, mißt) measure; **sich messen** compete with, measure one's self with
das Messer, - knife
das Messing brass; **die Messingbarre, -n** brass bar
der Metalldieb, -e metal thief; **metallisch** metal, metallic
metertief meter deep
der Milchkaffee, -s café au lait
das Militär soldiery, army
mindestens at least; **im mindesten** in the slightest
mischen mix, blend
die Misere wretchedness, distress
mißachten disregard, despise
mißdeuten misinterpret
mißlich unpleasant, awkward, difficult
der Mißton, ⸚e dissonance
mißtrauen mistrust
mit-bringen* bring along
miteinander with one another
mit-erleben experience in company of others
mit-gehen* (sein) go along, accompany
das Mitglied, -er member
mit-helfen* assist
mit-klingen* be in consonance
mit-kommen* (sein) come along, go along
der Mitläufer, - fellow traveller
das Mitleid compassion, sympathy, pity; **mitleidig** sympathetic, compassionate
mit-machen go through, take part in
mit-nehmen* take along, tire or wear out
mit-reißen* carry along or away
die Mitschuld complicity, participation in guilt; **mitschuldig** implicated in a crime
mit-schwingen* (sein) swing along
mit-singen* sing along
mit-summen hum along

VOCABULARY

der Mittag, -e noontime; **der Mittagsglanz** glow of midday
mit-teilen communicate, impart; **sich mit-teilen** communicate one's thoughts; **die Mitteilung, -en** information, communication
das Mittel, - means, remedy
der Mitteleuropäer, - central European; **mittelgroß** middle sized; **der Mittelpfosten, -** middle post; **der Mittelweg, -e** middle path
mitten in the middle, midway
die Mitternacht, ⸚e midnight
mittlerweile meanwhile
mit-tragen* carry along
mitunter among other things, occasionally, now and then
die Mobilmachung, -en mobilization
die Mode, -n fashion
das Model, - mold, pattern
mögen (mochte, gemocht, mag) be willing, like, care to, desire, be inclined to; may, might, let; **ich möchte gern** I should like to
möglich possible; **alle möglichen** all sorts of; **möglicherweise** possibly, perhaps; **die Möglichkeit, -en** possibility
der Mondschein moonlight
das Moos, -e moss; **das Moospolster, -** moss cushion
der Mord, -e murder; **morden** murder
morgen tomorrow; **der Morgen, -** morning; **morgen früh** tomorrow morning; **am andern Morgen** on the next morning
morsch rotten
der Motorenlärm noise of motors
die Mücke, -n gnat, mosquito; **die Mückenplage**, plague of gnats
die Müdigkeit, -e weariness, fatigue
muffig musty
die Mühe, -n effort, trouble; **sich die Mühe geben*** make an effort; **sich**

mühen take pains; **mühsam** with effort, difficult, painful
die Mühle, -n mill, windmill
die Müllhalde, -n hill of trash
mündlich verbal, oral; **der Mundwinkel, -** corner of the mouth
die Munterkeit, -en gaiety
murmeln murmur
murren murmur, grumble
die Muschel, -n mussel, shell
der Musikkritiker, - music critic; **der Musikpadägoge, -n, -n** music pedagogue; **der Musikschriftsteller, -** one who writes about music
musizieren play music
müssen (mußte, gemußt, muß) have to, must, be obliged to
mustern examine critically, inspect
der Mut courage; **Mut fassen** take courage, summon up courage; **mutig** courageous
die Mutmaßung, -en conjecture, surmise
mutterartig mother-like
die Mütze, -n cap

N

nach to, toward, after, about, for, of, according to, like; **nachdem** after; **nachher** afterwards; **nach unten** downwards; **nach oben** upwards; **nacheinander** one after the other; **nach Hause gehen*** go home
der Nachbar, -n neighbor; **die Nachbarschaft, -en** neighborhood
die Nachbehandlung, -en post-operative treatment
nach-blicken follow with the eyes
nach-denken* cogitate, reflect; **nachdenklich** pensive, thoughtful
der Nachdruck emphasis; **nachdrücklich** emphatic, vigorous, expressive
nach-gehen* (sein) follow, apply one's self to
nachgiebig flexible, obliging, indulgent

nach-hängen* give one's self up to
nach-helfen* lend a hand
nach-kommen* comply
der Nachlaß, ⁀e legacy
nach-lassen* abate, grow less
nach-leuchten have an afterglow
nachmittags in the afternoon; die Nachmittagsstunde, –n afternoon hour
die Nachricht, –en news; der Nachrichtenweg, –e course of news
nach-schauen follow with the eyes
die Nachsicht indulgence, forbearance
nach-spüren track, trace
nächst next, near; nächstens shortly, soon; das Nächstliegende, –n, –n that which is closest at hand
nachtdunkel dark as night; der Nachttisch, –e night table; der Nachtvogel, ⁀ night bird; der Nachtwächter, – night watchman
nach-ziehen* drag after
nach-zittern continue to tremble
der Nacken, – nape of the neck
nackt bare
der Nagel, ⁀ nail
nagen gnaw
nah near, nearby, close; die Nähe vicinity, proximity; aus nächster Nähe from the closest proximity; nahend approaching; sich nähern approach; näher-kommen* (sein) come nearer; nahe-liegen* suggest itself, be obvious
namens by the name of; namentlich especially, particularly
nämlich that is to say, namely
die Nase, –n nose
naß damp, wet; die Nässe wetness; vor Nässe triefen be dripping wet
der Nazi-Kollaborateur, –e Nazi collaborator
der Nebel, – fog, mist; der Nebelfetzen, – shred of fog
nebenan close by, next door; nebeneinander side by side; der Nebengang, ⁀e side passage; das Nebenhaus, ⁀er adjoining house; der Nebenraum, ⁀e next room
nebst besides, together with
necken tease
der Neger, – Negro
nehmen (nahm, genommen, nimmt) take; etwas zu sich nehmen* eat something
neidlos without envy
sich neigen tilt; neigen zu be inclined to; die Neigung, –en inclination
nennen (nannte, genannt) call, name
die Nervenschwäche, –n weakness of the nerves, nervousness; der Nervenzustand condition of nerves
nervig sinewy, vigorous
nett nice, neat, tidy
neu new; aufs neue anew, once again; immer aufs neue again and again; der Neuaufgenommene, –n, –n one newly admitted; der Neubau, –ten new building; neuerlich recent, repeated; die Neuigkeit, –en news, piece of news; der Neuling neophyte; der Neuschnee new snow
neugierig inquisitive, curious; die Neugier curiosity
ein Neunziger a man 90 years old
nichtendenwollend not wanting to end, unceasing
nichtig void, empty
nichts nothing; nichts dafür können* be able to do nothing about it; er kann nichts dafür he can't help it
nicken nod
nieder-blicken look down
niedergeschlagen dejected, depressed
die Niederlage, –n defeat
nieder-lassen* set down; sich niederlassen* sit down
sich nieder-legen lie down
nieder-schreien* cry down
nieder-setzen put down; sich niedersetzen sit down

VOCABULARY

nieder-sinken* **(sein)** sink down, drop down
nieder-treten* kick down
die Niederung, −en lowland, marsh
niedrig low
niemals never
niemand no one, nobody
niesen sneeze
nimmer never
nirgendwo nowhere
die Nische, −n niche
nisten nest, be nested
noch still, yet, until; **noch ein** another one; **noch einmal** once again; **noch immer** still; **nochmals** again; **noch nicht** not yet; **noch nicht einmal** not once, not even; **noch nie** never
nördlich northern
die Not, ⸚ need; **zur Not** if need be; **notdürftig** scanty, needy; **nötig** necessary; **nötig haben*** be in need of, need, **notwendig** necessary
das Notenheft, −e book of music, sheet music
notieren write a note
die Notiz, −en notice, note
nüchtern sober, sensible
die Nuß, ⸚e nut
nützen be of use; **nutzlos** useless

O

oben up there, above, up, overhead, on high
ober upper; **oberst** highest; **die Oberhand, ⸚e** upper hand; **der Oberleutnant, −s** first lieutenant; **das Oberlichtfenster, −** skylight window; **der Oberst, −en, −en** colonel; **die Oberfläche, −n** surface; **der Oberschenkel, −** upper part of the thigh
ob-liegen* apply one's self to, be incumbent upon one
die Obstanlage, −n orchard
obwohl although, even though
öde bleak, dreary, desolate
der Ofen, ⸚ stove
offen open, frank; **offen gesagt** frankly said; **offenbar** obvious, evidently; **offenbaren** reveal; **die Offenbarung, −en** revelation; **offenstehen*** stand open; **öffentlich** public
öffnen open; **sich öffnen** open
öfters quite often
ohnedies anyhow
ohnehin besides, anyhow, moreover
ohnmächtig powerless, unconscious
das Ohr, −en ear
der Omnibus, −se bus
das Opernglas, ⸚er opera glass
das Opfer, − sacrifice
der Oppositionsführer, − leader of the opposition
ordentlich proper, regular
ordinär common
ordnen put in order; **die Ordnung, −en** order, arrangement
die Ordre, −s order, commission
der Ort, −e place; **die Ortskenntnis, −en** knowledge of a place
Ostpommern East Pomerania

P

das Paar, −e pair, couple; **ein paar** a few; **ein paarmal** a few times
das Päckchen, − packet
packen seize, stow away, effect, get done, pack; **das Packpapier, −** wrapping paper
das Paket, −e package
der Pakt, −e pact
der Palast, ⸚e palace
der Panzer, − tank
die Papierblume, −n paper flower; **der Papierknäuel, −** ball of paper; **das Papierröllchen, −** little roll of paper
die Pappel, −n poplar tree
die Pappschachtel, −n cardboard box

die **Parkallee** Park Avenue
der **Parlamentsfreund, –e** friend in Parliament
die **Partei, –en** political party; das **Parteiblatt, ⸚er** party newspaper
der **Paß, ⸚e** pass
der **Passant, –en, –en** passer-by
passen suit, fit
passieren (sein) happen
patschen splash
die **Pause, –n** intermission, pause
die **Pein** pain, agony; **peinigen** torment
pelzig furry
perlen sparkle, rise in bubbles
die **Persönlichkeit, –en** person, personality
die **Petroleumlampe, –n** oil lamp
der **Pfad, –e** path
der **Pfahl, ⸚e** post, pile
das **Pfand, ⸚er** pledge, forfeit
die **Pfeife, –n** pipe; der **Pfeifenrauch** pipe smoke
pfeifen (pfiff, gepfiffen) whistle
der **Pfeil, –e** arrow; **pfeilschnell** quick as an arrow
der **Pferdedieb, –e** horse thief; der **Pferdegeruch, ⸚e** smell of horses
der **Pfiff, –e** whistle
pfiffig sly, crafty
pflanzen plant
das **Pflaster, –** pavement
pflegen be accustomed, be in the habit of, take care of; die **Pflegeschwester, –n** foster sister; die **Pflegetochter, ⸚** foster daughter
die **Pflicht, –en** duty; das **Pflichtgefühl, –e** feeling of duty
pflücken pluck
pflügen plow
die **Pforte, –n** door, gate
der **Pfosten, –** post
die **Pfütze, –n** pool, puddle
die **Phalanx, –en** phalanx (*a body of troops in close array*)
die **Pianistik** art of piano playing

die **Plakatsäule, –n** advertisement pillar; die **Plakatwand, ⸚e** billboard
der **Plan, ⸚e** plan; **planen** plan
die **Planke, –n** plank, board
die **Plastik, –en** sculpture, plastic art
plätschern splash
die **Platte, –n** plate, pressing iron
der **Platz, ⸚e** place, square; **Platz nehmen*** sit down
plötzlich sudden; die **Plötzlichkeit** suddenness
plump rude, coarse, ordinary, awkward
pochen throb, beat
Polen Poland; der **Pole, –n, –n** Pole; **polnisch** Polish
polieren polish
die **Politik, –en** politics; **politisch** political
die **Polizei** police; die **Polizistenstimme, –n** voice of a policeman
polstern upholster
der **Portiersposten, –** post as doorman
die **Posse, –n** trick, fun; **mit mir trieb er Possen** he played tricks on me
die **Post, –en** mail
prachtvoll splendid
prasseln crackle
der **Preis, –e** price, prize
preisen (pries, gepriesen) esteem highly, praise
pressen press, oppress, choke, suppress
der **Preuße, –n, –n** Prussian
das **Pritschenholz, ⸚er** plank bed
die **Privatnische, –n** private niche
die **Probe, –n** test, trial, rehearsal; **probieren** try; **probeweise** on approval, on a trial basis
protzig overbearing, puffed up
prüfen examine, test
das **Publikum** the public, audience
der **Publizist, –en, –en** journalist

VOCABULARY

der **Punkt,** –e point, dot
pünktlich punctual
die **Pupille,** –n pupil (*of the eye*)
purpurn purple, crimson
der **Putz** trimming, ornamentation
putzen clean

Q

das **Quadrat,** –e square
quäken squeak, quack
die **Qual,** –en torment; **quälen** harass, distress, torment
quellen (quoll, ist gequollen, quillt) swell, gush
quer durch across; **quer über** across; die **Quergasse,** –n cross street
quietschen squeak
quirlen (sein) whirl about

R

das **Rad,** ⸚er wheel; der **Räderkarren,** – cart, dray
raffiniert refined, sophisticated
ragen tower up, rise up
rahmen frame; der **Rahmen,** – frame
die **Rakete,** –n rocket
die **Rampe,** –n ramp, apron (*of a stage*), footlight
der **Rand,** ⸚er edge
der **Rang,** ⸚e row (*of seats*), tier (*of boxes*), circle
rasch quick, fast
rascheln rustle, swish
rasen (sein) race, rush
der **Rasen,** – grass, turf, lawn, sod; das **Rasenstück,** –e piece of sod; der **Rasenteil,** –e piece of sod
der **Rat** counsel, advice; **raten (riet, geraten, rät)** advise; **ratlos** at a loss, helpless
der **Ratsch** clatter, thud
der **Raub** loot; **räuberisch** rapacious, predatory; der **Raubvogel,** ⸚ bird of prey
der **Rauch** smoke; **rauchen** smoke
räudig mangy
rauh rough, hoarse, harsh

der **Raum,** ⸚e area, room, space; die **Räumlichkeit,** –en space, premise, room
die **Raupenspur,** –en caterpillar track
raus (heraus) out
der **Rausch,** ⸚e delirium, intoxication
rauschen murmur, roar, rustle, rush
raus-kriegen (heraus-kriegen) get out, produce
sich **räuspern** clear one's throat
reagieren react
die **Rechenschaft,** –en reckoning, account
rechnen reckon, figure, calculate; die **Rechnung,** –en account, reckoning
recht right; **rechts, rechter Hand, nach rechts** to the right; **rechtzeitig** in time; **in der Rechten** in the right hand; **erst recht** all the more; **rechtgläubig** orthodox; **recht haben,* recht behalten*** to be right; das **Recht** right, law, justice
recken stretch, crane
der **Redakteur,** –e editor
reden talk, speak; die **Rede,** –n talk, speech; die **Rednerkunst,** ⸚e art of the orator
das **Refugium** refuge
regelmäßig regular; die **Regelmäßigkeit,** –en regularity
regieren govern; die **Regierung,** –en government; das **Regiment,** –e government, rule
reglos motionless; **regungslos** motionless; die **Regungslosigkeit,** –en motionless, immovability
regnen rain; **regenbogenfarben** rainbow colored; die **Regenluft,** ⸚e rainy air; der **Regenschirm,** –e umbrella; der **Regenschleier,** – veil of rain; der **Regentropfen,** – rain drop; die **Regenwolke,** –n rain cloud
reiben (rieb, gerieben) rub

reichen reach, suffice, reach out, hand to; **reichlich** plentiful
reif ripe, ready
die Reihe, –n series, row; **der Reihe nach** one after the other
rein pure, clean; **reinlich** cleanly, neat
rein-gehen (herein-gehen*, sein) go in
der Reingewinn, –e pure profit
rein-hauen (herein-hauen*) hew or chop into (*something*), strike out
reisen (sein) journey, travel
das Reisigbündel, – bundle of brushwood faggots
reißen (riß, gerissen) tear
reiten (ritt, ist geritten) ride; **der Reiter, –** cavalry-man, rider; **das Reiterlied, –er** cavalry song; **der Reitknecht, –e** groom
reizend charming
rennen (rannte, ist gerannt) run
der Resistenzkampf, ⸚e battle of the resistance
retten save; **die Rettung, –en** rescue; **der Rettungswagen, –** ambulance
richten put in order, turn; **sich richten nach** conform to; **richten auf** direct at; **die Richtung, –en** direction
riechen (roch, gerochen) smell; **riechen* nach** smell of
der Riegel, – bolt, latch
rieseln trickle
riesig gigantic; **das Riesenmaul, ⸚er** gigantic mouth
ringen (rang, gerungen) struggle
ringsum all around; **ringsumher** round about
rinnen (rann, ist geronnen) run, flow
die Ritze, –n crack, crevice
die Rocktasche, –n coat pocket
roh crude, rough, raw; **der Rohstoff, –e** raw material; **das Rohstück, –e** raw piece, raw material
das Rohr, –e pipe, tube
die Rolle, –n role, part

rollen roll
der Roman, –e novel
die Romantik romanticism
die Romanze, –n ballad, romance
römisch Roman
rosa rose colored; **rosaviolett** rose violet
das Rosenbeet, –e rose bed
das Roß, –e (Rösser, dial.) horse
rotbemalt painted red; **rotgeweint** red from crying; **rötlich** reddish
rüber (herüber) over
der Ruck, –e jolt, jerk, shove; **ruck** with a sudden movement
rücken push, move
der Rücken, – back; **im Rücken** back, at the back, behind
die Rückkehr return; **die Rückkunft** return
der Rückversicherer, – reinsurer
das Ruder, – oar; **rudern** row
der Ruf, –e cry; **rufen (rief, gerufen)** shout, call, cry
die Ruhe peace, rest, calm, calmness; **ruhen** rest; **ruhig** calm, quiet, peaceful
der Ruhm fame
rühren move, stir, touch; **rührend** touching, moving
das Ruinengrundstück, –e plot of ground covered with ruins
das Rumoren hurly-burly
der Rundfunk radio
rundheraus straight out; **rundlich** roundish, plump; **die Runde, –n** circle, party, round
rund-schleifen* grind and polish until round
sich runter-beugen (sich herunterbeugen) bow down
der Russe, –n, –n Russian; **russisch** Russian; **Rußland** Russia
rütteln shake

S

der Saal, die Säle hall

VOCABULARY

der Säbel, – saber
sachlich objective, realistic, matter-of-fact
sacht gentle, soft
der Sachverständige, –n, –n expert
sich sacken lassen* sink down
die Sackleinwand canvas
säen sow
die Säge, –n saw
die Sage, –n saga, legend
der Salon, –s drawing room
das Salz, –e salt
sammeln collect, gather; **die Sammlung, –en** collection, composure
samt together with
samten velvet; **das Samthöschen,** – little velvet pants
sämtlich all, all of them
die Sandbank, ⸚e sand bank; **sandbestreut** sand-strewn
sanft soft, gentle, smooth
der Sarg, ⸚e coffin
satt full, rich, full-bodied
der Sattel, ⸚ saddle
der Satz, ⸚e movement (*music*), sentence, leap
sauber clean, pretty, fine (*ironical*)
säuerlich sourish
saugen (sog, gesogen) suck, absorb
die Säule, –n column
sausen roar, whistle, rush
schaben scrape
schäbig shabby; **schäbigrot** shabby red
der Schacht, ⸚e gorge, canyon
die Schachtel, –n box
schade: es wäre schade it would be a pity
der Schädel, – skull
der Schaden, ⸚ harm, injury, damage; **schadenfroh** rejoicing over another's misfortune
der Schäfer, – shepherd; **der Schäferkarren,** – shepherd's cart; **die Schafherdenzeit, –en** sheep herding time; **der Schafhirt, –en, –en** shepherd
schaffen (schuf, geschaffen) create, produce
schaffen get done, accomplish, be busy; **sich gern zu schaffen machen** like to busy one's self
die Schale, –n bowl
schälen shell, peel
der Schall, –e sound; **schallen** ring, resound
sich schämen be ashamed; **schamlos** shameless, unabashed
die Schande disgrace, shame; **einem eine Schande machen** disgrace someone
die Schar, –en flock, multitude; **sich scharen** assemble
scharren scrape
der Schatten, – shadow; **schattenhaft** shadowy; **die Schattenlinie, –n** shadow line; **der Schattenriß, –e** silhouette
schauen look, look at
der Schauer, – terror, thrill of awe; **schauerlich** thrilling, gruesome, awful
die Schaufel, –n scoop, shovel
schaukeln rock, shake
der Schaum, ⸚e foam; **die Schaumflocke, –en** flock of foam
das Schauspiel, –e spectacle, drama
die Scheibe, –n pane
scheiden (schied, hat, ist geschieden) separate, divide, depart
der Schein, –e glow, shine; **zum Schein** as a pretense, for appearance's sake; **scheinen (schien, geschienen)** appear, seem, shine; **scheinbar** apparent, seeming, evident; **der Scheinwerfer,** – spotlight; **das Scheinwerferlicht, –er** light of a spot-light
scheißegal: scheißen (schiß, geschissen) (*vulg.*) defecate; **egal** the same

der Scheitel, – crown of the head
scheitern (sein) fail, be wrecked
schelten (schalt, gescholten, schilt) scold
die Schenke, –n tavern
schenken present, give
sich scheren: sich um etwas scheren trouble oneself about something; die Schererei, –en bother, trouble
scherzhaft in jest; das Scherzwort, –e joking word
scheu shy, timid; sich scheuen be afraid of
die Scheuer, –n shed, barn
die Scheune, –n barn
scheußlich horrible, frightful
das Schicksal, –e fate, destiny
schieben (schob, geschoben) shove, push
die Schiene, –n rail
schießen (schoß, geschossen) shoot
der Schild, –e shield
schildern describe; die Schilderung, –en description
die Schildkröte, –n turtle
das Schilfdach, ⸚er reed-thatched roof
schillernd iridescent
schimmern glisten, glitter, shine, shimmer
schippen shovel
die Schlacht, –en battle; das Schlachtfeld, –er battlefield
die Schläfe, –n temple
schlafen (schlief, geschlafen, schläft) sleep; schlafen-gehen* (sein) go to bed; der Schlaf sleep
schlaff limp, relaxed
schlagen (schlug, geschlagen, schlägt) strike, beat, drive, pound, hit; eine Schlacht schlagen* give battle; der Schlag, ⸚e blow, stroke, stamp, beat; der Schlager, – hit tune
der Schlamm mud; schlammig muddy

die Schlange, –n snake, serpent
schlank slender
schlapp soft, slack, limp
schleichen (schlich, ist geschlichen) creep, sneak
der Schleier, – haze, veil
schleifen drag
schleppen drag, lug
schleudern hurl
die Schleuse, –n sluice, lock
schlicht simple, straightforward, plain, modest
schließen (schloß, geschlossen) close, lock, shut; sich schließen* close; schließlich finally, after all
schlimm bad; schlimmstenfalls if the worst comes to the worst, at worst
die Schlinge, –n noose, snare
schlingen (schlang, geschlungen) entwine; schlingen* . . . um put around
der Schlitz, –e slit
das Schloß, ⸚er castle, lock
die Schlucht, –en ravine, gorge
schluchzen sob
der Schluck, –e gulp; schlucken swallow, gulp
schlummern slumber
schlüpfen (sein) slip; der Schlupfwinkel, – hiding place
der Schluß, ⸚e conclusion; zum Schluß in conclusion
der Schlüssel, – key
schmächtig slight, slender, delicate
schmähen abuse, insult
schmal narrow, slender, thin
das Schmalz grease, lard
das Schmatzen smacking
schmeicheln flatter
schmelzen (schmolz, ist geschmolzen, schmilzt) melt
schmerzen pain, grieve
schmettern blare, crash
sich schmiegen nestle, press, snuggle; schmiegen an press close, nestle

VOCABULARY

schminken make up, paint the face;
die Schminke make-up
der Schmiß, -e dash
schmucklos without adornment, plain
der Schmutz dirt; **schmutzig** dirty;
schmutziggrau dirty-gray
schnappen snatch, catch
der Schnaps, ⸚e brandy, spirits
schnaubend snorting
die Schneeflocke, -n snowflake; **das Schneetreiben, -** heavy snowfall
schneiden (schnitt, geschnitten) cut;
die Schneide, -n edge (*of a knife*);
schneidig dashing, smart, cutting
schneien snow
die Schnelligkeit, -en speed, rapidity;
der Schnellzug, ⸚e express train
die Schnur, ⸚e cord, string; **die Schnürung, -en** fastening, lacing
schnurren purr
das Schock threescore
die Schokoladestange, -n chocolate bar
die Schöpferkraft, ⸚e creative power
der Schornstein, -e chimney
der Schoß, ⸚e lap, womb
schräg oblique, slanting
der Schreck(en), -en fright, terror;
schrecklich horrible, frightful
schreiben (schrieb, geschrieben) write;
das Schreibzeug writing materials
schreien (schrie, geschrieen) cry, shriek, scream
schreiten (schritt, ist geschritten) walk, stride; **der Schritt, -e** step, stride
schriftlich written; **der Schriftsteller, -** writer
schrillen utter a shrill cry
schrumpfen (sein) shrink, contract;
die Schrumpfung, -en contraction
die Schublade, -n drawer
schüchtern shy
der Schuft, -e rascal, scoundrel
die Schulaufgabe, -n school lesson
schuld guilty; **schuldig** guilty; **schuld-
(ig) sein (an)** be to blame (for);
die Schuld guilt; **die Schulden** debts; **das Schuldgefühl, -e** guilt feeling; **die Schuldlosigkeit, -en** blamelessness
die Schulter, -n shoulder
der Schuppen, - shed
die Schürze, -n apron
der Schutt rubbish, rubble; **die Schutthalde, -n** scree, heap of debris, hillock of rubble, hill of rubble; **der Schutthaufe(n), -ns, -n** heap of rubble
schütteln shake; **sich schütteln** tremble; **einem die Hand schütteln** shake hands with a person
schützen protect
die Schwäche, -n weakness
der Schwaden, - swath, cloud of gas or smoke
die Schwalbe, -n swallow (*bird*)
schwanken shake, sway, tremble, hesitate, falter, move to and fro
die Schwärmerei, -en ecstasy, enthusiasm, mystic dreaminess;
schwärmerisch enthusiastic, fanciful, gushing
schwarzglänzend black-shining;
schwärzlich blackish; **schwarzlackiert** lacquered black
schweben soar, hang, hover; **in der Schwebe sein*** be in abeyance
schweifen (sein) wander, rove
schweigen (schwieg, geschwiegen) be silent; **schweigsam** silent, taciturn
die Schweinerei, -en nasty affair, dirtiness
der Schweiß sweat, perspiration
schwelgen luxuriate, revel
die Schwelle, -n threshold, cross tie
schwellen (schwoll, ist geschwollen, schwillt) swell, rise
die Schwere weight; **schwer-atmen** breathe heavily; **schwermütig** melancholy, dejected, mournful

der Schwiegersohn, ⁻e son-in-law
schwierig difficult, hard
schwimmen (schwamm, ist, hat geschwommen) swim
schwinden (schwand, ist geschwunden) diminish, decrease
schwingen (schwang, geschwungen) swing, whirl; **die Schwingung, –en** oscillation, vibration
schwirren whir, hum
schwül sultry, oppressive; **die Schwüle** sultriness
der Schwung, ⁻e swing, animation, impetus, momentum
das Sechstel, – sixth
der See, –n lake; **die See, –n** sea
die Seele, –n soul, mind
das Segel, – sail
der Segen, – blessing, benediction
sehen (sah, gesehen, sieht) see, look
die Sehnsucht longing, desire; **sehnsüchtig** yearning
seicht shallow, flat
seidig silky; **das Seidenkleid, –er** silk dress; **das Seidentuch, –e** silk cloth
sein (war, ist gewesen, ist) be; **es ist** there is; **es sind** they are; **ich bin gleich wieder da** I'll be right back
seinerseits on his part; **seinerzeit** formerly, at his time; **der seinige** his
seitdem since, since then
die Seite, –n side, page; **von seiten** on the part of; **der Seitengang, ⁻e** side passageway; **seitlich** to the side, at the side
sekundenlang for seconds
selber self (myself, etc.)
selbst self (myself, *etc.*), even; **selbst wenn** even if; **die Selbstaufgabe, –n** self-surrender; **die Selbstbezichtigung, –en** self-accusation; **selbstgerecht** self-righteous; **selbstgezimmert** homemade; **selbstverständlich** self-evident, obvious

selig blissful, blessed
selten rare, unusual, seldom; **seltsam** strange, odd, curious, unusual
der Sender, – broadcasting station, transmitter
senken lower, sink; **senkrecht** perpendicular, vertical
die Sensibilität, –en sensibility, sensitiveness, feeling
setzen set, put, place; **sich setzen** sit down
der Setzer, – compositor, type-setter
seufzen sigh; **der Seufzer, –** sigh
sicher sure, certain; **die Sicherheit, –en** certainty; **sichern** secure, assure; **sicher-stellen** put in safekeeping
die Sicht visibility, sight, view; **sichtbar** visible; **sichtlich** obvious, apparent
der Sieg, –e victory; **die Siegesmeldung, –en** announcement of victory; **sieghaft** triumphant; **siegreich** triumphant, victorious; **siegen** be victorious, win
der Siegelring, –e signet ring
silbern silver; **silberfarbig** silver colored; **silbergrau** silver gray; **silbrig** silvery; **der Silberglanz** silvery shine
singen (sang, gesungen) sing
sinken (sank, ist gesunken) sink
der Sinn, –e mind, sense, way; **sinnen (sann, gesonnen)** meditate; **die Sinnenfreude, –en** sensual pleasure
sirren buzz
die Sitte, –n custom, habit, (*pl.*) morals, manners
sitzen (saß, gesessen) sit; **die Sitzung, –en** meeting
sobald as soon as, whenever; **so etwas** such a thing; **sofort** immediately, right away; **sogar** even; **sogenannt** so-called; **sogleich** immediately, right away, at once; **solange** as long as
sollen (sollte, gesollt, soll) be obliged

VOCABULARY

to, be to, have to, be supposed to, be said to, shall, should, owe, ought, must
somit consequently, accordingly
die Sommerfrische, –n summer vacation; **das Sommerkleid, –er** summer dress
sonderbar strange, peculiar, curious; **sondergleichen** unequalled; **sonderlich** special
der Sonnenblitz, –e flash of sunlight; **die Sonnenfülle** abundance of sunshine; **die Sonnenglut, –en** glow of the sun; **der Sonnenstrahl, –en** ray of the sun, sunbeam; **der Sonnenuntergang, ⸚e** sunset
sonst otherwise, else, usual, moreover; **sonstig** other, remaining
die Sorge, –n care, worry; **sorgfältig** careful; **sorglich** anxious, careful; **sorgsam** careful; **sorgen** take care of, attend to; **sorgen für** take care of
soviel as much as; **soweit** so far, so far as, in so far; **sowenig . . . wie** as little . . . as; **sowieso** anyhow; **sozusagen** so to say
die Spalte, –n crack
Spanien Spain; **der Spanier, –** Spaniard
spannen stretch, excite, strain; **die Spannung, –en** tension, stress, discord, eager expectation
sparen save, economize, use sparingly; **spärlich** meager, scanty, sparse
der Spaß, ⸚e fun, joke, jest; **Spaß machen** give pleasure, joke, have fun
der Spaten, – spade
spätestens at the latest
der Spätherbst, –e late autumn
der Spatz, –en, –en sparrow
der Spaziergang, ⸚e walk
die Speise, –n food
die Sperre, –en closing (*time*), barrier

die Sperrholzkabine, –n plywood cubicle
die Sphärenmusik music of the spheres
der Spiegel, – mirror; **spiegeln** mirror, polish, shine, reflect; **sich spiegeln** be mirrored; **das Spiegelbild, –er** reflected image
das Spiel, –e playing, sport, game; **auf dem Spiel stehen*** be at stake; **spielen** play; **spieldosenähnlich** like a music box
spinnen (spann, gesponnen) spin, whirl around
die Spitze, –n point; **den Mund spitzen** purse one's lips
das Spitzelnetz, –e net of informers
der Spitzname(n), –ns, –n nickname
die Sprache, –n language
sprechen (sprach, gesprochen, spricht) speak; **zu Ende sprechen*** finish speaking
spreizen spread wide
sprengen burst open
der Springbrunnen, – fountain
springen (sprang, ist gesprungen) jump
der Spritzer, – drops of water, spray
der Spruch, ⸚e maxim, saying
der Sprung, ⸚e leap
spucken spit
die Spukgeschichte, –n ghost story
die Spur, –en trace, track; **auf die Spur kommen*** get on the track of; **spüren** feel, be conscious of, sense, perceive
der Stachel, –n sting, prick, thorn; **stachelig** prickly, thorny
der Städter, – city person; **städtisch** municipal; **der Stadtrand, ⸚er** edge of the city
stammen aus (sein) come from, be derived from, be descended from
stampfen stamp, pound
ständig constant, fixed, permanent
der Standort, –e position

die **Stärke,** –n strength; **stärken** strengthen
starr fixed, rigid, staring; **starren** stare; **starren von** be covered with
der **Statistiker,** – statistician
statt instead of; **statt dessen** instead of
statt-finden* take place
der **Staub** pollen, dust
staunen be astonished
stechen (stach, gestochen, sticht) stick, pierce, prick
stecken stick, put, be, be hiding, be fastened; **zu mir zu stecken** put in my pocket; der **Stecken,** – stick, staff
stehen (stand, gestanden) stand, be situated, suit; **sich gut stehen* mit** be on good terms with; **zum Stehen bringen*** bring to a standstill; **stehen-bleiben* (sein)** remain standing, stop
stehlen (stahl, gestohlen, stiehlt) steal
steif stiff
steigen (stieg, ist gestiegen) rise, climb
steil steep
das **Steineklopfen** stone breaking; **steinern** stone; die **Steinnase,** –n nose of stone, stone protuberance
stellen place, put; **sich stellen** place one's self, pretend, appear; die **Stelle,** –n place; die **Stellung,** –en placing, disposition, posture
stelzen (sein) stalk along
stemmen support, lean firmly against
der **Stengel,** – stalk
die **Stenotypistin,** –nen stenographer
sterben (starb, ist gestorben, stirbt) die
der **Stern,** –e star; das **Sternbild,** –er constellation
stetig constant; die **Stetigkeit,** –en steadiness, constancy
sticheln taunt
der **Stiefel,** – boot

das **Stiegengeländer,** – stair railing
das **Stiergebrüll** bellowing of bulls
der **Stil,** –e style, manner
die **Stille** stillness, calmness, peace; das **Stillesein** being calm
stimmen be correct, tally (*with*)
die **Stimmung,** –en mood, frame of mind; **stimmungsvoll** appealing to emotions, full of feeling
stinken (stank, gestunken) stink
die **Stirn,** –en brow, forehead
der **Stock,** ⸚e stick, cane
stockend haltingly; die **Stockung,** –en stoppage, cessation
das **Stockwerk,** –e story, floor
der **Stoff,** –e substance, material; das **Stoffetui,** –s cloth case
stöhnen groan
stolz proud; **stolz auf** proud of; der **Stolz** pride
stopfen cram, press
stören disturb
der **Stoß,** ⸚e pile, heap, bundle, push, thrust, jolt; **stoßen (stieß, gestoßen, stößt)** push, thrust, shove, hit; **stoßen* auf** meet with
sich straffen tighten, get hold of oneself
der **Strahl,** –en ray; **strahlen** beam, shine
die **Strähne,** –n lock, skein
der **Strand,** –e beach; **gestrandet** stranded
die **Straßenbahn,** –en streetcar; die **Straßenecke,** –n street corner; der **Straßenjunge,** –n, –n street arab, ragamuffin; der **Straßenrand,** ⸚er side of the street
der **Strauß,** ⸚ bouquet, bunch
die **Strebung,** –en effort, aspiration, aim
streckenlang in stretches
streicheln caress
streichen (strich, gestrichen) stroke, strike, touch; der **Streich,** –e blow
die **Streife,** –n patrol; der **Streifzug,** ⸚e roving expedition

VOCABULARY

streifen scrape, graze, touch lightly; **der Streifschuß, ⸚e** grazing shot
der Streit, –e quarrel; **streiten (stritt, gestritten)** fight, quarrel
streng severe, strict; **die Strenge** strictness
der Strick, –e rope, cord
der Strohhut, ⸚e straw hat; **der Strohsack, ⸚e** straw sack
der Strom, ⸚e current, stream, large river; **stromab** downstream; **stromauf** upstream; **stromaufwärts** upstream; **die Stromebene, –n** river plain; **strömen (sein)** stream; **die Strömung, –en** current
der Strumpf, ⸚e stocking
die Stube, –n room, sitting room; **das Stubenmädchen, –** chambermaid
der Stuck stucco
das Stück, –e stretch, piece, part, act
die Stufe, –n step
stumm dumb, speechless, silent, mute
stumpf dull; **stumpfsinnig** stupid, dull
die Stunde, –n hour, lesson; **stundenlang** for hours
der Sturm, ⸚e storm; **stürmisch** stormy
stürzen hurl, overthrow, plunge; **sich stürzen** plunge, fall, hurl one's self; **der Sturzkampfflieger, –** dive bomber
stützen support; **sich stützen** lean on
die Suche, –n search
südlich southern
summen hum, buzz
sumpfig swampy
die Suppe, –n soup
surren hum, buzz
süß sweet; **die Süßigkeit, –en** candy, sweets
sympathisch likeable, congenial

T

der Tabak, –e tobacco
der Tadel, – reproof; **tadeln** reprimand
der Tag, –e day; **den andern Tag** the next day; **vor einigen Tagen** a few days ago; **die Tagesbeute, –n** day's prey, day's catch; **täglich** daily
der Takt, –e rhythm; **taktieren** beat time; **der Taktstock, ⸚e** baton
das Tal, ⸚er valley
tanzen dance; **der Tanz, ⸚e**; **die Tanzstunde, –n** dancing lesson
der Tapetenfetzen, – scrap of wallpaper
tappen grope one's way
die Tasche, –n pocket; **die Taschenlampe, –n** flashlight; **das Taschenmesser, –** pocketknife; **das Taschentuch, ⸚e** handkerchief
die Tasse, –n cup
die Tat, –en deed; **in der Tat** indeed, actually; **tätig** active; **die Tätigkeit, –en** activity, work; **die Tatsache, –n** fact; **tatsächlich** as a matter of fact, in fact, real
der Tau dew
taub deaf
tauchen dip, immerse, plunge
taugen be good for, fit for; **der Taugenichts, –e** good-for-nothing
täuschen deceive
der Tee tea
der Teich, –e pond
der Teig dough
teilen part, divide, share
teil-nehmen* take part
der Telefonanruf, –e telephone call; **die Telefonzelle, –n** telephone booth
der Teller, – plate, dish; **das Tellerklirren** clinking of dishes
das Tempo, die Tempi tempo; **der Tempowechsel, –** change of tempo
der Teppich, –e carpet; **teppichartig** carpet-like
teuer expensive
der Teufel, – devil; **der Teufelskerl,**

–e devil of a fellow (*said here in admiration*)
die **Theke**, –n counter
der **Tick**, –s tic
die **Tiefe**, –n depth; **tiefgesenkt** lowered
tilgen eradicate, expiate
die **Tischplatte**, –n table top
der **Tod**, –e death; das **Todesurteil**, –e death sentence; die **Todeswunde**, –n mortal wound; der **Todfeind**, –e mortal enemy; **tödlich** deadly; **tot** dead; **töten** kill; der **Totengesang**, ⸚e dirge
toll mad, frantic
der **Ton**, ⸚e tone; **tönen** sound
der **Topf**, ⸚e pot
das **Tor**, –e gate; der **Torflügel**, – wing of a gate
töricht foolish
torkeln (sein) reel, stagger
träge inactive, sluggish, lazy
tragen (trug, getragen, trägt) carry, wear, support, hold; **an etwas schwer tragen*** be weighted down by something; der **Träger**, – beam, girder, bearer
die **Tragik** tragedy; **tragisch** tragic
die **Träne**, –n tear
das **Trapezgestänge**, – framework for a trapeze
trauen trust, rely on
die **Trauer**, –n sorrow; **trauern** grieve for, be sad about; **traurig** sad; die **Trauerbirke**, –n weeping birch; der **Trauerklang**, ⸚e sad tone
träumen dream; der **Traum**, ⸚e dream; **träumerisch** dreamy
treffen (traf, getroffen, trifft) meet, hit, strike; **sich treffen*** meet; **treffen*** **auf** fall upon; der **Treffpunkt**, –e meeting point
treiben (trieb, getrieben) drive, go, do, carry on, put forth
tremulieren sing or play with a tremolo

die **Treppe**, –n stairs, stairway; der **Treppenabsatz**, ⸚e landing (*of a staircase*); die **Treppenbeleuchtung**, –en lighting in a stairwell; das **Treppengeländer**, – balustrade; das **Treppenhaus**, ⸚er stairwell
treten (trat, ist getreten, tritt) step, come; **trat auf mich zu** stepped up to me; die **Träne trat mir aus dem Auge** tears came to my eyes; **mit Füssen treten*** trample under foot
treu faithful, true; die **Treulosigkeit** faithlessness
trinken (trank, getrunken) drink
der **Tritt**, –e step
der **Triumphzug**, ⸚e triumphal procession or march
trocken dry; **trocknen** dry
die **Trommel**, –n drum; der **Trommelwirbel**, – roll of drums
die **Trompete**, –n trumpet
der **Tropfen**, – drop
der **Trost** consolation; **trösten** console, comfort
trotten (sein) trot, amble
trotzdem in spite of that, nevertheless
trotzig haughty, insolent, defiant; der **Trotz** defiance, disdain, spite
trüb gloomy, sad, cloudy; **trübselig** troubled, sorrowful
die **Trümmer** ruins; das **Trümmerfeld**, –er field of ruins
trumpfen trump
die **Truppe**, –n troop; der **Truppenteil**, –e unit (*of troops*)
das **Tuch**, ⸚er cloth, kerchief
tüchtig able, efficient, fit
tückisch insidious, malicious, spiteful
tun (tat, getan, tut) do; das **Tun** actions, goings on
tünchen whitewash
der **Türbalken**, – door beam
der **Turmalin**, –e tourmaline
türmen tower; **sich türmen** tower up; der **Turm**, ⸚e tower

VOCABULARY

der Tusch, -e flourish of trumpets
der Tyrann, -en, -en tyrant

U

übel bad, evil, ill; die Übelkeit, -en sickness, disgust
üben practice
überall, überallher everywhere, all over
überblicken glance at, survey, overlook
überbringen* deliver
überdies in addition, besides
überdrüssig weary of, disgusted with
übereilen hurry too much, rush
überein-stimmen agree, coincide
überflüssig superfluous, unnecessary
überführen transport, convey
der Übergang, ⸚e transference, passage
übergeben* hand over
über-gehen* change into, cross; übergehen* skip over, omit
überglücklich overjoyed
überhaupt in general, at all, in any case, really, on the whole
überholen overtake
überirdisch supernatural
überkommen* seize, take possession of
sich überkugeln tumble
überlassen* give to, leave to
überlegen reflect, consider; die Überlegung, -en consideration
überlesen read over (*hurriedly*)
überlisten outwit
die Übermacht, ⸚e superior force, ascendency, supremacy
übermäßig excessive
übermorgen day after tomorrow
übermütig high spirited, exultant
übernächst after the next
übernachten spend the night
überragen tower above, tower over
überraschen surprise, startle
überschätzen overestimate
überschauen survey

sich überschlagen* overturn
die Überschrift, -en headline
die Überschwemmung, -en flood
übersehen* take in at a glance, perceive
übersetzen translate
übersichtlich easily visible, clear
überstehen* endure, get over, survive
über-streifen pull on
übertönen drown, be louder than
übertrieben exaggerated
überwachen watch over
überwachsen overgrown
überwältigen overpower, overwhelm
überwinden* overcome, conquer
überzeugen convince
über-ziehen pull over, put on
überzuckern sugar over, frost
üblich usual, customary
übrig left over, remaining; übrigbleiben* (sein) be left
übrigens by the way, after all, moreover, furthermore
das Ufer, - bank; das Ufergebüsch, -e bush on the bank; die Uferweide, -n water willow
um ... willen for the sake of
um-bauen remodel
sich um-blicken look around
sich um-drehen turn around
der Umfang, ⸚e size, range, circumference; umfänglich extensive
umfassen clasp, embrace
umgeben* surround; die Umgebung, -en surroundings, environment
um-gehen* (sein) go around, handle; der Umgang, ⸚e association
umgittert surrounded with a latticework fence
umgreifen* grasp, clasp
umher around
umher-blicken look around
umher-huschen (sein) scurry around
umher-torkeln (sein) reel around
um-kehren (sein) turn back, return
umkränzen wreathe

umkreisen encircle, circle around; **sich umkreisen** turn in circles
umringen encircle, surround
der Umriß, -e outline
umschleichen* sneak about or around
umschlingen* embrace
der Umschwung, ̈-e sudden change, revolution
der Umstand, ̈-e circumstance; **umständlich** circumstantial, ceremonious
um-stürzen overthrow, throw down
die Umwälzung, -en revolutionary change
umwegig roundabout, devious
umwehen fan, blow down
die Umwelt surrounding world
um-wenden* turn around; **sich umwenden*** turn, turn around
um-werfen* upset, throw down
umzischen hiss around
umzogen overcast
unabhängig independent
unablässig incessant
unabsehbar beyond reach of the eye, immeasurable
unauffindbar undiscoverable, not to be found
unaufhörlich incessant
unbändig excessive, tremendous, unruly
unbedingt absolute, unconditional; **die Unbedingtheit** implicitness, unquestioningness
unbefangen impartial, ingenuous, natural; **die Unbefangenheit** unaffectedness, naturalness
unbegründet unfounded
das Unbehagen discomfort, uneasiness
unbekümmert unconcerned, carefree
unbemerkt unnoticed
unberührt untouched
unbeschreiblich indescribable
unbesorgt unconcerned; **seien Sie unbesorgt** don't worry

unbeugsam inflexible, obstinate
unbeweglich unmoving, immovable, motionless
unbezahlbar beyond price, priceless
unendlich infinite, endless
unentbehrlich indispensable
unerbittlich pitiless, inexorable
unerschütterlich imperturbable, immovable
unerträglich unbearable, intolerable; **die Unerträglichkeit, -en** intolerableness
unerwähnt unmentioned
der Unfall, ̈-e accident
unfreiwillig involuntary
ungeduldig impatient
ungefähr approximately
ungefüge heavy, clumsy, huge
ungeheuer monstrous, frightful, colossal; **ungeheuerlich** monstrous; **das Ungeheuer, -** monster
ungeordnet unsorted, unsettled, unarranged
ungerecht unjust, unfair
ungern unwillingly, regretfully
ungeschickt clumsy, awkward
ungezählt innumerable
unglaubhaft improbable, unreliable, incredible; **unglaublich** incredible
das Unglück, -e misfortune, accident; **unglücklich** unhappy, unfortunate
das Unheil, -e harm, disaster, evil
unheimlich uncomfortable, sinister, uneasy, uncanny
unkenntlich unrecognizable; **die Unkenntnis, -se** ignorance
unleidlich intolerable
unmerklich unnoticeable
unmittelbar immediate
unnachgiebig unyielding, relentless, uncompromising
unnütz useless
die Unordnung, -en disorder, disruption, confusion
der Unrat rubbish
unselig unhappy, fatal
unsichtbar unseen, invisible

VOCABULARY

der **Unsinn** nonsense; **unsinnig** irrational, senseless, absurd
unten down, below, downstairs; **nach unten** downwards, below
unter-bringen* accommodate, lodge
unterdrücken suppress
der **Untergang**, ⸚e ruin, going down, destruction, fall; **unter-gehen*** (sein) set, go down
der **Untergrund**, ⸚e underground
sich unterhalten* converse
die **Unterlage**, –n support, evidence, mat, napkin
unterlassen* discontinue, neglect, omit
die **Unterlippe**, –n lower lip
die **Untermalung**, –en ground-color
der **Untermensch**, –en, –en subhuman being
der **Unterricht** instruction; **unterrichten** instruct, be acquainted with, inform
untersagen forbid
unterscheiden* differentiate, distinguish; der **Unterschied**, –e difference
unterschlagen* steal, embezzle, suppress; die **Unterschlagung**, –en deception, fraud, embezzlement
unterschreiben* sign
untertags during the day
der **Untertan**, –en subject
unter-tauchen (sein) dive, disappear, submerge
unterwegs on the way
die **Unterwürfigkeit** servility
die **Untiefe**, –n shallow place, shoal
unübersehbar vast, immense
unverkäuflich not for sale
unvermindert undiminished, unabated
unvermittelt abrupt, sudden
unverwüstlich indefatigable, indestructible
unwahrscheinlich improbable
unweit not far, near
das **Unwetter**, – thunderstorm, bad weather
unwiderleglich irrefutable
die **Unwiderruflichkeit** irrevocability
unwillig reluctant
unwillkürlich involuntarily
unzählig innumerable
unzweifelhaft undoubted, indubitable
üppig luxuriant, abundant
die **Uraufführung** first performance
der **Urgroßvater**, ⸚e great-grandfather
der **Urheber**, – creator
der **Urlaub**, –e vacation, leave
die **Ursache**, –n cause
ursprünglich original, primary
das **Urteil**, –e judgment, decision

V

das **Varieté**, –n vaudeville theater
das **Veilchenparfüm**, –e violet perfume
verabschieden dismiss; **sich verabschieden von** take leave of
verachten scorn, disdain; die **Verachtung** scorn
veraltet obsolete, outmoded
die **Verandastufe**, –n veranda step
verändern change; **sich verändern** change; **verändert** altered; die **Veränderung**, –en change
veranlassen* cause, occasion
verantwortungslos irresponsible
die **Verarmung** impoverishment
verausgaben spend, exhaust
verbergen* hide, conceal
sich verbeugen bow; die **Verbeugung**, –en bow
verbieten* forbid
verbinden* bind, connect; die **Verbindung**, –en connection, contact; **in Verbindung treten*** make contact
der **Verbleib** whereabouts
verblichen worn away, faded
der **Verbrecher**, – criminal
verbreiten spread, circulate

verbrennen* burn up; **der Verbrennungsprozeß, –e** process of combustion
verbringen* spend (*time*)
der Verdacht suspicion
verdammt damned, cursed
verdauen digest
verderben (verdarb, verdorben, verdirbt) ruin, spoil
verdienen earn, merit; **der Verdienst, –e** gain, profit; **das Verdienst, –e** merit
der Verdruß, –e chagrin, grievance, annoyance
der Verehrer, – admirer
sich vereinbaren agree upon; **vereinbarungsgemäß** according to agreement
sich vereinen come together, unite
die Vereinsamung isolation
verenden die
verfallen* (sein) fall into decay; **auf etwas verfallen*** chance, think of; **einem verfallen*** become a person's slave, to "fall for" a person; **verfallen** (*p.p.*) dilapidated, ruined
sich verfangen* become entangled
die Verfehlung, –en mistake
verfemen outlaw
der Verfertiger, – producer, maker
verflucht accursed
verfolgen pursue, persecute
verfügen: über etwas verfügen have disposal of something; **die Verfügung** disposal; **zur Verfügung stellen** place at the disposal
vergällen embitter
vergangen past; **die Vergangenheit** past; **die Vergänglichkeit** transitoriness
vergebens in vain; **vergeblich** vain, futile
sich vergegenwärtigen imagine, realize
vergehen* (sein) pass away, waste away, perish, pass, subside
das Vergehen, – crime

vergelten* requite, retaliate
vergessen (vergaß, vergessen, vergißt) forget; **die Vergeßlichkeit** forgetfulness
vergewaltigen oppress, use force
vergießen* spill
vergleichen* compare; **der Vergleich, –e** comparison
vergnügt cheerful, gay
verhaften arrest; **die Verhaftung, –en** arrest
verhalten* keep back, restrain; **sich verhalten* mit** to be the case with
das Verhältnis, –se relationship
verhandeln barter, barter away, try (*a case*), negotiate
das Verhängnis, –se fate, destiny
verhauchen exhale, breathe one's last
sich verhehlen conceal (*the fact*)
verheimlichen conceal, keep secret
die Verheiratung, –en marriage
verhindern prevent; **verhindert** frustrated, obstructed
verhöhnen jeer, deride
verhüllen disguise
verkalken calcify
verkaufen sell; **der Verkauf, ⁻e** sale; **der Verkaufspreis, –e** sale price
der Verkehr communication, intercourse, dealings, traffic; **verkehren mit** associate with; **das Verkehrsmittel, –** conveyance, means of transportation; **das Verkehrswesen, –** transportation system or service; **verkehrt** wrong, reversed
verklammern clamp, fasten
verklingen* (sein) fade away
verkommen ruined
verköstigen feed, board
der Verlader, – shipping agent, loader
verlangen demand, require, desire, ask; **verlangen nach** long for
verlassen* leave, forsake, desert; **sich verlassen* auf** rely on

VOCABULARY

der Verlauf course; **sich verlaufen*** run off, flow away
verlegen embarrassed, confused
verlernen forget, unlearn
verletzen hurt, injure, offend, wound
verleugnen disavow, deny
verlieben: sich verlieben in fall in love with; **verliebt** in love; **in jemanden verliebt sein** be in love with someone; **die Verliebtheit** infatuation
verlieren (verlor, verloren) lose
sich verloben mit become engaged to; **der Verlobte, –n, –n** fiancé; **die Verlobte, –n** fiancée
verlöschen* (sein) go out, die
der Verlust, –e loss
das Vermächtnis, –se testament, will, legacy
vermeiden* avoid, evade
vermeinen think, imagine, believe; **vermeintlich** supposed
vermessen presumptuous, rash
sich vermischen mingle
vermögen* be able, be capable, have influence
vermuten suppose; **vermutlich** probable, presumable; **die Vermutung, –en** supposition
vernehmen* hear; **vernehmlich** audible
sich verneigen bow
verneinen deny, answer in the negative
die Vernunft reason
verpacken pack up
verpassen miss
die Verpflegung, –en food supply, board
die Verpflichtung, –en obligation, commitment
verraten* betray, divulge
verrecken die (*as an animal*)
verrückt crazy
versäumen neglect, miss, let slip
verschaffen provide, procure, obtain
verschärfen aggravate, intensify

verschenken give away
verschieben* delay, displace, shift
verschieden different, various
verschleppen deport, carry off
verschließen* close; **sich verschließen*** become uncommunicative
verschneit covered with snow
verschollen lost, missing
verschrammt scratched up
verschüttet buried in rubble
verschweben (sein) soar aloft, vanish in thin air
verschweigen* conceal, keep to one's self; **die Verschwiegenheit** secrecy, discretion
verschwinden* (sein) disappear
versehen* perform (*duty*), provide, overlook; **sich einer Sache versehen** expect, look for; **das Versehen, –** oversight, mistake; **versehentlich** by mistake, inadvertently
versehren injure
versetzen transfer
versichern assure, assert, insure; **die Versicherung, –en** insurance; **der Versicherungsagent, –en, –en** insurance agent; **der Versicherungsbetrug** insurance fraud; **der Versicherungsfall, ̈–e** insurance case; **die Versicherungsfrist, –en** insurance period; **die Versicherungsgesellschaft, –en** insurance company; **die Versicherungsliste, –n** insurance list; **das Versicherungswesen, –** insurance matters
versinken* (sein) sink, be swallowed up
versorgen provide
sich verspäten be late
versperren obstruct, close, lock up
verspielen gamble away
verspüren be aware of, perceive
verständigen inform
verständlich comprehensible; **das Verständnis, –se** comprehension, understanding

verstärken intensify, reinforce
das Versteck, –e hiding place; verstecken hide; sich verstecken hide
verstehen* understand, know how to; sich verstehen* auf know well, be an expert at; sich zu einer Sache verstehen* agree to do something; es versteht sich (von selbst) it is a matter of course
versteinert turned to stone
sich verstellen feign, sham
verstohlen furtive, stealthy
verstreichen* (sein) elapse
verstummen (sein) become silent
der Versuch, –e attempt, essay; versuchen try, attempt, tempt
sich versündigen an sin against
verteilen divide
die Vertiefung, –en cavity, hollow
vertragen* bear, stand, tolerate; sich vertragen* get along
vertrauen trust; der Vertrauensmann, ⸚er trustworthy person; confidant
vertraut familiar
vertreiben* drive away
der Vertreter, – representative
vertrösten comfort, console, put (*one*) off (*with*)
der Verunglückte, –n, –n victim of an accident
verurteilen condemn
verwahren preserve, put away; die Verwahrung custody
verwahrlost unkempt
verwalten govern, manage; der Verwalter, – superintendent; das Verwaltungspersonal management personnel
sich verwandeln change
der Verwandte, –n, –n relative
die Verwaschenheit vagueness, indistinctness
verwegen audacious
verweilen stay, linger
verweint red with tears
verwelkt withered, faded
verwenden* use, apply

verwirren confuse
verwöhnen spoil, pamper
verwunderlich surprising; verwundert astonished
der Verwundete, –n, –n wounded man; die Verwundung, –en wound
verwüsten devastate
verzaubern enchant, bewitch
verzehren eat up, consume
verzeichnen record, register
verzeihen* pardon; die Verzeihung, –en pardon
verzerrt distorted
verzichten auf give up, renounce
sich verziehen* move away, disperse
die Verzierung, –en decoration
verzögern delay; die Verzögerung, –en delay
verzweifeln despair; die Verzweiflung despair, desperation
vielerlei many kinds of; vielfältig manifold; vielmehr rather; vieltausendköpfig many-thousand headed
das Vielliebchen, – fillipeen, sweetheart
die Villa, die Villen villa
virtuos masterly, skilled
der Vogelbeerschnaps service-berry brandy
vollbringen* accomplish
vollends completely, finally
vollführen execute
vollgestopft crammed full
völlig complete, entire, full, quite
vollkommen complete, perfect
sich vollziehen* take place
voneinander of one another, from one another
vor allem above all
voran-eilen (sein) hasten ahead
voran-gehen* (sein) precede, go ahead
voran-kommen* (sein) progress, advance
der Voranschlag, ⸚e estimate
voraus-sagen predict

VOCABULARY

die Voraussetzung, –en presupposition, precondition
vorbehalten reserved
vorbei past, over
vorbei-brausen (sein) roar past
vorbei-flitzen (sein) dash past
vorbei-gleiten* (sein) glide past
vorbei-kollern (sein) roll past
vorbei-kommen* (sein) pass by
vorbei-schleichen* (sein) creep past, slink past
vorbei-starren stare past
vorbei-ziehen* (sein) move past
vor-bereiten prepare
sich vor-beugen bend forward
das Vorbild, –er example
der Vorbote, –n, –n herald, indication, harbinger
vor-bringen* put forward, state, bring up
vordem formerly
vordergründig of primary consideration
voreinander in front of each other
der Vorfahr, –en, –en ancestor, predecessor
vor-fallen* (sein) occur; **der Vorfall, ⸚e** occurrence
vor-führen demonstrate, present
der Vorgang, ⸚e event, process, connection of events
vor-gehen* (sein) happen, take place, go ahead
die Vorgeschichte, –n pre-history, antecedents
der Vorgesetzte, –n, –n superior (*officer*)
vor-greifen* anticipate
vor-haben* (mit) intend (for); **das Vorhaben, –** intention, purpose
vor-halten* reproach (*one*) with
vorhergehend previous, preceding
vorhin previously
der Vorkämpfer, – champion, advocate, pioneer
vor-kommen* (sein) occur, appear, seem

vorläufig for the present, temporary, provisional
vor-legen put on, attach
vorletzt second to last
vor-liegen* be at hand, be, be present
der Vormarsch, ⸚e advance
vor-merken register, take note of
der Vormittag, –e morning, forenoon
vorn(e) in front, forward; **nach vorn** forward, ahead
vornehm distinguished
vor-nehmen* undertake
vor-neigen bend forward
vornübergebeugt bent forward
die Vorratskammer, –n pantry
die Vorrichtung, –en mechanism
Vorschein: zum Vorschein kommen* appear
vor-schieben* shove forward, slip (*a bolt*)
vor-schlagen* suggest
vor-schreiben* prescribe, order
die Vorschrift, –en order, instruction
die Vorsicht caution; **vorsichtig** cautious, careful
die Vorstadt, ⸚e suburb
der Vorstand, ⸚e manager, director, board of directors
der Vorsteher, – director, manager
vor-stellen put in front of, present; **sich vor-stellen** imagine; **die Vorstellung, –en** show, presentation, performance
vor-stoßen* push forward
der Vortag, –e day before
vor-täuschen simulate, give the illusion of
vorüber over, past, done with
vorüber-gehen* (sein) go past
vorübergehend transitory
sich vorüber-schieben* slide past
vorüber-schreiten* (sein) walk past
vorüber-schweben (sein) soar past
vorüber-treiben* drive past, float past
der Vorwand, ⸚e pretext
vorwärts forward, ahead

der **Vorwurf,** ⸚e reproach; **vorwurfsvoll** reproachful
das **Vorzeichen,** − omen, indication
vor-zeigen display
vorzeitig premature
vor-ziehen* prefer
das **Vorzimmer,** − anteroom

W

wach alert, awake
wach-rufen* call forth, awaken, rouse
wachsen (wuchs, ist gewachsen, wächst) grow
das **Wachstuch,** −e oilcloth
wackelig shaky
die **Waffe,** −n weapon
wagen dare; das **Wagnis,** −se risky undertaking
wägen (wog, gewogen) weigh, consider
der **Waggon,** −s railroad car
die **Wahl,** −en choice, selection; **wählen** choose
währen last, endure
währenddessen in the meantime, during all this
wahr-haben*: **er will es nicht wahrhaben*** he doesn't want to admit it
wahrhaftig true, real, actual; die **Wahrheit,** −en truth; **wahrscheinlich** probable
wahr-nehmen* make use of, perceive avail one's self of, notice
waidwund wounded (*to death*) in the intestines
der **Waldrand,** ⸚er edge of the wood; das **Waldstück,** −e part of the woods, woodland, grove
wallen undulate, float
der **Walzer,** − waltz
die **Wand,** ⸚e wall, side
sich wandeln change, turn into
die **Wanderdüne,** −n shifting sand dune
die **Wange,** −n cheek

wanken totter, waver
das **Wappentier,** −e animal on a coat of arms, heraldic animal
die **Wärme** warmth
das **Warnungssignal,** −e warning signal
der **Wärter,** − attendant, custodian; die **Wärtergewohnheit,** −en habit of a custodian
waschen (wusch, gewaschen, wäscht) wash
was für what sort of; **was für ein** what sort of a, what a
die **Wasserfläche,** −n surface of the water; der **Wasserhahn,** ⸚e faucet; die **Wasserleitung,** −en water pipe; die **Wassermasse,** −n mass of water
wechseln change, exchange; der **Wechsel,** − change; die **Wechselfälle** vicissitudes
wecken wake; der **Wecker,** − alarm clock; die **Weckeruhr,** −en alarm clock
weder ... noch neither ... nor
der **Weg,** −e way, road, path; **weg** away; **aus dem Wege gehen*** avoid; **auf dem Weg** on the way
wegen on account of
weg-frieren* (sein) freeze away
weg-nehmen* take away
weg-platzen (sein) burst away
weh painful, aching; die **Wehmut** sadness, melancholy; **wehmütig** sad, melancholy; **weh-tun*** hurt, ache
wehen waft, blow, wave
sich wehren defend one's self
das **Weib,** −er woman
weich soft, tender; **weichen (wich, ist gewichen)** yield, give way (to); die **Weichherzigkeit** soft-heartedness
der **Weidenstrauch,** ⸚er willow bush
das **Weihnachtslamm,** ⸚er Christmas lamb
die **Weile** while; **eine ganze Weile** a good long time
weilen stay, linger

VOCABULARY

weinen cry
das Weinlaub vine foliage
die Weise, –n way, manner
weisen (wies, gewiesen) direct, indicate, point to
die Weisheit, –en wisdom
sich weiten broaden, open wide; **weitläufig** spacious, extensive
weiter farther, further, additional; **nichts weiter als** nothing more than; **von weiter her** from further away; **ohne weiteres** without further ceremony
weiter-denken* go on thinking
weiter-geben* pass on
weiter-helfen* help on
weiter-laufen* (sein) keep running
weiter-reden speak on
weiter-schenken give to someone else
die Weitersendung, –e forwarding (*on*)
weiter-sprechen* continue to speak
weiter-tragen* continue to wear
weiter-verschenken give away to someone else
weiter-ziehen* (sein) move on
die Welle, –en wave
der Weltkriegsteilnehmer, – participant in the World War
die Wendeltreppe, –n circular staircase
wenden (wandte, gewandt) turn; **sich wenden*** turn
wendig versatile, nimble
die Wendung, –en turn, turn of phrase
wenigstens at least
wenn . . . auch even if; **und wenn** even if
werben (warb, geworben, wirbt) recruit, enlist; **die Werbeschau, –en** sales exposition
werden (wurde, ist geworden, wird) become; **mir wurde** it seemed to me; **der Werdegang** development, process

werfen (warf, geworfen, wirft) throw, cast, fling
die Werkstatt, ⸚en workshop
wert worth
das Wesen, – being; **wesentlich** essential, substantial
wichtig important
wickeln wrap
wider against, contrary to; **der Widerschein, –e** reflection; **der Widerspruch, ⸚e** opposition, contradiction
widerfahren* meet with, happen
widerstehen* withstand, resist; **der Widerstand** resistance; **die Widerstandsgruppe, –n** resistance group; **die Widerstandskraft, ⸚e** power of resistance
widerstrebend reluctant
widmen dedicate
wieder-bringen* bring back
wieder-erkennen* recognize, know again
wieder-hallen resound
wiederholen repeat; **sich wiederholen** recur
die Wiederkehr, –en return, recurrence
wiegen (wog, gewogen) weigh
wiegen rock, move to and fro; **die Wiege, –n** cradle
Wiener Viennese
die Wiese, –n meadow
wieviel how much
wildfremd completely strange
der Wille, –n will; **jemandem den Willen tun*** do what someone wants
wimmeln swarm, teem with
wimmern moan
die Wimper, –n eyelash
winden (wand, gewunden) wind, wrest from
die Windjacke, –n windbreaker
der Winkel, – corner, nook, angle
winken wave
die Wintersachen winter clothes

winzig tiny
wippen bend back and forth, swing up and down, seesaw
der Wirbel, – eddy, whirl, giddiness
wirken have an effect, act, effect, bring about; **die Wirkung, –en** effect
wirklich really, real, true, genuine; **die Wirklichkeit, –en** reality
wirksam effective, active
wirr confused
die Wirtin, –nen proprietress, innkeeper (*female*); **das Wirtshaus, ⸚er** inn; **die Wirtsstube, –n** public room in an inn; **die Wirtsleute** landlord and landlady
wischen wipe
wissen (wußte, gewußt, weiß) know; **die Wißbegier** curiosity
die Witwe, –n widow
wobei whereby, whereat, in connection with which; **womit** with what; **worüber** about what; **wozu** as what, for what
wogen surge, be overflowing (*with humanity*)
wohlgefügt well-disposed, well-ordained
der Wohnraum, ⸚e living space; **die Wohnung, –en** dwelling, apartment
die Wolke, –n cloud
wollen (wollte, gewollt, will) wish, want, be willing, intend, be about to, be on the point of, claim to, will
wollüstig voluptuous, sensual
das Wort, –e word; **ins Wort fallen*** interrupt; **zum Wort stehen*** keep one's word
der Wucherer, – usurer
wuchern grow luxurious, be rampant
sich wundern be surprised, wonder at, be amazed; **sich über etwas wundern** be surprised at something; **wunderbar** wonderful, marvelous; **das Wunderkind, –er** child prodigy; **der Wunderknabe, –n, –n** boy prodigy; **wunderlich** odd, eccentric, strange
der Wunsch, ⸚e wish; **wünschen** wish
würdigen evaluate, appreciate
der Wurf, ⸚e throw
der Würfel, – cube
würgen throttle, choke, suffocate
der Wurm, ⸚er worm
die Wurzel, –n root
wütend enraged

Z

zäh tenacious; **die Zähigkeit** tenacity, toughness
die Zahl, –en figure, number; **zahlreich** numerous
zahlen pay
zählen count
zanken quarrel
zapplig fidgety, restless
zart soft, delicate, tender; **zärtlich** tender, affectionate; **die Zärtlichkeit** tenderness, fondness
die Zauberergeste, –n gesture of a sorcerer
zaudern hesitate
der Zehnjährige, –n, –n ten-year-old boy
das Zeichen, – sign
zeichnen sketch, mark
zeigen show; **sich zeigen** appear, turn out, come to light; **zeigen auf** point to
zeihen (zieh, geziehen) accuse of
die Zeile, –n line
die Zeit, –en time; **eine Zeit lang** for a time; **vor Zeiten** formerly, in the old days; **zur Zeit** at the time; **das Zeitalter,** – age
die Zeitung, –en newspaper
zerbrechen* smash to pieces; **den Kopf zerbrechen*** rack one's brain
zerkrümeln crumble to bits
zerlegen cut up
zerlumpt ragged
zermürben wear down

zerreißen* tear to pieces
zerren drag, pull roughly
zerschlissen shabby, torn
zerschneiden* cut up
zersetzen undermine, disintegrate; **der Zersetzungsprozeß, –e** process of decomposition
zerspringen* (sein) burst
zerstören ruin, destroy, ravage
das Zeug, –e stuff, cloth, material
das Zeugnis, –se testimony, evidence
der Ziegel, – brick, tile; **der Ziegelbrocken, –** fragment of brick or tile; **der Ziegelschlot, –e** brick chimney; **der Ziegelschutt** brick rubble
ziehen (zog, ist gezogen) move, march; **ziehen* (haben)** draw, pull; **es zieht** there is a draft
das Ziel, –e target, goal
ziemlich rather, suitable; **ziemlich zu Anfang** fairly near the beginning
zierlich decorative, delicate, dainty
der Zigeuner, – gypsy
zimperlich prudish, affected
das Zinn pewter
die Zirkusluft circus atmosphere
zischen hiss, whizz
zittern tremble, quiver, vibrate
der Zivilisationsbehelf, –e expediency of civilization
zögern hesitate, delay, linger
der Zorn anger, wrath; **zornig** angry, incensed, wrought up
zu-billigen grant, concede
zu-blicken look on
zucken jerk, quiver, twitch
der Zuckerschnee powder snow
zu-drehen turn to
zuerst first, at first
der Zufall, ⸚e chance, accident, occurrence; **zufällig** by chance
zu-fallen* (sein) close, fall to, fall to one's lot
zu-flüstern whisper to
zufolge in consequence of, owing to
zufrieden satisfied, content

zu-führen supply, conduct, lead to
der Zug, ⸚e draft, trait, procession, train, line, feature
zu-geben* admit, allow
zu-gehen* (sein): auf jemanden zu-gehen* go up to someone, approach someone
zu-gestehen* grant, concede
zugetan fond of, devoted to
zugleich at the same time
zugrunde-gehen* (sein) be ruined, perish
zuhause at home
zu-hören listen to
zu-jauchzen shout with joy, cheer
zu-kichern giggle to
zu-klappen close with a snap
zu-knöpfen button up
zu-kommen* (sein): auf jemanden zu-kommen* come (up) to someone, approach someone
die Zukunft future
zuletzt at last, finally
zumindest at least
zumute in spirits; **wie ist es Ihnen zumute?** how do you feel?
zu-muten expect of (*a person*); **sich zu viel zumuten** attempt too much
zunächst next, first, first of all, at first, above all
zunächstliegend lying close at hand
zündend inflammatory, rousing
das Zündholz, ⸚er match
zu-neigen be inclined toward
die Zunge, –n tongue
zu-nicken nod to
zurecht rightly, in order; **sich zurecht finden*** find one's way, become adjusted
sich zurecht-legen explain to one's self, figure out
sich zurecht-machen get ready, dress
zurecht-weisen* reprimand
zu-reden try to console, try to comfort, advise
zu-richten cook, prepare
zurück-behalten* retain

zurück-bleiben* (sein) remain behind
zurück-geben* give back, retort
zurück-holen fetch back
zurück-kehren (sein) return
sich zurück-lehnen lean back
zurück-schlagen* throw back, beat back
zurück-stecken put back
zurück-stellen replace, put back
zurück-stoßen* push back, repel
zurück-weichen* (sein) retreat, fall back
zurück-weisen* reject, refuse
zurück-ziehen* (sein) draw back, withdraw; sich zurück-ziehen* withdraw
zu-rufen call to; der Zuruf, -e shout, call
zusammen-brechen* collapse
zusammen-fassen summarize
zusammengeliehen collected together by borrowing
zusammen-geraten* (sein) fall out, quarrel, clash
zusammen-hängen* be connected with; der Zusammenhang, ⸚e connection
zusammen-hauen cut to pieces, inflict terrible losses on
zusammen-kneifen* squeeze together, squint
zusammen-pressen press together
zusammen-sinken* (sein) sink down, collapse
zusammen-stürzen (sein) collapse
zusammen-treffen* (sein) meet together
sich zusammen-ziehen* draw together, contract
zusammen-zwingen* force together
zu-schanzen procure, wangle
der Zuschauer, - spectator; der Zuschauerraum house (*i.e. place for the spectators*), auditorium
zu-schießen* (sein) rush at
zu-schlagen* close
zu-schnappen snap shut
zu-schreien* shout to

zuschulden: sich etwas zuschulden kommen lassen* be guilty of doing something
zu-sehen* look on, look at, observe, watch out for
zu-setzen pester, importune
sich zu-spitzen come to a point or crisis
der Zustand, ⸚e condition, situation; zustande kommen* come about
zu-stecken: jemandem etwas zustecken put something in someone's hand or pocket
zu-stöpseln cork up
zu-stoßen* (sein) happen to
zu-streben (sein) make for, hasten toward, strive for, try to reach
zu-stürzen (sein) rush towards
zu-trauen: einem etwas zu-trauen believe a person capable of something; die Zutraulichkeit trustfulness, friendliness
zu-treffen* prove true
zu-treten* (sein) approach
zuverlässig reliable
die Zuversicht confidence; zuversichtlich confident
zuvor before
zuweilen at times
zuwider-laufen* (sein) run counter to
zu zweit two of them, by twos
zwar to be sure
der Zweck, -e purpose
der Zweifel, - doubt
der Zweig, -e twig, branch
der Zweikampf, ⸚e duel
zwergenhaft dwarfish, dwarf-like
der Zwicker, - pince-nez
der Zwieback, -e rusk
zwiespältig divided, conflicting
zwingen (zwang, gezwungen) compel
zwischendurch at times, in the midst, through, in between
Zwölf- bis Vierzehnjährige twelve to fourteen year olds
zynisch cynical